Para comprender
LOS SACRAMENTOS

Jesús Espeja

EDITORIAL VERBO DIVINO
Avda. de Pamplona, 41
31200 ESTELLA (Navarra)
2000

7.ª edición

 Printed in Spain. Fotocomposición: Fonasa. 31008 Pamplona. Impresión: Gráficas Lizarra, S.L., 31200 Estella (Navarra). Depósito Legal: NA. 1.785-2000

ISBN 84 7151 646 2

Presentación

Al terminar la redacción de un libro, hay que presentarlo al público: qué motivaciones lo han inspirado, en qué coordenadas se mueve, esquema seguido y limitaciones reconocidas.

La Iglesia es comunidad de vida que se manifiesta, se promueve o se deforma en la práctica de los ritos sacramentales. Muchos cristianos mantienen viva la frescura del evangelio gracias a los sacramentos, mientras otros siguen alguna práctica esporádicamente un poco por inercia o costumbre social; y no faltan quienes abandonan toda práctica de las celebraciones sacramentales porque las interpretan como actos mágicos. Prestar un servicio de información y formación ha sido la voluntad que me animó a escribir este libro.

Mi discurso se mueve dentro de tres coordenadas o preocupaciones. En primer lugar está la verdad de la fe cristiana que nos entregan la tradición viva y la confesión oficial de la Iglesia; son lugares decisivos cuando se habla sobre los sacramentos, acciones celebrativas de la comunidad eclesial. Pero hay otra preocupación de actualidad: cómo, en la nueva situación, la Iglesia evangelizadora debe actualizar y celebrar los sacramentos; aquí hay logros palpables, pero todavía quedan interrogantes donde la teología tiene una tarea tan difícil como necesaria. En el fondo, este libro lleva una gran preocupación evangelizadora: no intenta sólo informar, sino formar; su objetivo prioritario no es tanto aportar muchos datos y conocimientos, sino despertar y remitir a una experiencia viva de la comunidad cristiana; todo lo que aquí se dice no es más que aproximación a la misma. A este objetivo iría bien el título: «Para vivir los sacramentos».

El esquema seguido no es complicado. A modo de introducción, un primer capítulo trata de algo previo y fundamental: qué es un sacramento cristiano. Después viene la división en tres partes: sacramentos de iniciación, sacramentos de curación, y sacramentos al servicio de la comunidad.

Las limitaciones de contenido y de forma son muchas. Es pretencioso hacer en un solo libro la exposición de los siete sacramentos, cuando cada uno de ellos ha merecido muchas, serias y gruesas publicaciones. La pretensión es más atrevida, si encima se quiere una visión actual, una redacción ágil y un texto relativamente breve donde no se resienta ningún artículo de la fe cristiana.

Habría costado poco endosar amplia bibliografía nacional y extranjera; sólo era cuestión de más páginas. Pero, de acuerdo con las preocupaciones y objetivo de la obra, se ha impuesto una selección de algunas publicaciones significativas y accesibles. Sin duda, muchas ideas expuestas aquí son de otros autores de quienes no hay referencia explícita en estas páginas.

Como hermenéutica o interpretación de la única fe cristiana en distintas experiencias humanas, la reflexión teológica siempre camina en fronteras y lleva la marca de la provisionalidad. De modo especial cuando esta reflexión se centra en los sacramentos, tan vinculados a la vida y tan expuestos al cambio cultural. Este libro ha tenido ya varias ediciones con idéntico texto, y en esta nueva edición introduzco adiciones que me parecen importantes, no sólo por la nueva situación social, sino también por la necesidad que uno siente de clarificar y exponer sus ideas con más claridad.

Para completar la Introducción –«Qué es un sacramento cristiano»–, he añadido un «excursus» teológico-pastoral, para responder a interrogantes que, al exponer el tema en grupos, salen una y otra vez. También he ampliado el tema de la «Iniciación cristiana»; la nueva situación de la sociedad española exige no sólo un talante nuevo en la presencia pública de la Iglesia, sino también una fe convencida y personalizada de los cristianos. Con la preocupación de actualizar el tema en la reflexión teológica y con una intención evangelizadora, ha sido reelaborado el capítulo sobre la eucaristía. Finalmente, ampliando el horizonte y apuntando a cuestiones todavía pendientes, añadí una «incursión» en el capítulo dedicado al matrimonio.

Deseo que este libro ayude a vislumbrar y a gustar un poco mejor esa cercanía benevolente de Dios en Jesucristo, en la comunidad cristiana y en la celebración de los sacramentos.

Salamanca, 15 de diciembre de 1995

Introducción

Qué es un sacramento cristiano

A veces los sacramentos son interpretados como actos religiosos que se practican en los templos, pero que nada o poco tienen que ver con las faenas seculares de cada día. Una prolongada situación de cristiandad ha dado como resultado que muchos sigan cumpliendo con los llamados sacramentos sociales –bautismo, primera comunión y matrimonio– sin la debida preparación catequética y sin apenas enterarse de lo que celebran. Otros bautizados abandonan la práctica sacramental que les resulta insignificante. Y no faltan quienes ven los ritos sacramentales como alienación o evasión de un serio compromiso en la transformación de la sociedad.

Incluso entre los que frecuentan los sacramentos abunda la idea del rito como una especie de fórmula mágica; su eficacia milagrosa estaría determinada más o menos arbitrariamente por el mismo Jesucristo. Hay muchos interrogantes pendientes que necesitan adecuada respuesta: ¿Cómo fueron instituidos los sacramentos?, ¿por qué nada más siete?, ¿cómo dan la gracia? Estos y otros interrogantes son legítimos. Exigen que nos detengamos y tratemos de clarificar qué es un sacramento cristiano [1].

[1] Como referencia más extensa para este punto, puede servir mi libro *Sacramentos y seguimiento de Jesús*, Salamanca 1989.

1. Los sacramentos son símbolos

a) *Unidad entre creación y salvación*

El único Dios creador y salvador ha proyectado al mundo y a la humanidad hacia una realización plena. San Pablo designa este proyecto con el término griego *mysterion*, cuya versión latina es *sacramentum*. En este designio de gracia se inscriben la experiencia religiosa y las distintas manifestaciones sacramentales de la misma, entre las que cuentan los «sacramentos cristianos».

Lógicamente debe haber cierta continuidad entre sacramentalismo natural y sacramentalismo religioso. En este último, y por su incidencia especial en el cristianismo, el sacramentalismo de la historia bíblica ocupa un puesto relevante. Así los sacramentos cristianos «constituyen sólo los focos de una sacramentalidad que abarca al mundo entero» [2]. Esta convicción está presente y determina el enfoque de nuestra reflexión.

b) *La experiencia es lo primero*

El término «experiencia» puede ser manipulado fácilmente. Los jóvenes hablan de una experiencia

[2] E. Schillebeeckx, *Cristo, sacramento del encuentro con Dios*, San Sebastián 1966, 10.

nueva, mientras los mayores apelan a su larga experiencia. No es lo mismo cuando se dice, por ejemplo, «tengo amplia experiencia de volante», que cuando nos referimos a «una experiencia inolvidable». Una cosa es el conocimiento y otra la vivencia. Para entendernos, siempre como aproximación, «experiencia» quiere decir «trato directo, sin intermediarios, con los hombres o con las cosas»; encuentro con personas o realidades que irrumpen dentro de nosotros, nos afectan y nos hacen reaccionar.

> La Iglesia sacramental está ya presente de una manera vaga, pero de todos modos visible, en la vida de toda la humanidad religiosa. Toda la humanidad está bajo la influencia del llamamiento interior de Dios que le invita a la comunidad de gracia con él. En el paganismo, este llamamiento vago, si es escuchado por un corazón sincero, suscita ya un sentimiento oscuro del Dios redentor que se compromete personalmente también en la salvación de estos hombres. Pero esta experiencia interior operada por la gracia no encontró todavía la forma visible de esta gracia, que estaba por decirlo así oculta, bajo un semblante desconocido, en lo más profundo del corazón humano.
>
> E. Schillebeeckx,
> *Cristo, sacramento,* 15-16.

Todos los hombres tenemos nuestras experiencias. Son como la enjundia de nuestra vida; definen de algún modo nuestro talante y dan calor a los fríos marcos del tiempo. Amor, amistad, rechazo y desdén son experiencias comunes a todos los mortales, aunque cada uno las vivimos de modo peculiar.

La «experiencia religiosa» merece atención especial. De algún modo es una exigencia de nuestra condición humana. Llamado a ser más de lo que es, el hombre anhela plenitud y universalidad en el conocimiento y en el amor; pero a la vez se siente limitado por su singularidad en el espacio y en el tiempo. Espontáneamente brota en nosotros la sensación de que hay otra realidad superior y misteriosa que nos precede y nos envuelve. Unos viven esta sensación ingenuamente, otros la soportan, y no faltan quienes tratan de reprimirla. Pero interrogante, admiración y estremecimiento ante el misterio son demanda inevitable para todos los humanos. En esa demanda emerge la experiencia religiosa[3].

La experiencia religiosa tiene puesto y significado muy notables «en la revelación bíblica»: Dios se manifiesta e interviene gratuitamente en la historia de los hombres para sacarlos de su postración y abrir un camino de felicidad. La historia del pueblo según la Biblia es como un proceso dinamizado por una promesa de Dios y orientado hacia el cumplimiento de la misma.

> El sacramento no es un gesto ritual ajeno a la experiencia cristiana que vive el creyente, sino que brota de esa experiencia y revierte sobre ella para potenciarla y enriquecerla.
>
> J. M. Castillo,
> *Símbolos de libertad,*
> Salamanca 1981, 449.

«El cristianismo supone *una novedad*» no sólo en las manifestaciones religiosas del mundo, sino también para la revelación bíblica: «Cuantas promesas hay en Dios, son en Cristo sí» (2 Cor 1,20). Jesús de Nazaret es el acontecimiento en que Dios se hace cargo de nuestra historia, y nos hace justos no por nuestros méritos, sino por su misericordia. Se trata de una experiencia nueva: «Sentirse perdonado, aceptado y amado». Es la gracia: participación de Dios mismo, amor gratuito que nos transforma, nos hace agradecidos y agradables. Un don o fuerza del Espíritu que nos une como hijos del mismo Padre y como hermanos de la única familia.

c) En lenguaje simbólico

Porque somos y vivimos encarnados, nuestros pensamientos y nuestras experiencias necesitan

[3] Dos libros fundamentales y accesibles para el tema: J. Martín Velasco, *Introducción a la fenomenología de la religión*, Madrid 1982, y D. Salado, *La religiosidad mágica*, Salamanca 1980.

mediaciones visibles. En nuestra mente hay ideas sobre la realidad que se traducen y manifiestan en palabras. Así cuando, por ejemplo, digo «árbol», todos sabemos a qué me refiero; la palabra no es la realidad «árbol», sino que viene a ser la expresión de un concepto ya elaborado por los hombres y que nos permite conocer la realidad. Algo similar ocurre con el humo respecto al fuego, y con la bandera de un determinado país.

> El símbolo hace presente al misterio. Transforma la ontofanía natural de las cosas en teofanía, en revelación de lo divino y de su presencia activa en el mundo.
>
> Sólo a través del simbolismo religioso resulta posible al hombre experimentar o decir algo de lo que es, por su misma trascendencia, inasible e inexpresable. Sólo mediante él y sus dinamismos específicos se realizará la experiencia vital provocada por el mundo superior.
>
> D. Salado,
> *La religiosidad mágica,*
> Salamanca 1980, 107-108.

Pero la experiencia tal como la hemos entendido, relación o encuentro directo y vivencia, no logra su traducción y manifestación adecuadas en conceptos ni en palabras; desborda todas las expresiones verbales. Por eso recurrimos al «símbolo». Una palabra que originariamente significa la unión de dos mitades de un anillo que se había partido como expresión de alianza o pacto entre personas. El símbolo no sólo da conocimiento de la realidad; es «reconocimiento», actualización, presencia real, aunque parcial, de la misma. El abrazo entre dos personas amigas no sólo notifica que hay amistad; ésta se hace presente, se celebra y se aviva en el abrazo.

La experiencia humana más profunda y auténtica echa mano del lenguaje simbólico. Pensemos en las caricias de dos enamorados, o en los besos entrañables de una madre a su hijo que, después de mucho tiempo fuera, vuelve a casa. Para expresar el amor y el sentimiento en la partida de un ser querido, hacemos una comida de despedida. El mismo acompañamiento silencioso ante tragedias irremediables resulta muchas voces el único simbolismo elocuente. Todas las culturas tienen sus propios simbolismos para manifestar sus experiencias ante distintos acontecimientos de la vida.

El lenguaje simbólico es «mediación necesaria *en la experiencia religiosa*». Con su misma cercanía, el misterio nos trasciende y la sensación del mismo no es conceptuable. Cada religión tiene sus símbolos donde los fieles se identifican como sujetos que viven una experiencia religiosa común.

El simbolismo es también «lenguaje normal *en la historia bíblica*». Paraíso, torre de Babel, liberación, alianza, tierra prometida, sólo por traer algunos ejemplos, son símbolos de una experiencia tan real como inexpresable conceptualmente.

Jesús de Nazaret habló con este mismo lenguaje simbólico, no sólo en sus parábolas, sino de modo especial en sus gestos: comidas con los pobres, última cena con sus discípulos, lavatorio de los pies, silencio humilde ante sus acusadores. La expresión frecuente «a qué compararé», que vemos en los evangelios, nos sugiere la profunda e intensa experiencia con que Jesús vive la cercanía de Dios o la llegada del reino.

Los seguidores de Jesús, partícipes de su misma experiencia, tendrán que utilizar también esa mediación simbólica.

d) Ritos sacramentales

Cuando hay realidades, gestos, palabras o silencios que «transparentan» o despiertan una experiencia o encuentro vivencial, podemos hablar de sacramento. La casa de mis padres trae y evoca para mí una experiencia intransferible mediante palabras; la mirada comprensiva de un amigo actualiza la simpatía que nos une; «dar palabra» puede ser expresión simbólica de un compromiso, y el silencio puede manifestar simbólicamente la cercanía del corazón.

Dentro de la sociedad o de la religión se fijan algunos símbolos para manifestar determinadas experiencias comunes, y se reiteran cuando tienen lugar estas experiencias. Son como símbolos en acción. En su contexto cultural, la comunidad humana y la comunidad religiosa van forjando su lenguaje simbólico donde manifiestan y ofertan su experiencia.

En las sociedades humanas hay ritos sacramentales. Cada una tiene sus formas de celebrar en comunidad el nacimiento de un nuevo miembro, el amor entre hombre y mujer, la muerte de un ser querido. Los juegos olímpicos, el pacto de amistad entre los pueblos, las reivindicaciones por la solidaridad y la justicia, tienen su ritualidad sacramental.

Las distintas religiones practican sus ritos en el ámbito de la oración y de los sacrificios. Dos campos muy presentes en la religión bíblica. Esos ritos están sustentados por una experiencia. Y esa misma ley vale para los sacramentos cristianos.

Ya se comprende que los ritos sacramentales, como símbolos de una fe vivida por la comunidad que los celebra, siempre son presencia de la misma. La firma de alianza entre dos pueblos expresa y hace presente su voluntad de comunión y ayuda. Cuando una comunidad ofrece sacrificios, manifiesta y actualiza su entrega y adhesión a la divinidad. Es el significado que tenía la liturgia sacrificial en la Biblia. En ese dinamismo hay que situar también la eficacia de los sacramentos cristianos[4].

e) Actos de religión, y no magia

Religión y magia son dos modos de interpretar y responder al eco y a la llamada del misterio. El hombre religioso acepta y se entrega con humildad al misterio que percibe; su actitud es de sano temor, adoración y súplica confiada. La magia, en cambio, trata de dominar al misterio y manipularlo para lograr rentabilidades inmediatas: librarse de males y conseguir bienes.

Así vemos la diferencia entre el ministro de la religión y el mago. El ministro es como un servidor de la comunidad creyente; actúa con el espíritu y exigencias de la misma. El mago, en cambio, es visto como individuo particular con facultades singulares para conjurar y domesticar a espíritus o poderes misteriosos.

> No creemos que el hombre moderno haya perdido el sentido de lo simbólico y de lo sacramental. También él es hombre como otros de otras etapas culturales, y en consecuencia es también productor de símbolos expresivos de su interioridad y capaz de descifrar el sentido simbólico del mundo. Quizá se haya quedado ciego y sordo a un cierto tipo de símbolos y ritos sacramentales que se han esclerotizado o vuelto anacrónicos. La culpa en ese caso es de los ritos y no del hombre moderno.
>
> L. Boff,
> *Los sacramentos*, 10-11.

En la religión, los ritos expresan y promueven la fe o experiencia de la comunidad, pero pueden sufrir perversión, que se da tanto en la sacramentalidad humana como en la sacramentalidad religiosa, aunque normalmente sólo en esta última hablamos de magia. Así, el cálido apretón de manos, que dentro de un contexto cultural o consenso comunitario es signo de amistad, será una perversión cuando tenga lugar entre dos personas mientras se odian cordialmente y no están dispuestas a cambiar de sentimientos. Es fácil y frecuente la perversión del rito religioso en magia, pues el hombre siempre lleva la tentación de dominar y manipular al misterio que le envuelve[5].

2. Novedad de los sacramentos cristianos

Esta novedad proviene y tiene su explicación en la confesión creyente: el acontecimiento Jesucristo es el sí definitivo de Dios en favor de la humanidad; se han cumplido las promesas y ha llegado ya la sal-

[4] En esta visión del sacramento son valiosos: L. Boff, *Los sacramentos de la vida*, Salamanca 1978; J. M. Castillo, *Símbolos de libertad, teología de los sacramentos*, Salamanca 1981; G. Fourez, *Sacramentos y vida del hombre*, Santander 1983.

[5] J. Caro Baroja, *Las brujas y su mundo*, Madrid 1973, 141-143: D. Salado, *La religiosidad mágica*, 140-148.

vación esperada. Los sacramentos cristianos son símbolos que actualizan esta presencia.

a) *Un proyecto de gracia*

El mundo y su historia caminan ya en los brazos de Dios; según la fe cristiana, son «transparentes»; en la evolución de los tiempos hay como «un rumor de ángeles»[6]. La revelación bíblica nos ofrece la verdad sobre la creación: el mundo y todas sus realidades son fruto del amor gratuito del creador, quien continuamente acompaña y promueve a su obra en el curso de la historia; ésta camina bajo el signo de la promesa y de la bendición; su realización final llegará como «alianza nueva» gracias al Espíritu que transformará el corazón de los hombres[7].

> La visibilidad de la presencia de gracia en el paganismo queda envuelta en un fuerte anonimato, y esto vale asimismo respecto a la religiosidad que puede existir entre los «paganos modernos». La forma exterior de esta gracia visible no resultará clara sino en la revelación especial de Dios.
>
> E. Schillebeeckx,
> *Cristo, sacramento*, 19.

En el mundo y en la humanidad hay muchas expresiones o símbolos sacramentales de la presencia de Dios: reflejos del cosmos que despiertan en nosotros admiración; manifestaciones de amor, de compasión y solidaridad que de algún modo revelan ya la intervención del Espíritu. En la Biblia, esta presencia y esa intervención se hacen más palpables; así hubo sacramentos como circuncisión o comida pascual, en que todo el pueblo actualizaba la experiencia de que su Dios estaba presente y actuaba como libertador y salvador.

[6] Es muy recomendable el libro de P. Berger, *Rumor de ángeles. La sociedad moderna y el descubrimiento de lo sobrenatural*, Barcelona 1975.

[7] Jr 31,31-34; Ez 36 y 37 destacan con lenguaje poético la profundidad y el realismo de la promesa.

b) *Jesucristo, realizador de este proyecto*

Según los evangelios, Jesús vivió de modo único la intimidad con Dios, y actuó convencido de que llegaba ya el cumplimiento de las promesas, la utopía esperada, el reinado de Dios:

«El Espíritu del Señor está sobre mí porque me ha ungido para anunciar a los pobres la buena noticia, proclamar la liberación de los cautivos, dar vista a los ciegos, liberar a los oprimidos, proclamar el año de gracia».

«Si por el Espíritu de Dios expulso a los demonios, es que ha llegado a vosotros el reino de Dios»[8].

> Cristo es la presencia real en la historia del triunfo escatológico de la misericordia de Dios... En la encarnación abrazó Dios al mundo radical y definitivamente en su misericordia... En la encarnación, la humanidad entera fue asumida definitivamente para la salud, en este su miembro y cabeza unido definitivamente con Dios en unidad personal. En el momento en que el Logos asume esta naturaleza humana en la unidad y humanidad una, la redención no puede detenerse ni ser retenida.
>
> K. Rahner,
> *La Iglesia y los sacramentos*,
> Barcelona 1964, 14 y 15.

Jesús manifestó y celebró su experiencia singular en algunos gestos simbólicos: comidas con los pobres, última cena con sus discípulos, lavatorio de los pies. Eran símbolos en acción, gestos sacramentales.

Después de la resurrección y a luz de la misma, los primeros cristianos leyeron e interpretaron los acontecimientos históricos de Jesús; y le confesaron como palabra, Hijo de Dios, salvador del mundo; el sí de las promesas, la «nueva alianza», el único mediador. En Jesucristo se ha realizado por fin y de modo pleno la inclinación gratuita de Dios en favor de todos los hombres, y la entrega libre de la humanidad a su creador:

[8] Deben ser leídos juntamente Lc 4,18-19 y Mt 12,28.

«La obra de la redención humana y de la perfecta glorificación de Dios»[9].

Encuentro definitivo de salvación que se ha dado en visibilidad histórica. Los gestos de Jesús, todo cuanto habló, hizo y padeció, fueron expresión de Dios interviniendo en favor nuestro, del reino ya presente y activo en nuestro mundo. Bien podemos decir que «Jesucristo es el sacramento primordial».

c) *La Iglesia, «cuerpo espiritual» de Cristo*

Durante su actividad mesiánica, Jesús formó una pequeña comunidad; era como germen y símbolo de la humanidad nueva o reinado de Dios. En pentecostés, los primeros cristianos se sintieron convocados, unidos por el Espíritu en una comunidad o nueva familia integrada por hombres de toda lengua y de todos los pueblos.

La Iglesia es la «convocación» *(Ek-klesia)* del Espíritu. Cuando santo Tomás de Aquino se pregunta si se puede «creer en la Iglesia», responde afirmativamente puntualizando el verdadero sentido de la confesión: «Creemos en el Espíritu santificador de la Iglesia»[10]. Según los escritos neotestamentarios, ella es el templo del Espíritu, el cuerpo espiritual y visible del Resucitado. Proclamación histórica y oferta visible de salvación definitiva para todos los hombres, la Iglesia es «sacramento admirable» que garantiza la posibilidad y eficacia de los sacramentos cristianos.

d) *Símbolos de la gracia*

La comunidad creyente, animada por el Espíritu, expresa y celebra en oraciones y ritos el encuentro personal con Dios, que llamamos gracia. Esta no es una cosa que se nos pega o un revoque por fuera, sino «un acontecimiento entre personas», una experiencia singular: Dios mismo que se nos da como amor que transforma nuestros corazones, promueve nuestra libertad y nos da capacidad para vivir sus mismos sentimientos. Un amor que nos hace justos dándonos participación de su misma justicia y comprometiéndonos a rectificar lo torcido en nosotros y en los demás. Ese dinamismo de la justificación, diálogo en que Dios realiza su obra de salvación en nosotros y con nosotros, es la entraña misma de la Iglesia. Ella expresa su vida en la oración, en la solicitud por los pobres, en el empeño por la justicia, en la predicación de la palabra y en los ritos.

La Iglesia terrestre es la aparición de la realidad salvífica en el plano de la visibilidad histórica. Es comunidad visible de gracia... No es sólo un medio de salvación; es la salvación misma de Cristo, es decir, la forma corporal de esta salvación manifestada en el mundo.

E. Schillebeeckx,
Cristo, sacramento, 62.

La Iglesia es la continuación, la permanencia actual de esta presencia real escatológica de la victoriosa voluntad gratífica de Dios, inserta definitivamente con Cristo en el mundo.

La Iglesia, en cuanto entidad histórica y social, es siempre y definitivamente el signo con el que siempre e indefectiblemente se da lo que él mismo indica.

K. Rahner,
La Iglesia, 19-20.

Pero si esto es así, ¿dónde radica la peculiaridad de los sacramentos propiamente dichos? K. Rahner lo dice muy bien: «Cuando la Iglesia, en su publicidad y explicitación oficial y societaria como medio salvífico de gracia, entra en contacto con el individuo en la última realización de su esencia, entonces nos encontramos con sacramentos en sentido propio, los cuales son a la vez realizaciones de la Iglesia misma»[11]. Se trata de momentos privilegiados por la misma Iglesia, que no sólo es administrado-

[9] SC 5.

[10] *Suma Teológica*, II-II, 1, 9, sol. 5. Es fundamental en este punto Y. Congar, *Verdaderas y falsas reformas en la Iglesia*, Madrid 1956, 143-160.

[11] *La Iglesia y los sacramentos*, 10.

ra de los sacramentos, sino fuente y sustento fundamental de los mismos.

> Partiendo de la definición de la Iglesia como sacramento original, un sacramento es un acto salvífico personal del mismo Cristo celestial, en forma de manifestación visible de un acto funcional de la Iglesia; en otras palabras, la actividad salvífica de Cristo en forma manifestativa de un acto *eclesial*.
>
> E. Schillebeeckx,
> *Cristo, sacramento*, 69.

Como expresiones o insignias de la Iglesia, «sacramentos de la fe» es un título muy frecuentado en la tradición teológica. Son profesiones de fe objetiva y de fe subjetiva. De fe objetiva, porque la celebración sacramental es como una versión del «credo» en palabras y gestos simbólicos: Dios nos salva en Jesucristo y en su comunidad. De fe subjetiva, porque los sacramentos manifiestan y actualizan «la comunión de los santos», la gracia que viven ya todos los creyentes animados por el Espíritu. El Vaticano II lo dice claramente: «Los sacramentos no sólo suponen la fe, sino que a la vez la alimentan por medio de palabras y cosas; por eso se llaman sacramentos de la fe» [12]. Son los símbolos en que se actualizan y avivan la fe, la esperanza y el amor de la comunidad creyente.

e) Acciones comunitarias de culto cristiano

El culto es profesión pública de la fe mediante palabras y gestos. Como expresiones de la fe o gracia, los sacramentos son actos cultuales. Siendo fe y gracia de la comunidad creyente, sus expresiones rituales serán lógicamente actos comunitarios. Y hablamos de culto «cristiano»; porque se trata de una fe o seguimiento de Jesucristo, la que vive su comunidad que es la Iglesia, el verdadero culto cristiano incluye y exige recrear históricamente la conducta de Cristo. Así, los sacramentos son el centro de la liturgia [13].

Lamentablemente, muchas veces la práctica sacramental deja en la sombra esta dimensión comunitaria y cultual de todos los sacramentos, bien por un privatismo individualista que durante mucho tiempo viene deformando nuestra práctica religiosa, bien por una mentalidad eficacista del sacramento como remedio para arreglar «*mis* cuentas con Dios». Otras veces no se destaca suficientemente la peculiaridad del culto cristiano como profesión de fe o seguimiento de Cristo; y así la misericordia y la justicia como empeño y tarea en nuestra vida cotidiana no se ven como exigencia y consecuencia de las celebraciones cultuales. La catequesis y la teología como servicio en una Iglesia evangelizadora tienen aquí un amplio y urgente campo.

> Los sacramentos son actos de todo el cuerpo místico de Cristo y de su Iglesia. En el sentido de que son actos de Cristo *en* y *por* su Iglesia, Cristo desempeña un papel activo en los sacramentos *junto con* su «pueblo de Dios» ya realizado en el mundo.
>
> E. Schillebeeckx,
> *Cristo, sacramento*, 83.
>
> Los sacramentos son presencia incarnatoria de Cristo en la Iglesia para los individuos en cuanto tales.
>
> K. Rahner,
> *La Iglesia*, 20.

Expresiones de la fe o de la gracia que vive la comunidad cristiana, los sacramentos, como toda la liturgia, «no son acciones privadas, sino celebraciones de la Iglesia...; por eso pertenecen a todo el cuerpo de la misma, lo manifiestan y lo implican» [14]. La plegaria litúrgica está formulada con «nosotros»: el sujeto que ora no es el individuo aislado, sino la persona mística o moral de toda la Iglesia. Esta dimensión comunitaria de los sacramentos explica ciertas notas en la celebración de los mis-

[12] SC 59.

[13] SC 6.

[14] SC 14.

mos y nos permite comprender el verdadero significado del ministro.

• *Reiteración y fijeza*

La Iglesia se va realizando en la única «tradición viva», que se concreta en las distintas épocas y culturas. Los sacramentos son mediaciones en que se actualiza esa continuidad, y ello justifica «su reiteración». Esta evoca el concepto de «memorial», tan significativo en la historia y celebración bíblicas. No es sólo una «memorización» del pasado como tiempo ideal o simple recuerdo, sino acto vivo de «conmemoración» *(anámnesis)*, de memoria común que define la vida de un grupo. Cuando se celebra el rito, la experiencia vivida en el pasado adquiere actualidad nueva:

> «Yahvé, nuestro Dios, ha concluido con nosotros una alianza en el Horeb; no con nuestros padres concluyó Yahvé esta alianza, sino con nosotros que estamos hoy aquí, todos vivos» (Dt 5,2-3).

Cuando los judíos celebraban la pascua, eran conscientes de que participaban la experiencia de liberación vivida por sus antepasados al salir de Egipto; por eso reiteraban fielmente cada año los mismos gestos. Los sacramentos cristianos son «memoriales» de una vida o encuentro de gracia que ha tenido y está teniendo lugar en Jesucristo y en la comunidad cristiana. La reiteración fiel de los gestos es garantía de «conmemoración o actualización».

También fijeza. Porque los sacramentos expresan la vida de la comunidad que lógicamente ha de tener sus normas de acción como las otras religiones. Esas normas deben responder a la peculiaridad de la revelación y de la fe cristianas: Dios nos salva por amor en Jesucristo y en la comunidad, aunque no sin nuestra colaboración; de modo más o menos explícito, ese dinamismo debe aparecer en todas las celebraciones sacramentales. Es verdad que palabras y gestos de los signos sacramentales han cambiado a lo largo de la historia, y habrá que hacer continuas adaptaciones para que el simbolismo sacramental sea elocuente según tiempos y culturas. Pero también se comprende la necesidad de una normativa común, la regulación de las prácticas rituales que, sin ser paralizante de la vida y de la espontaneidad, haga posible la identidad de la Iglesia que celebra.

• *Significado del ministro*

La Iglesia no sólo es administradora de los sacramentos; en ellos expresa y ofrece su propia vida. En esta visión comunitaria tiene sentido el ministro de la celebración sacramental. No es un mago hacedor de prodigios, sino un miembro de la comunidad, animado por el único Espíritu que rejuvenece continuamente a la Iglesia. La fe comunitaria garantiza las acciones del ministro que lógicamente ha de tener al menos «la intención de hacer lo que hace la Iglesia» [15].

Esta visión comunitaria y espiritual del ministro puede ser buen punto de partida para la revisión y renovación de los ministerios ordenados. Su crisis actual es crisis de la comunidad cristiana, desfigurada por un clericalismo verticalista.

f) Siempre son eficaces

El concilio de Trento declaró: «Los sacramentos de la nueva ley confieren la gracia "ex opere operato"» [16]. Con frecuencia, esta declaración ha sido deformada, sacándola de su contexto y empleándola para justificar un eficacismo ritualista de los sacramentos cristianos. El discurso suele proceder más o menos así: Dios mismo ha decidido vincular su gracia o amor a los siete ritos sacramentales; con hacer ese rito según está legislado, la gracia se produce, aumenta o se recupera. En el fondo hay una visión cosista de la gracia, de la justificación y del dinamismo sacramental. Por eso debemos preguntarnos: ¿cómo entender la eficacia de los sacramentos?, ¿que quiso decir el concilio de Trento con la formula «ex opere operato»?

• *«Causan significando»*

Según lo que venimos diciendo, la experiencia de Jesús y de su comunidad son previas, sustentan

[15] La expresión es del concilio de Trento (DS 1611), que sin embargo no precisó el sentido de la misma.

[16] DS 1608.

> Los actos salvíficos del hombre Jesús, habiendo sido realizados por una persona divina, tienen una fuerza divina en orden a la salvación; pero como esa fuerza divina nos aparece bajo una forma terrestre, visible, los actos saludables de Jesús son sacramentales. «Sacramento» significa, en efecto, don divino de salvación en y por una forma exteriormente perceptible, constatable, que concretiza ese don: un don salvífico en visibilidad histórica.
>
> E. Schillebeeckx,
> *Cristo, sacramento*, 23-24.

y dan sentido al rito sacramental. La gracia o el encuentro de justificación ya vivido se manifiesta y se actualiza en cada sacramento. El Vaticano II afirma del bautismo: «En este sagrado rito se representa y se realiza el consorcio con la muerte y resurrección de Cristo»[17]. Esto se puede aplicar a los siete sacramentos: representan simbólicamente, actualizan la experiencia de Cristo que hoy se «recrea» en la Iglesia.

Así recuperamos el verdadero sentido del clásico axioma «los sacramentos significando causan». Son eficaces porque son símbolos donde se manifiesta, se hace presente la vida Jesucristo y de su comunidad.

> Los signos de la gracia que existen en la nueva alianza son para siempre promesas inderogables de la gracia hechas por Dios. Pueden ser rechazadas por los individuos en cuanto tales, pero no obstante siguen siendo la oferta valedera de la salud, hecha por Dios en forma también valedera. Son en realidad *opus operatum*.
>
> K. Rahner,
> *La Iglesia*, 34.

• *Oferta infalible de gracia*

El «ex opere operato» (obra realizada) no quiere decir que el rito sacramental en sí mismo, como por arte de magia, pueda cambiar interiormente al hombre. Ni siquiera dice que, al participar en un sacramento, se reciba infaliblemente la gracia o encuentro personal entre Dios y el hombre; según el mismo concilio de Trento, es imprescindible apertura en libertad por parte del sujeto. Con buen sentido, la teología escolástica distinguía entre «gracia suficiente» y «gracia eficaz»: Dios nos salva, pero no sin nuestro libre compromiso en la tarea. Unicamente se afirma: en la celebración del sacramento se actualiza y oferta infaliblemente la gracia, que ya es realidad vivida en Cristo y en la Iglesia.

Pero ¿dónde se fundamenta esa infalibilidad? El concilio de Trento se refiere a «los sacramentos de la nueva ley». Son los signos de la nueva alianza, del tiempo nuevo; ese «año de gracia», cuando Dios envía su Espíritu para transformar el corazón de los hombres. La Iglesia confiesa que con Jesucristo ha llegado ya lo último y definitivo; esta novedad cualifica y promueve a la comunidad creyente que ofrece su vida en los sacramentos.

Ya se comprende qué significa «la obra realizada» *(opus operatum)*. Es el amor de Dios, aceptado por la humanidad, el encuentro de gracia que ha tenido lugar en Jesucristo y sigue vivo en la Iglesia. Cuando los reformadores del s. XVI negaban la eficacia de los sacramentos, en el fondo negaban que la Iglesia visible es ya el nuevo y definitivo pueblo de Dios, esperado y anunciado en la revelación bíblica.

En el dinamismo sacramental, como en el acontecimiento Jesucristo y en la vida de la Iglesia, el amor gratuito de Dios que nos ama primero precede y prevalece (1 Jn 4,19). La encarnación del Verbo, su existencia, su muerte y resurrección son epifanía del amor divino que ha prendido en el corazón del hombre. Ese amor del Padre nos justifica, nos hace justos en la comunidad cristiana. La declaración conciliar con la fórmula «ex opere operato» sólo quiso decir eso: lo primero y decisivo en la obra de salvación es el amor de Dios.

Saliendo al paso de un ritualismo eficacista, el Vaticano II ha puntualizado bien: «Los sacramentos no sólo suponen la fe, sino que a la vez la alimentan, la robustecen y la expresan»[18]. Siempre

[17] LG 7.

[18] SC 59.

son eficaces porque simbolizan y hacen presente la fe o vida de la comunidad; así también la fortalecen y avivan. Para que la oferta cale y transforme a quien recibe un sacramento, se necesita fe, actitud de apertura humilde. Sólo entonces se realizará ese dinamismo de justificación o encuentro de gracia que ya es vida y entraña de la Iglesia.

> Hubo tiempo en que se consideraba como un ideal a cultivar el que entre la vida corriente y la vida de los sacramentos existiera una notoria ruptura, como un foso protector, como el musulmán que se descalza antes de entrar en el recinto sacro... Se trata de la misma vida, toda ella empapada del Espíritu Santo, toda ella bajo una epiclesis constante, pero expresada de manera diversa según las circunstancias... Es la vida de todos los días que debe traerse a los sacramentos, es allí donde realmente comienzan los sacramentos, donde se fragua y se suda algo que realmente se puede celebrar aquí en la liturgia.
>
> A. Iniesta,
> *Ensayos de Teología Pastoral,* 1. *Espíritu y misión,*
> Santander 1981, 110.

- *Espiritualidad peculiar*

En cada sacramento, la Iglesia profesa la misma fe y ofrece la única gracia o favor de Dios para responder a distintas situaciones y necesidades que viven los hombres. Según esas necesidades, la gracia tiene su propia modalidad, simbólicamente expresada en el rito sacramental. Ablución en el bautismo significa purificación y nuevo nacimiento; imposición de manos en la confirmación o en el orden evoca la fuerza del Espíritu. La liturgia, con todo su simbolismo, será el lugar apropiado para conocer la espiritualidad de cada sacramento.

3. Algunas cuestiones adyacentes

a) Instituidos por Jesucristo

En el concilio de Trento hay dos afirmaciones importantes: 1) Jesucristo instituyó los siete sacramentos; 2) la Iglesia no tiene poder sobre la «sustancia» de los mismos [19]. Pero es necesario interpretar adecuadamente la doctrina conciliar.

Según los evangelios, Jesucristo manda celebrar la eucaristía, el Resucitado da poder a los apóstoles para bautizar y perdonar; pero sobre los otros cuatro sacramentos no tenemos palabra expresa y directa de Jesús. Por otra parte, en el curso de la historia casi todos los ritos sacramentales han sufrido variaciones importantes. Parece que los reformadores del s. XVI tenían cierta base cuando afirmaban que, al menos algunos sacramentos, nada tienen que ver con Jesucristo y son más bien invenciones de la Iglesia.

Con lenguaje de la teología medieval, el concilio declaró que los siete sacramentos de la nueva ley han sido instituidos por Jesucristo, pero no precisó el modo de la institución. Tampoco explicó en qué consiste la «sustancia» de los sacramentos, cuando afirmó que la Iglesia no tiene poder sobre la misma.

En 1947, Pío XII puntualizó un poco más. «Sustancia» viene a ser «aquello que, según las fuentes de la revelación, Cristo quiso que se mantenga en el signo sacramental» [20]. La voluntad de Cristo, normativa para la Iglesia, es que los sacramentos tengan calidad cristiana; se celebren sustentados en la experiencia de Cristo y la oferten a los hombres de modo fiel y elocuente. Pero esas fidelidad y elocuencia exigen cambios y adaptaciones según las distintas épocas y culturas en que los hombres viven. Y aquí la Iglesia, presencia y templo del Espíritu, tiene poder y deber de cambiar, adaptar e incluso crear la expresión simbólica pertinente.

Jesucristo instituye los sacramentos al poner en marcha la comunidad de la Iglesia; inicialmente, mientras desarrolló su actividad profética en Palestina, y después de la resurrección por medio de su Espíritu. En este sentido, los sacramentos «no son invenciones de la Iglesia», sino acciones de Jesucristo en su comunidad. Bien podemos suscribir lo que hace unos años escribió K. Rahner:

[19] DS 1601 y 1728.

[20] Const. Apost. *Sacramentum Ordinis* (DS 3857).

«La existencia de verdaderos sacramentos, en sentido más riguroso y tradicional, no necesita fundarse en cada caso y en cada palabra –comprobable o presunta– en la que el Jesús histórico hable explícitamente de un sacramento determinado»; «la institución de un sacramento puede también –lo cual no quiere decir que debe siempre ocurrir– por el simple hecho de que Cristo fundó la Iglesia con su carácter de protosacramento»[21].

b) ¿Por qué sólo siete?

En la tradición antigua de la Iglesia no se fija el número de sacramentos; hay distintas listas, a veces muy largas. El número septenario se fijó en la teología del s. XII y fue ratificado por el Magisterio en el s. XIII. El concilio de Trento declaró:

«Los sacramentos de la nueva ley son siete, ni más ni menos»[22].

Si por otra parte no es posible afirmar que Jesucristo se pronunciase sobre cada uno de los sacramentos, no hay más remedio que acudir a la «conciencia de la Iglesia» que, animada por el Espíritu, actualiza de modo público e infalible su realidad íntima o encuentro de gracia en favor de los hombres. Admitiendo que hay sacramento cuando la comunidad cristiana se compromete y empeña su propia vida, ¿quién sino ella tiene capacidad para decirnos cuándo hay sacramento?

El número septenario evoca la totalidad. Siete fueron los días de la creación y siete son también los dones del Espíritu que vivifica y fortalece a la Iglesia. Con este número se manifiesta la intención o voluntad de ofertar la gracia o salvación de Dios para los hombres «en la totalidad de su existencia». Lógicamente, también aquí debemos aceptar que la Iglesia tiene poder para cambiar, explicitar e incluso crear nuevas expresiones simbólicas en orden siempre a lograr un servicio a la totalidad del hombre[23].

[21] *La Iglesia...*, 44-45.

[22] DS 1601.

[23] Muy clara la exposición de L. Boff, *Los sacramentos...*, 75.

c) Diversidad, jerarquía e interrelación

El término «sacramento» es análogo: *se realiza de forma distinta en cada caso*. Cuando se olvida esta diversidad entre los siete sacramentos, se cae con facilidad en deformaciones caricaturescas. Así ocurre, por ejemplo, cuando queremos meter a todos los sacramentos en el binomio «materia y forma». «Materia» es la parte indeterminada del rito, como ablución en el bautismo e imposición de manos en el sacramento del orden; «forma» viene a ser la determinación o precisión de la materia, por ejemplo las palabras rituales en el bautismo. Ese binomio servía como explicación en algunos sacramentos; pero en otros, como penitencia y matrimonio, había que hacer un verdadero galimatías para determinar materias remotas y próximas.

> Los siete momentos capitales de la vida humana se convierten en *kairoi*, es decir, en momentos de salvación en los que el mismo Dios se manifiesta en Cristo bajo una forma que pertenece a nuestra realidad humana terrestre. Los sacramentos se convierten en signo visible de este hecho salvífico: que Dios mismo se compromete personalmente en el feliz resultado de la vida humana.
>
> E. Schillebeeckx,
> *Cristo, sacramento*, 203.

La tradición ha reconocido *una jerarquía entre los sacramentos*. Por su afinidad con el misterio pascual, bautismo y eucaristía fueron catalogados como «principales». La eucaristía es centro y punto de referencia para todos los demás sacramentos[24].

En la teología escolástica se distinguen «sacramentos de muertos» y «sacramentos de vivos», según den la primera o la segunda gracia. Bautismo y penitencia son «sacramentos de muertos»: el sujeto de los mismos está bajo el pecado. Los demás son «sacramentos de vivos» porque suponen que ya están en gracia quienes los reciben.

[24] Y. Congar, *La idea de sacramentos mayores o principales*: Concilium 31 (1968) 24-27.

En la visión que venimos dando hay que precisar mucho esta división, que tal vez responde a una idea cosista de la gracia y a un eficacismo estático del rito sacramental. Pero la división «sacramentos de muertos» y «sacramentos de vivos» puede resultar elocuente para dar a entender que la salvación de Dios no sólo cura nuestras heridas, sino que también nos abre nuevas posibilidades. La teología tradicional habla de «gracia sanante» y de «gracia elevante».

En realidad, todos los sacramentos actualizan el único favor de Dios que llena nuestros vacíos y transforma nuestra condición. Somos perdonados para ser divinizados. Es el encuentro que ya tiene lugar en la comunidad creyente cuya entraña se actualiza en el sacramento. Quienes participan en la celebración sacramental, también del bautismo y de la penitencia, ya llegan movidos por la gracia; se han sentido perdonados y amados; en el sacramento proclaman su fe o gracia ya experimentadas.

d) El organismo sacramental

La teología se ha preocupado de clasificar los sacramentos en un esquema coherente. Santo Tomás hace la clasificación desde distintas claves [25]. Merece la pena traer aquí la que destaca en primer lugar: los sacramentos tienen por objetivo perfeccionar a los hombres en la vida cristiana, y ser remedio contra el pecado; esa vida no sólo es personal, sino también comunitaria. En esta clave y en paralelismo con la vida o existencia corporal, los sacramentos son medios de vida:

1. En cuanto a la propia persona
   - Promoviendo la vida
     - como dádiva del ser: bautismo
     - como aumento del ser recibido: confirmación
     - como alimento de la vida: eucaristía
   - Curando la enfermedad
     - curación del pecado: penitencia
     - curación de la debilidad: extrema unción
2. En orden a la comunidad
   - facultad de propagación natural: matrimonio
   - facultad para dirigir a la comunidad y ejercer actos públicos: sacramento del orden

Esta clasificación está condicionada lógicamente por la visión sacramental del s. XIII cuando escribe santo Tomás. Todavía llama «extrema unción» al rito que hoy más adecuadamente llamamos «unción de los enfermos». Tampoco entonces se daba prioridad al matrimonio como sacramento del amor que completa y perfecciona mutuamente a los cónyuges. Pero las tres dimensiones de la gracia sacramental –elevante, sanante y comunitaria– son criterio válido y permanente para una presentación adecuada de los sacramentos.

Asumiendo y reinterpretando esta clasificación, dividimos nuestro estudio en tres grandes partes:

I. Sacramentos de iniciación: bautismo, confirmación y eucaristía.

II. Sacramentos de curación o rehabilitación: penitencia y unción de enfermos.

III. Sacramentos para servicio de la comunidad: matrimonio y orden.

4. «Excursus» teológico-pastoral

He tratado de hacer una presentación sencilla e inteligible sobre qué es un sacramento cristiano. Pero el enfoque dado y la exposición hecha responden a una visión teológica peculiar y sugieren un clima o talante que debe acompañar a la práctica de los sacramentos.

a) Visión teológica de fondo

Esta forma de presentar el sacramento cristiano se inspira en la historia de Jesús, supone una experiencia singular de Dios, y responde a una percepción creyente de la Iglesia. Desarrollemos un poco estos puntos que pueden clarificar y al mismo tiempo fundamentar lo dicho en este capítulo.

[25] *Suma Teológica*, III, 65, 1.

• *En la historia de Jesús*

En los escritos del Nuevo Testamento no hay ninguna definición de sacramento cristiano; mucho menos una determinación del número septenario que tiene lugar en la Edad Media. Tenemos noticias de que las primeras comunidades cristianas celebraban el bautismo y la eucaristía o «fracción del pan». Y en esas celebraciones la referencia fundamental era Jesucristo: por el bautismo revestimos a Cristo y formamos un solo cuerpo en su espíritu, mientras en la eucaristía Cristo resucitado se hace presente como alimento para su comunidad[26]. Sin embargo de otros sacramentos, por ejemplo confirmación y unción de enfermos, no tenemos nada que provenga explícitamente de Jesús.

Los evangelios sinópticos, que se escribieron como biografías, no dicen que Jesús ni sus discípulos practicaran algunos ritos sacramentales; por eso no suelen acudir ahí los autores cuando tratan de justificar la existencia de los siete sacramentos. Pero toda la vida de Jesús ha sido sacramental, como un símbolo, una parábola en acción de Dios mismo inclinado en favor de la humanidad, y del ser humano que se deja transformar por ese amor de Dios. Las comidas de Jesús con los pobres, el lavatorio de los pies o la última cena con sus discípulos no son más que momentos o manifestaciones, gestos simbólicos puntuales, de lo que fue toda la vida y el martirio del mesías. En aquella historia se revelaron juntamente la misericordia entrañable de Dios y la respuesta incondicional del hombre al proyecto de misericordia o amor gratuito que se hace cargo y carga con las miserias del otro.

En la intimidad de Jesús, que se fue desvelando en su conducta histórica, hubo una experiencia singular de Dios y una preocupación constante por llevar a cabo ya en este mundo la voluntad o proyecto del Padre: formar una sola familia, donde nadie sea más que nadie, y todos participen como hermanos en la misma mesa. La intimidad de Jesús manifestada en su conducta determina qué es y cómo debe celebrarse un sacramento cristiano.

[26] Para el bautismo: Rom 6,1-11; Hch 8,32; Gál 3,27-28. Para la eucaristía: 1 Cor 11,23; Jn 6,51-58.

• *Una experiencia singular de Dios*

Jesús de Nazaret vivió con intimidad única la experiencia de Dios como alguien inclinado gratuitamente en favor nuestro, no sediento de sacrificios, sino fuente de vida y de amor.

– *Encarnado como misericordia entrañable*

Si confesamos que Jesucristo es el Hijo y que en la historia de aquel hombre llamado Jesús Dios mismo se reveló de modo único y singular, debemos concluir: según nuestra fe cristiana, Dios no es alguien alejado y rival del ser humano, sino compañero inseparable y solidario que corre nuestra misma suerte; no es alguien solitario, al margen de nuestra historia e insensible a nuestros problemas, sino alguien que se deja impactar por nuestros males y se pone a nuestro lado para que los superemos. Jesús es mediador, sacramento y presencia de Dios, porque «pasó haciendo el bien, curando enfermos y combatiendo las fuerzas del mal».

Porque Dios ha hecho suya nuestra condición humana, no podemos encontrarle fuera de nuestra historia; sólo ahí logra su identidad el cristianismo. Por eso ya no podemos distinguir entre lo sagrado y lo profano como si fueran dos mundos aparte. Jesús descartó ya esa distinción cuando rechazó la necesidad de purificaciones rituales para entrar en un supuesto mundo sagrado: lo que hace buenas o malas a las personas es lo que sale de su corazón. Costó a la primera comunidad cristiana adoptar esa visión nueva. Algunos convertidos procedentes del mundo judío seguían con el esquema dualista de la pureza ritual y la santidad según las categorías «profano» (impuro) y «sagrado» (puro); y situaban a Dios en lo sagrado que nada tiene que ver con lo profano. Según esta mentalidad judía, los paganos eran impuros, como impuros eran también algunos animales. Pero en una de sus misiones, Pedro fue invitado a comer animales legalmente impuros y escuchó la voz de Dios: «Come, lo que Dios ha santificado no lo llames profano» (Hch 11,9). No hay un mundo profano, aunque el mundo puede ser irreverentemente profanado, y esto es lo que atenta contra la santidad como imitación de Dios, respetuoso y providente con todas sus criaturas.

Se comprende que los sacramentos cristianos, lejos de introducirnos en un mundo ficticio que llamamos sagrado, expresan la presencia de Dios en nuestra historia dando «vida y aliento a todo» (Hch 17,25). Porque Jesús vivió esta experiencia singular de Dios, sus gestos sacramentales –comidas con los pobres o lavatorio de los pies– eran símbolos de un compromiso suyo por levantar a los desvalidos y servir a todos cuyos derechos humanos tienen algo de divino. El divorcio entre los ritos sacramentales y la vida, que desfigura frecuentemente a la práctica sacramental de muchos cristianos, responde a esa mentalidad dualista, según la cual para encontrarnos con Dios hay que salir del mundo profano y meternos en el mundo sagrado.

En la misma fe del Dios encarnado podríamos avanzar siguiendo la conducta histórica de Jesús. «Movido a compasión» es una frase muy socorrida en los evangelios para explicar la intervención de Jesús ante tanta miseria humana: leprosos, ciegos, multitud hambrienta. Fueron los sentimientos llevados a la práctica de vida que expresó Jesús en sus gestos sacramentales que fueron sus milagros y las comidas con los pobres. Si los sacramentos son meros ritos que no significan nada en la marcha y cambio de nuestra vida diaria, ya no expresan el seguimiento de Jesús. «Suponen la fe y la aumentan» quiere decir: los sacramentos son expresiones públicas de que una persona conoce ya el proyecto del mesías, acepta su evangelio, y quiere dar un paso adelante tratando de re-crear en su propia historia la historia de Jesús.

– *«No quiero sacrificios, sino misericordia»*

Con frecuencia los cristianos andamos por el mundo con cara de poco redimidos, obsesivamente preocupados por cumplir con Dios a quien vemos como señor alejado y juez implacable dispuesto a castigarnos por nuestros muchos delitos. No hemos entendido la buena noticia de Jesús: Dios es omnipotente y juez; pero su poder y su justicia se manifiestan en misericordia. Según esa mentalidad muy extendida, Dios prefiere que lo pasemos mal en vez de pasarlo bien, se complace más en nuestro sacrificio que con nuestros gozos. Una visión opuesta totalmente al evangelio: «Dios quiere para todos vida en abundancia» (Jn 10,10); y vida significa salud física, libertad, placer, alegría. Muchos bautizados funcionan como aquellos religiosos dogmatistas judíos que se agarraban fanáticamente a sus ritos como medio para domesticar a la divinidad, y no aceptaban la buena noticia de Jesús sobre Dios: «Misericordia quiero y no sacrificios» (Mt 12,6). El verdadero Dios quiere que nos humanicemos amando; el verdadero amor exige muchas veces sacrificio; pero Dios no necesita este sacrificio, lo necesitamos nosotros.

Una visión torcida de la divinidad que tenemos en nuestras cabezas y no ha sido evangelizada por Jesús influye sin duda en la visión de los ritos sacramentales como cumplimientos impuestos por Dios desde fuera. Así piensan muchos por ejemplo de la misa dominical o de la confesión penitencial; ven ahí una obligación, no una oportunidad. E influye también incluso a la hora de interpretar la sacrificialidad de la eucaristía; a veces se piensa que es un sacrificio ofrecido a una divinidad airada contra nosotros y cuya víctima es Jesucristo. Pero esta interpretación es evangélicamente deformada: el verdadero Dios está de nuestro lado y en favor nuestro por amor gratuito. Alcanzado por ese amor de Dios, Jesús de Nazaret realizó su vida y sufrió el martirio apasionado por el proyecto del Padre; su existencia y su muerte fueron expresión de un amor que se mostró en su entrega o sacrificio; vivió y murió no para aplacar a una divinidad alejada y celosa de su honor, sino como expresión de que Dios mismo estaba en él como amor entrañable que libera y humaniza: si este hombre ha sido capaz de vivir así, con ese amor y esa libertad únicos, «verdaderamente era el Hijo de Dios» (Mc 15,39). Esa vida de Jesús apasionada y entregada con amor es la realidad que celebramos y comulgamos en la eucaristía.

• *Obra del Espíritu*

Según 1 Cor 15,45, el Resucitado es «cuerpo espiritual» que no sólo tiene vida, sino también que la comunica. El Espíritu Santo es, en lenguaje de san Ireneo, el otro brazo de Dios que realiza en el transcurso de la historia y en cada ser humano lo que ha tenido lugar de modo único y paradigmático en Jesús de Nazaret. Por eso los sacramentos cristianos, signos de la nueva alianza y medios de salvación, sólo pueden superar el ritualismo si se celebran en clima «espiritual» [27].

En el bautismo, agua y Espíritu van íntimamente unidos. Ya es elocuente la *epiclesis* para bendecir el agua bautismal, evocando los orígenes de la creación del mundo: como entonces las aguas primordiales fecundadas por el Espíritu fueron seno materno de vida, en la fuente bautismal nacen los nuevos hijos de la Iglesia. Según los evangelios, cuando Jesús recibió su bautismo en el Jordán, quedó totalmente poseído del Espíritu. Y el cuarto evangelista identifica el bautismo con el agua que brota del costado de Cristo muriendo en la cruz, donde Jesús entrega su espíritu a la comunidad representada en María y el discípulo amado [28].

La confirmación es «el sello del don del Espíritu Santo». En la Const. *Divinae consortium naturae* sobre la confirmación se indica que esta frase pertenece a la forma de la celebración sacramental que, siguiendo la antiquísima tradición del rito bizantino, «recuerda la efusión del Espíritu que tuvo lugar el día de pentecostés». En las anáforas eucarísticas, la *epiclesis* es la invocación del Espíritu Santo sobre la comida eucarística; gracias a la intervención del Espíritu que resucitó a Jesús y hoy rejuvenece a la comunidad cristiana, la *anámnesis* o recuerdo del acontecimiento Jesucristo se hace presencia del Resucitado que ofrece su vida –«cuerpo y sangre»– para vida del mundo y alimento espiritual de los mortales.

La fórmula renovada para la celebración de la penitencia es también epiclésica: «Dios Padre misericordioso... que derramó el Espíritu Santo para remisión de los pecados, te conceda, por el ministerio de la Iglesia, el perdón y la paz». En la bendición del óleo para la unción de enfermos, el sacerdote invoca: «Envía sobre él tu Espíritu que santifica»; y la forma del sacramento dice: «Que el Señor con su gran bondad te reconforte por la gracia del Espíritu Santo».

En la ordenación de un presbítero, a la imposición de manos –gesto simbólico del Espíritu que llega– sigue la forma, un prefacio deprecatorio que es una verdadera *epiclesis*. Análogamente, cuando se concede el episcopado, se pide: «Derrama sobre este siervo tuyo la fuerza que procede de ti, la del Espíritu soberano que comunicaste a tu Hijo amado Jesucristo y que se transmitió a tus santos apóstoles...» [29]. La liturgia oriental para la celebración del matrimonio trae un símbolo muy elocuente: los esposos reciben una corona, signo de la venida del Espíritu sobre ellos, y así lo expresa la plegaria que sigue a la coronación.

- *Eclesialidad de los sacramentos*

Hace ya varios siglos, Tomás de Aquino se planteó la cuestion: ¿se puede creer en la Iglesia?; porque, propiamente hablando, «creer», confiar totalmente, sólo se puede en Dios, única roca firme. Pero Tomás responde: antes de «creo en la Iglesia», está el artículo «creo en el Espíritu Santo». La confesión cristiana quiere decir: «Creo en el Espíritu Santo que santifica a la Iglesia» [30]. Según esta fe, hay en la Iglesia una dimensión divina y una dimensión humana; está hecha como don del Espíritu y se está haciendo en el transcurso de la historia. Los dos aspectos explican de algún modo diferencias y cambios en los pronunciamientos del magisterio sobre los sacramentos cristianos. Me refiero concretamente a la posición del concilio de Trento y a la orientación del Vaticano II.

---

[27] Ambientación muy bien expuesta por el Grupo de Les Dombes, *L'Esprit-Saint. L'Eglise el les Sacrements*, Taizé 1979. Un amplio y serio comentario en D. Salado, *Un modelo de sacramentología «integral»* (I y II): Cienc.Tom. 356 (1981) 469-501. También Y. Congar hace reflexiones adecuadas sobre «el Espíritu Santo y los sacramentos», en *El Espíritu Santo*, Barcelona 1983, 647-703.

[28] Jn 19,34. En 7,37-39, Juan dice que Jesús es la roca de donde brota el agua viva (1 Cor 10,4), que es el Espíritu dado en el acontecimiento pascual de Cristo (Jn 19,30).

[29] Algunos padres vieron la ordenación de los apóstoles en el llamado «pentecostés joánico»: «Recibid el Espíritu Santo; a quienes perdonéis los pecados, les serán perdonados...» (Jn 20,22-23).

[30] II-II, 1, 9, sol 5. Con buen sentido teológico, Y. Congar afirmó que «la vida de la Iglesia es enteramente epiclésica»: convocación e invocación del Espíritu Santo.

La Iglesia venía celebrando siete ritos llamados sacramentos, en que toda ella se comprometía de modo especial en favor de quienes los recibían. Era consciente de ser el nuevo pueblo de Dios, presencia y sacramento del Espíritu, que puede actualizar y entregar esa vida para bien de los demás en momentos elegidos por ella misma. Cuando en el s. XVI los reformadores negaron la mayoría de esos sacramentos porque no encontraban fundamento en las palabras de Jesús, la Iglesia reaccionó: hay siete ritos donde la comunidad cristiana, que ya es templo del Espíritu, infaliblemente actualiza y ofrece como don gratuito su propia vida de comunión en fe, amor y esperanza. Así lo proclamó el concilio de Trento con la expresión ya conocida «ex opere operato».

En los siglos de Contrarreforma, esa manifestación gratuita de Dios en la Iglesia que se concreta en cada celebración sacramental fue sacada de contexto llegando a interpretar como algo mágico la expresión «ex opere operato». El concilio de Trento habló de los sacramentos como medios de justificación cuya iniciativa es de Dios, pero no se hace real sin la intervención y entrega libre del hombre. Viendo el divorcio entre la celebración de los sacramentos y la vida cotidiana de muchos cristianos, en 1962 el Concilio Vaticano II insistió en otro aspecto: los sacramentos no sólo son celebraciones en que la Iglesia entrega de modo infalible su fe y su amor en orden a perfeccionar la vida de los seres humanos; para lograr ese objetivo se necesita la fe o apertura libre y confiada de quienes se acercan a recibir el sacramento.

En su eclesialidad, las celebraciones sacramentales encuentran su eficacia peculiar y también ahí corren sus riesgos. Porque son acciones privilegiadas de la Iglesia, siempre hacen presente y activa la fe y el amor de toda la comunidad cristiana. Porque son acciones de una Iglesia que se hace cada día en la historia, en la forma de ser interpretados y celebrados los sacramentos llevan la marca del tiempo y pueden sufrir perversión.

b) La dificultad en la práctica

Porque los sacramentos son celebraciones de seres humanos que viven siempre dentro de una determinada cultura, y porque son «para los hombres», no es suficiente una teoría ni se arregla todo con formulaciones teológicas perfectas y universales. Hay sin embargo factores determinantes en nuestra época que deben ser tenidos en cuenta precisamente para que los sacramentos sean no cargas pesadas, sino medios de liberación.

- *Dos referencias importantes*

– En la celebración de los sacramentos podemos *distinguir tres niveles*. Uno de las palabras o fórmulas rituales, otro de los símbolos, y un tercero ya teológico muy relacionado con la idea que se tenga de la divinidad. El Vaticano II dio paso a las fórmulas en lengua vernácula, e invitó a la inculturación de los símbolos sacramentales. En este segundo nivel hay todavía mucho que andar, pero donde no se han dado pasos es en el nivel teológico: percepción de Dios, novedad de Jesucristo y peculiaridad de la Iglesia como pueblo del Espíritu; relación íntima entre fe cristiana, justicia y amor; dimensión comunitaria de la fe. Sin esta renovación, la reforma del Vaticano II se queda en la periferia, mientras la situación de fondo sigue sin arreglo.

– En el actual catolicismo hay *pluralidad de situaciones*. Para católicos que viven su fe «como ajuste existencial» y a ráfagas en situaciones límite de amenaza o de alegría, sacramentos como bautismo, primera comunión o matrimonio son eventos importantes con cierto matiz religioso. Son muchos los bautizados no practicantes o practicantes esporádicos que celebran esos sacramentos llamados «sociales»; no es fácil definir bien cuál es la razón que les mueve a esa participación, pues frecuentemente se mezclan distintas motivaciones. Otros, conscientes y celosos de su libertad, que a veces la celebración sacramental encubre o es una evasión de los problemas reales, han abandonado la celebración sacramental. Reaccionando contra el peligro de magia, en algunos casos se ha perdido la dimensión de gratuidad manifiesta en la sacramentalidad de la Iglesia y en los sacramentos cristianos: ¿cómo sin esa visibilidad sacramental de la Iglesia se puede justificar, por ejemplo el bautismo de los niños? Cuando no se percibe la gratuidad, se puede llegar a pensar, quizá, que la eucaristía es sólo celebración de la propia existencia, olvidando que antes y finalmente es celebración del acontecimiento Jesucristo, cuyo espíritu anima y promueve a la comunidad cristiana.

Y bajando más a la práctica, la pluralidad de situaciones es más notoria. Aceptando que todas y todos estamos habitados por una realidad que nos trasciende, ¿quién se atreve a determinar con precisión los motivos de alguien que le llevan a recibir un sacramento? Como acciones de la comunidad cristiana, es lógico que la celebración sacramental funcione según normas generales; su aplicación debe ir mediada por las situaciones concretas. Valga como ejemplo un caso también referente al bautismo de los niños. En los últimos años, bastantes bautizados en la Iglesia se han casado únicamente por lo civil, pero después quieren que sus hijos sean bautizados. La reacción primera es negar ese bautismo: ¿cómo van a educar cristianamente a su hijo quienes de modo explícito se han negado a casarse por la Iglesia? Pero ¿y si la pareja no ha celebrado el sacramento del matrimonio precisamente porque no se encuentra preparada, y emprende un proceso de maduración en la fe para llegar a esa celebración más tarde?; ¿tiene esta pareja menos posibilidad de educar a sus hijos en la fe que otra pareja de bautizados que no vive su cristianismo, aunque por rutina celebró el sacramento del matrimonio? La peculiaridad de cada situación es de suma importancia, por ejemplo en el caso de tantos divorciados que se han vuelto a casar y que legalmente se ven privados de los sacramentos precisamente cuando más necesitan apoyo de la comunidad cristiana.

• *Aspectos que merecen atención*

Hay un malestar de muchos sacerdotes en la administración de los sacramentos. La gente que los celebra no está suficientemente preparada, y tampoco acepta fácilmente –cuando más negocia– un proceso de preparación. Muchos piden los sacramentos por razones familiares, sociales o de inercia; y quienes reciben los sacramentos escasamente se integran en la comunidad parroquial. Comprendiendo el desgarro interior y el desamparo que sufren muchos sacerdotes, hay que avivar el entusiasmo por servir a la comunidad cristiana. Con ese objetivo destaco algunos puntos de interés.

– El *Espíritu está trabajando misteriosamente* no sólo en la historia, sino también y de modo especial en el corazón de cada persona humana. Mientras caminamos en la fe, nunca existe una realización plena del evangelio; no se puede dividir a los cristianos en comprometidos por transformar la realidad social, y en ignorantes que no han entendido el evangelio. Debemos acercarnos a los seres humanos creyendo en su sacramentalidad y acompañándolos para que su experiencia religiosa madure; los sacramentos tienen también una finalidad evangelizadora[31]. En un debate sobre pastoral sacramental dentro de una barriada muy pobre, algunos proponían que se negase el bautismo a los padres que lo pedían para sus hijos ignorando qué es la Iglesia y qué significa un sacramento; pero alguien intervino: ¿es que los económicamente más acomodados, e incluso frecuentadores del templo, conocen y viven mejor el cristianismo que estos pobres ignorantes? Si durante tanto tiempo en la sociedad española casi se ha impuesto como normal el bautismo católico ¿no será un nuevo gesto de clericalismo negarlo sin más ahora?

– Un mayor cuidado en *lograr la verdad del sacramento*. Una vez más, los sacramentos como acciones de la Iglesia deben tener una normativa canónica, pero sin caer en el validismo que tantos estragos ha hecho en la práctica sacramental. Los sacramentos no son fines en sí mismos, sino medios de justificación, un encuentro personal entre Dios y la persona humana.

Conviene denunciar aquí cierta tensión más o menos callada entre liturgistas preocupados por la normatividad, y pastoralistas que a veces lamentan la cerrazón litúrgica. Los liturgistas ven con fastidio prácticas que rompen los marcos tradicionales: primera confesión después de la primera comunión, confirmación en la adolescencia, cambios de lecturas y de textos según la situación de la comunidad celebrante; cuando viven esa preocupación obsesivamente, pueden caer en un *fixismo* lamentable que haga imposible la necesaria creatividad. Los pasto-

[31] SC 59.

ralistas, a su vez, lamentan la cerrazón de la normatividad litúrgica, y corren también el peligro de anarquía, olvidando que la celebración de los sacramentos pertenece a toda la comunidad cristiana que marca los cauces permanentes a la hora de celebrar; su tentación es la *anomía* que acaba en la dispersión. A raíz del Vaticano II amenazó la dispersión anárquica; pero después el fixismo está siendo la gran tentación.

En el fondo está la preocupación por *articular objetividad y subjetividad* en la celebración de los sacramentos, sin caer en el objetivismo mágico ni en el subjetivismo miope. La gratuidad de la Iglesia y de la celebración sacramental, defendida con énfasis en el concilio de Trento, ha degenerado con frecuencia en un objetivismo rayando con lo mágico. Pero la intervención libre y creativa del ser humano que celebra un sacramento puede caer en el subjetivismo que olvide la gratuidad.

– La *dimensión comunitaria* de los sacramentos es otro aspecto que merece atención. Y la comunitariedad aquí no sólo se refiere a la Iglesia, sino también a la solidaridad social: los sacramentos son actos-celebraciones de toda la comunidad cristiana, y medios para edificar esa comunidad; pero también suponen y alimentan una fe inseparable de la caridad o amor comprometido con todos sin discriminaciones[32]. No es fácil recobrar y vivir esta dimensión en una sociedad como la nuestra desfigurada por el individualismo, donde cada uno busca «su salvación» incluso a costa de los otros. También amenaza el «individualismo grupal» de quienes celebran el sacramento para crecer en «mi grupo» sin preocupación por toda la Iglesia y por la transformación de la sociedad en amor y en justicia.

– *Evangelizar lo religioso*. Ante la sensación de lo misterioso e inefable que nos envuelve y no podemos controlar, espontáneamente brotan el sentimiento religioso y las prácticas de religión. Este sentimiento y la práctica religiosa encuentran buen clima en la cosmovisión de un mundo rural dependiente de las fuerzas naturales, y también es terreno propicio nuestra sociedad secularizada que funciona cada vez como si Dios no existiera; muchos, no soportando el realismo economicista y el «desencantamiento» del mundo, buscan otra vez espacios sagrados que sean como refugio al margen del dinamismo social y creacional.

El cristianismo se desenvuelve como una religión; pero el evangelio sobre Dios anunciado por Jesús es en cierto modo subversión del esquema religioso: porque Dios no es alguien alejado cuya simpatía hemos de conquistar, sino el Padre que se pone a nuestro lado antes de que le invoquemos. Más que medios para superar el distanciamiento de Dios o aplacar su ira, los sacramentos y el sacrificio cristianos son la expresión histórica y encarnada de Dios: amor que nos ama no porque seamos buenos, sino porque él es bueno.

Esta visión evangélica aún no ha calado suficientemente en muchos bautizados. Y por eso una renovación de los sacramentos cristianos será imposible sin una evangelización paciente y articulada de la misma religiosidad que hoy toma cuerpo en las celebraciones sacramentales.

- *Actitud evangélica: misericordia*

Cuando en la Edad Media se fraguaba la reflexión teológica sobre los sacramentos, era introducción frecuente la parábola del buen samaritano: como aquel hombre movido a compasión se inclinó hacia el desvalido, en los sacramentos Jesucristo es el buen samaritano que se pone a nuestro lado para curar nuestras heridas y ponernos en pie a fin de que sigamos caminando. Los sacramentos manifiestan y concretan históricamente la vida maternal de la Iglesia, que se define como sacramento del amor gratuito: «sed misericordiosos como vuestro Padre celestial es misericordioso» (Lc 6,36).

Sólo en este amor que se hace cargo y carga con la miseria del otro para ayudarle a salir de su situación puede la pastoral sacramental encontrar sentido y entusiasmo. Sin caer en un relativismo malsa-

[32] Toda la comunidad cristiana es sujeto activo y protagonista de la celebración sacramental; ésta «pertenece a todo el cuerpo de la Iglesia, lo manifiesta y lo implica» (SC 26). Por ello es preferible la celebración comunitaria de los sacramentos que la individual o casi privada (SC 27; también n. 23 y 33). Los sacramentos se ordenan «a la edificación del cuerpo místico», y su fruto es «la práctica de la caridad» (SC 59).

no, muchas veces lo mejor es enemigo de lo bueno, y para muchos bautizados los sacramentos son la única oportunidad de que se acerquen a la Iglesia. Si reciben un trato de dignidad y respeto, si perciben que se les ama porque son personas y se valoran sus convicciones, ya están recibiendo la buena noticia de Jesucristo en una sociedad donde la persona humana sólo interesa como pieza de rentabilidad u objeto de consumo. Es verdad que a veces muchos bautizados piden los sacramentos sin saber muy bien lo que piden; el verdadero amor aquí no es sin más cerrar las puertas, sino una catequesis personalizada y de acompañamiento para que los candidatos puedan decidir responsablemente por su cuenta. Hay también hoy en la Iglesia muchas personas excluidas de las celebraciones sacramentales por una legislación vigente; sin menospreciar esa legislación, también aquí debe prevalecer la misericordia: las personas son antes que las leyes, y la Iglesia se edifica sobre todo y finalmente no por leyes muy bien formuladas, sino con personas trabajadas poco a poco por el Espíritu.

Lecturas

K. Rahner, *La Iglesia y los sacramentos*, Barcelona 1964.

E. Schillebeeckx, *Cristo, sacramento del encuentro con Dios*, San Sebastián 1966.

L. Maldonado, *Iniciaciones a la teología de los sacramentos*, Madrid 1977.

L. Boff, *Los sacramentos de la vida*, Santander 1978.

J. M. Castillo, *Símbolos de libertad*, Salamanca 1981.

G. Fourez, *Sacramentos y vida del hombre*, Santander 1983.

F. Taborda, *Sacramentos, praxis y fiesta*, Madrid 1987.

J. Espeja, *Sacramentos y seguimiento de Jesús*, Salamanca 1989.

I

SACRAMENTOS DE INICIACIÓN CRISTIANA

1

La iniciación cristiana

1. Un proceso

Hablando en general, «iniciación» significa introducir en el ámbito de una realidad nueva. Cuando esa realidad es una comunidad humana, iniciar a una persona significa introducir a las personas en las dimensiones antropológicas, culturales y religiosas que caracterizan a esa comunidad. Dada la condición histórica del ser humano, la iniciación conlleva un proceso de aprendizaje y discernimiento; el que desea entrar en una comunidad tiene que ir descubriendo poco a poco el espíritu y organización de la misma, y debe también habituarse a las nuevas costumbres.

La iniciación tiene dimensiones antropológicas importantes; su proceso es un tiempo de prueba para la comunidad y para el candidato a la misma; si supera esa prueba, el candidato entra en nueva situación y consideración sociales. Normalmente la iniciación se reconoce ya hecha mediante algún rito simbólico, que lógicamente cambiará según las distintas culturas. Es el dinamismo que proporcionalmente se concreta en todo proceso de iniciación dentro de cualquier grupo humano.

– En todas las culturas se da un proceso para introducir a los niños en el dinamismo cultural. Es el objetivo fundamental de la educación, cuyos programas y métodos tienen por objetivo la transmisión de unos valores culturales, una forma de interpretar la vida y una forma determinada de vivir. En el proceso educacional hay momentos puntuales y simbólicos que de algún modo sellan el proceso. Hay ya un cierto ritualismo en la entrega de títulos académicos; pero el ritual es culturalmente más amplio. En algunos pueblos de Castilla, un símbolo práctico de declarar que ya se ha dado el paso de adolescente a mozo: «pagar la cuartilla», se entiende beber un vaso de vino por primera vez con toda la juventud casadera. En pueblos latinoamericanos se da mucha solemnidad a la fiesta de las «quinceañeras», una especie de rito simbólico para presentar en sociedad a una joven. Ya en lenguaje taurino, los aprendizajes y ensayos culminan en la «alternativa», un rito con oficialidad que introduce al aprendiz en el grupo de los diestros en toreo.

– El proceso de iniciación con sus ritos simbólicos está muy generalizado en muchas religiones como forma de incorporar nuevos candidatos a la comunidad religiosa con sus creencias y prácticas sacramentales. Ya en el s. I Tertuliano constataba:

> «Los mismos paganos tienen la costumbre de iniciar por una especie de bautismo a los neófitos en ciertos misterios de la diosa Isis y del dios Mitra» [1].

– *Iniciación cristiana* significa el proceso seguido por el candidato para conocer, incorporarse y participar en la vida de la comunidad creyente que llamamos Iglesia. El candidato se siente atraído por la forma en que viven los cristianos, y quiere cono-

[1] *Lib. de bapt.*, V: PL 1, 1312-1313.

cer ese proyecto. Así comienza el proceso que culmina en tres ritos simbólicos que son los sacramentos de iniciación: bautismo, confirmación y comunión eucarística.

La institución creada por la Iglesia en los primeros siglos para preparar e introducir en la comunidad a los adultos convertidos se llama «catecumenado», que incluía explicación de palabra, gestos de la comunidad acompañando al candidato, y un cambio en la práctica moral del mismo. El catecumenado culminaba y se finalizaba en los tres ritos sacramentales: bautismo, confirmación y participación en la eucaristía.

2. ¿Tres sacramentos?

Como expresiones y alimento de la fe, los siete sacramentos introducen a las personas en el misterio de Cristo y de la Iglesia; por ello y en sentido amplio se puede afirmar que los siete sacramentos «inician en la vida cristiana», que es una peregrinación con Jesucristo. Pero bautismo, confirmación y primera comunión son los tres ritos simbólicos que comunitariamente se celebran en el proceso seguido para que la persona, movida por la Palabra, profese públicamente su fe y sea reconocida como miembro de la comunidad cristiana.

En los escritos apostólicos y en la práctica sacramental de las primeras comunidades, bautismo y confirmación no se distinguen: la crismación e imposición de manos eran ritos integrantes de la celebración bautismal. Más tarde sin embargo la Iglesia declaró que se trata de dos sacramentos; dos momentos en que ella se compromete de modo especial en favor de las personas que viven dos situaciones distintas, el nacimiento como miembro de la raza humana y el nacimiento a la vida social responsablemente. Tiene aplicación aquí lo dicho anteriormente: hay sacramento en sentido estricto cuando la Iglesia empeña y compromete su esencia de comunidad salvífica infaliblemente para ayudar al ser humano; así sólo ella está capacitada para decir cuándo hay un sacramento en sentido propio. Si hoy la Iglesia celebra la confirmación como uno de los siete sacramentos, desde esa práctica podemos y debemos interpretar la tradición apostólica y la versión de la misma dada en los primeros siglos. La Iglesia es reveladora no sólo cuando habla, sino también cuando actúa: «lex orandi, lex credendi».

Si desde esta práctica eclesial volvemos a leer los escritos apostólicos, podemos encontrar cierta base para reconocer la identidad de los tres sacramentos dentro del único dinamismo sacramental. El acontecimiento de pentecostés puede ser buena referencia. Hombres «venidos de cuantas naciones había bajo el cielo» son alcanzados por la Palabra y se preguntan qué deben hacer. Pedro señala el camino: «Convertíos y que cada uno de vosotros se haga bautizar en el nombre de Jesucristo», «recibiréis el Espíritu Santo», «los nuevos creyentes acudían a la fracción del pan» (Hch 2,38-42). Sin pretender que ahí ya estén de modo explícito bautismo, confirmación y eucaristía como tres sacramentos distintos y perfectamente delimitados, es evidente que se apuntan tres pasos escalonados en la incorporación a la comunidad cristiana.

Ya con la enseñanza y desde la celebración sacramental que hoy practica la Iglesia, Heb 6,4 evoca fácilmente los tres sacramentos de iniciación: «Porque es imposible que cuantos fueron una vez iluminados, gustaron el don celestial, y fueron hechos partícipes del Espíritu Santo... se renueven otra vez mediante la penitencia». Siguiendo una posición rigorista de algunas primeras comunidades cristianas, el autor de esta carta no sería partidario de conceder la penitencia con facilidad a quienes, una vez iniciados y comprometidos en el seguimiento de Cristo, se vuelven atrás «crucificando de nuevo al Hijo de Dios, y exponiéndole a pública infamia».

Los manuales de teología sacramental traen Hch 8,4-16 como base revelada para justificar la sacramentalidad de la confirmación. El diácono Felipe se desplazó a la región de Samaría y anunció allí el evangelio; al oírle, muchos creyeron la buena noticia y se bautizaron. Pero ese gesto fue seguido de otro: los apóstoles Pedro y Juan, venidos de Jerusalén, «imponían las manos a los recién bautizados, que así recibían el Espíritu Santo» (Hch 8,17). Algo similar parece que tiene lugar en Efeso: al escuchar la predicación de Pablo, algunos se bautizaron en el nombre del Señor Jesús; y después, «imponiéndoles

Pablo las manos, descendió sobre ellos el Espíritu Santo, y hablaban lenguas y profetizaban» (Hch 19,5-6). De la eucaristía no se hace mención aquí; pero la participación en la misma era consecuencia y expresión normal de haber entrado en la comunidad cristiana por el bautismo y de haber recibido el Espíritu mediante la imposición de manos.

3. El catecumenado

Es el tiempo en que tiene lugar el proceso de iniciación que culmina con los tres sacramentos. Aunque sea brevemente, desarrollemos tres puntos: uno sobre los orígenes e historia; otro sobre la necesidad de renovación sugerida en el Vaticano II; y finalmente unas indicaciones para nuestra situación actual[2].

a) Origen y desarrollo en los primeros siglos

– En las comunidades apostólicas no se habla de un catecumenado como proceso temporal de instrucción y cambio en la forma de vivir. Se ve un cierto dinamismo: anuncio del evangelio, aceptación del mensaje o conversión, y bautismo[3]. Es verdad que las comunidades apostólicas tenían referencias muy cercanas para organizar el catecumenado: el ejemplo de algunas sectas judías como los esenios de Qumrán, y el ritual de los judíos para iniciar a los prosélitos que venían del paganismo. Pero no consta que hubiera en el s. I un catecumenado organizado. Fue a partir del s. II cuando se fraguó esa organización, quizá porque sólo podían resistir las persecuciones incluso hasta el martirio los cristianos maduros en su fe y propias convicciones.

– En el s. III hay testimonios abundantes de la organización del catecumenado[4]. Admitiendo una legítima variedad en tiempo y en formas según las distintas comunidades, la *Tradición Apostólica* presenta el catecumenado como un serio proceso de instrucción y conversión que dura tres años; el sujeto de cambio es el candidato, pero toda la comunidad le acompaña; en ese acompañamiento tienen puesto relevante los padrinos y los catequistas, llamados «doctores», que podían ser clérigos o laicos. Viendo cómo los cristianos soportaban el martirio con valentía y felicidad, es natural que muchos paganos quedasen impactados por su ejemplo y pidieran el ingreso en aquella comunidad cristiana de mártires. Lógicamente, los representantes de la comunidad tienen que discernir motivaciones y disposiciones del solicitante. Si el resultado es positivo, el candidato queda inscrito en el grupo de los «catecúmenos» y tiene abierta la puerta para iniciar el proceso catecumenal. Una vez instruidos en la doctrina cristiana, y después que han dado muestras de una verdadera conversión, los candidatos son declarados «elegidos», y se preparan más intensamente –mediante oraciones y exorcismos o gestos simbólicos de liberación– para recibir el bautismo[5].

– En el s. IV, y con el favor de Constantino (313), cambia la situación para los cristianos, que logran reconocimiento y aval oficiales. Entrar en la nueva comunidad religiosa no era ya un riesgo, sino un medio de ser considerado en la sociedad; había peligro de conversiones aparentes. Por otra parte, dadas las exigencias que suponía la entrada en la comunidad, muchos preferían permanecer en el

[2] Accesible ampliación del tema en J. Daniélou y R. Du Charlat, *La catequesis en los primeros siglos*, Madrid 1975; M. Dujarier, *Breve historia del catecumenado*, Bilbao 1986; VV.AA., *La celebración en la Iglesia*, II. *Los sacramentos*, Salamanca 1988, 27-125; A. Vela, *Reiniciación cristiana*, Estella 1986, 66-72; C. Floristán, *Para comprender el catecumenado*, EVD, Estella 1989; J. Cristo Rey, *Iniciación cristiana y eucaristía*, Madrid 1993.

[3] Así lo vemos en la comunidad de Mt 28,18: uno se hace discípulo de Cristo recibiendo su enseñanza y bautizándose. En el último tercio del s. I, Hch 2,37-41 (bautismo en el día de pentecostés), 8,26-39 (bautismo de un eunuco) y c. 10 (bautismo de un pagano con su familia) incluyen un cierto proceso: escucha de la palabra, conversión y petición del bautismo.

[4] Así *Tradición Apostólica* de Hipólito en la comunidad de Roma, primera descripción con detalle del proceso catecumenal; Tertuliano y Cipriano en la comunidad de Cartago; Orígenes en Alejandría; *Didascalía de los Apóstoles* en las comunidades siro-palestinas.

[5] Todavía en la primera etapa del catecumenado, y antes de ser elegidos para recibir el bautismo, se distinguían los «simpatizantes» de los «oyentes». Quienes ya eran elegidos para recibir el bautismo se llamaban «iluminados» *(photizomenoi)* porque uno de los nombres del bautismo era «iluminación» *(photismos)*.

catecumenado gozando así de las ventajas sociales y evitando las renuncias que conllevaba el bautismo. A esto se unía la dificultad de conceder «una segunda oportunidad de penitencia» a los cristianos que caían en crímenes opuestos a su opción bautismal; muchos preferían retrasar el bautismo hasta el final de la existencia sin hipotecar su libertad.

El proceso catecumenal del s. III que avanzaba gradualmente –«simpatizantes», «oyentes» y «elegidos»– y duraba tres años, quedó reducido al tiempo de cuaresma, que se llena de ritos pretendiendo suplir el tiempo que faltaba para la iniciación seria y progresiva. Sin embargo los siglos IV y V son la «edad de oro» de las grandes catequesis que hacen, no ya los «doctores» o catequistas, sino los obispos. Cirilo de Jerusalén, Juan Crisóstomo, Gregorio de Nisa, Teodoro de Mopsuestia, Ildefonso de Toledo, Agustín son algunos grandes testigos privilegiados de la verdadera tradición cristiana y excelentes pedagogos en su exposición.

Al comienzo de cuaresma tenía lugar el ingreso en el catecumenado, que se hacía de forma variada en cada comunidad: inscripción solemne del nombre, testimonio del padrino y examen del candidato, signación o imposición de manos. En este tiempo de catecumenado se pretendía: 1) una «preparación moral» del candidato: éste y la comunidad oraban, ayunaban y hacían penitencia; 2) una «preparación doctrinal»: los catecúmenos recibían una explicación del credo comunitario (símbolo) que, terminada la explicación, se les entregaba *(traditio symboli),* y a veces también el «Padrenuestro»; 3) una «dimensión litúrgica o ritual»: imposiciones de manos, exorcismos para expulsar las fuerzas del mal, y «escrutinios» –invocaciones, signación en la frente, oídos y nariz– para invocar la acción del Espíritu que sondea el corazón de las personas para purificarlas de toda impureza y de todo engaño.

Antes de recibir el bautismo que tenía lugar en la vigilia de pascua, el catecúmeno daba cuenta del «credo» que se le había entregado mostrando así su preparación *(redditio symboli),* y hacía solemnemente su compromiso de renunciar a Satanás y de seguir el programa de Jesucristo. Una vez recibido el bautismo y durante la semana de pascua, los «recién iluminados» *(neophiti)* se reunían para escuchar el significado de los ritos bautismales a la luz de la historia bíblica en orden a que los nuevos cristianos gustasen la riqueza del sacramento celebrado. Son las «catequesis mistagógicas» donde los obispos, grandes místicos y teólogos, con admirable creatividad y riqueza de símbolos, expresan una experiencia de fe viva y contagiosa.

El aumento masivo de conversiones al cristianismo y la extensión creciente del bautismo de niños, dentro de «una situación de cristiandad», favorecieron el abandono del catecumenado de personas adultas y de sus exigencias, a partir del s. VI. En continuidad con esta «situación de cristiandad» se ha procedido hasta los cuestionamientos ineludibles que nos lanza la mentalidad moderna.

b) Nuevo planteamiento y preocupación renovadora

Veamos primero a grandes rasgos cómo se ha evolucionado a partir de estos siglos, y cómo se presentaba el problema en vísperas del concilio que sugirió la necesidad de abrir nuevos caminos.

• *Algunas pinceladas de la historia*

La teología medieval elaboró un tratado racional de los sacramentos cristianos; y en el de la penitencia, por ejemplo, saliendo al paso de un rubricismo despersonalizado, destacó la necesidad de contrición o arrepentimiento personal. Pero, en una sociedad oficialmente cristiana, y ya generalizado el bautismo de los niños, la teología y la pastoral, más que preocuparse de organizar el catecumenado, se redujeron a justificar la posibilidad y conveniencia de esa práctica eclesial.

En el s. XVI se planteó el problema de cómo evangelizar a los pueblos recién descubiertos, y se vio la necesidad de un catecumenado de forma adaptada e inteligible a las nuevas culturas. Buen ejemplo de esta preocupación fue, por ejemplo, el catecismo *Doctrina cristiana,* elaborado por el dominico Pedro de Córdoba y publicado en 1540. Años antes, Bartolomé de Las Casas había escrito un libro admirable sobre *El único modo de anunciar el evangelio a los indios (De unico vocationis modo)* abriendo nuevos caminos para una catequesis inculturada.

En el siglo pasado tuvieron gran significado en Africa la obra y orientación del cardenal Lavigerie, fundador de los Padres Blancos. Propuso un catecumenado que, a lo largo de cuatro años, procedía en tres etapas: «postulantes» que reciben instrucción elemental, «catecúmenos» que son instruidos con mayor profundidad, y «candidatos» al bautismo. La influencia de esta orientación, favorecida por la sensibilidad comunitaria del pueblo africano, explica de algún modo la fuerza y la juventud espiritual de esas comunidades cristianas.

Ya en nuestro siglo, la secularización va calando poco a poco en los países occidentales «de cristiandad». Mientras los niños con frecuencia no encuentran un clima propicio para crecer en la fe, hay adultos que se convierten al cristianismo, y miembros de otras confesiones cristianas que piden ser admitidos en la Iglesia católica. Inmediatamente saltan las cuestiones: ¿podemos seguir administrando el bautismo a los niños?, ¿cómo exponer la novedad cristiana y la peculiaridad católica de modo razonable a los adultos? En otros países como España, la secularización ha llegado más tarde; dado que la «situación de cristiandad» se prolongó y el bautismo de niños estaba generalizado, el catecumenado tenía por objetivo más bien evangelizar a los adultos que habían recibido el bautismo de niños; quizá por eso han arraigado con fuerza las comunidades neocatecumenales que destacan la necesidad de formación cristiana. Pero admitiendo la variedad de situaciones y matices, la preocupación catecumenal o evangelizadora de un mundo cada vez más secularizado estaba muy extendida en los países europeos occidentales al comenzar la década de los sesenta.

• *Renovación en el Vaticano II*

– En el concilio hubo como dos referencias: un retorno a la tradición más antigua del cristianismo, y una preocupación por el diálogo con el mundo actual. Y todavía en esta segunda referencia se distinguen dos vertientes: cómo debe ser hecha la evangelización en países de misión propiamente hablando, y cómo se puede anunciar el evangelio en el mundo moderno cada vez más al margen de la Iglesia. Leyendo los documentos conciliares, parece que se pretendió renovar la iniciación cristiana, tratando de recuperar el catecumenado en su intención y estructura originales; también establecerlo en los países de misión sugiriendo ya el respeto a las distintas culturas. Pero no se planteó concretamente la forma de anunciar el evangelio y llevar a cabo una iniciación eficaz al cristianismo en países como los europeos que habían entrado en un proceso de secularización e indiferencia religiosa.

– El propósito de restaurar el catecumenado en su intencionalidad y estructura originales quedó manifiesto en la «Const. sobre la sagrada liturgia»: anuncio, catecumenado, bautismo, confirmación y eucaristía aparecen como distintos momentos dentro del único dinamismo iniciático[6]. Ya para el terreno de misión propiamente dicha, la voluntad de restaurar el catecumenado dentro de la iniciación cristiana se concreta en el «Decreto sobre la actividad misionera de la Iglesia» (AG): anuncio del evangelio (kerigma), conversión inicial, catecumenado, participación de la comunidad entera, sacramentos de iniciación[7]. El proyecto de renovación quedó plasmado en el *Ritual de la iniciación cristiana de adultos* (1972) que destaca bien elementos fundamentales: atención no sólo a la práctica antigua de la Iglesia, sino también a las distintas situaciones culturales, unidad de la iniciación en un solo dinamismo, importancia de la fe personal y de la comunidad, integración de las dimensiones doctrinal, moral y litúrgica. En la estructura de la iniciación se distinguen tres momentos: ingreso en el catecumenado (primera evangelización), examen o

[6] Hubo un propósito de restauración (SC 64, 66), tratando de recuperar la confirmación en el dinamismo de la iniciación cristiana (SC 71), así como el significado del tiempo cuaresmal (SC 109). El concilio dio también algunas recomendaciones pastorales para que el catecumenado fuera eficaz: medio de evangelización (LG 17) que merece atención esmerada por parte de obispos y sacerdotes (CD 14) para que la iniciación cristiana sea un proceso de conversión (PO 5-6). Exposición más amplia en D. Borobio, *Catecumenado*, en *Conceptos fundamentales del cristianismo*, Madrid 1993, 142.

[7] AG 13, 14 y 15.

elección de los candidatos (catequesis), celebración de los ritos sacramentales, «mistagogia» o tiempo de profundizar en el misterio de Jesucristo y de la Iglesia[8].

– Sin embargo apenas quedó planteado en el concilio el problema del catecumenado en las sociedades de occidente, donde ya por los años sesenta cundía un proceso de secularización, y declinaba la «situación de cristiandad» incluso allí donde tenía raíces históricas más fuertes, como era por ejemplo el caso de España. Al hablar de «la Iglesia en el mundo actual» (GS 19), el Vaticano II sugirió algo importante: la imagen de Dios que con sus explicaciones y forma de vivir han dado frecuentemente los cristianos puede ser causa del ateísmo, pues más que revelar han ocultado la buena noticia de Jesucristo sobre Dios. Esta observación ya cuestiona la credibilidad de la misma Iglesia y exige una revisión a fondo si se quiere llevar a cabo y con eficacia la tarea evangelizadora. Pero en los últimos treinta años la situación social ha cambiado, y el problema no es tanto el ateísmo agresivo, sino la idolatría o valoración absoluta que a veces los mismos practicantes de la religión cristiana conceden al «tener» y al «poder» insolidarios; junto a esta perversión, cada día tiene mayor amplitud la indiferencia masiva que se reduce a vivir sin más lo inmediato y útil de cada día. Quizá porque las cosas han cambiado tanto, se habla mucho de «nueva evangelización» sin que se defina con precisión en qué consiste.

- *En la situación actual*

Parto de la situación española que, tras un cambio muy rápido, refleja en líneas generales y con versión propia lo que ha sucedido y está sucediendo en otros países europeos. Sin pretender que lo sucedido en estos países se repetirá irremediablemente en otros pueblos del Tercer Mundo, dada la mundialización de la cultura occidental científico-técnica, el proceso de los países europeos occidentales puede ser una referencia interesante.

Esta nueva situación lanza nuevos interrogantes a la evangelización donde hay que situar el catecumenado, tanto en la iniciación de niños como de adultos. En el bautismo de niños, y dada la ignorancia de muchos padres sobre la identidad cristiana, se impone una catequesis para los mismos en orden a que asuman su responsabilidad; no se arreglan las cosas negando sin más el bautismo, sino buscando caminos de formación para los padres. En el bautismo de adultos, el catecumenado, como en general la evangelización, debe tener en cuenta la situación social, la visión de Iglesia, la percepción de la divinidad y el modo de hablar sobre la misma.

– La iniciación cristiana, como la celebración de todos los sacramentos, pasa por un *desgarro que sufre la gran mayoría* de los españoles entre «una situación de cristiandad» y un proceso creciente de secularización. En cierta continuidad con la situación en que todos los españoles eran católicos, hay una práctica de sacramentos «sociales» y se organiza el catecumenado para niños. Pero en el avance de la secularización, esa religiosidad retrocede y va quedando vacía, mientras la orientación cristiana que reciben los niños en catequesis se desvanece al entrar en una sociedad que funciona con valores contrarios al evangelio. Es verdad que, ante el achatamiento economicista y desencantamiento del mundo, hay un «retorno a lo religioso»; pero es un fenómeno periférico y no da respuesta cristiana convincente a quienes desean vivir su fe dentro del mundo en proceso creciente de secularización. Un detonante de este proceso es el hecho de que padres bautizados, y a veces incluso casados por la Iglesia, demoran el bautismo de sus hijos hasta que éstos tengan edad para decidir por su cuenta; ¿cómo hacer la iniciación cristiana en estos casos?

– También es decisiva la *visión de Iglesia*, ya que la iniciación es un proceso para entrar en la comunidad cristiana.

Hace unos meses apareció un informe sociológico sobre los creyentes cristianos en la sociedad española actual; su enfoque original plantea una serie de interrogantes a la hora de reiniciar en el conocimiento y práctica del verdadero cristianis-

[8] Exposición más amplia en D. Borobio, *Catecumenado*, en *o. c.*, 142-143.

mo[9]. Según ese informe, hay cuatro grupos referenciales, sin que se puedan acotar sus límites con precisión: 1) cristianos de «ajuste existencial», que viven su cristianismo a ráfagas y en casos límite: «se acuerdan de Santa Bárbara cuando truena»; 2) cristianos de una «moral individualista» para la propia justificación, preocupados por superar el estado de «mala conciencia»; 3) cristianos de «solidaridad grupal», que viven unidos a un grupo y participan en sus prácticas religiosas; 4) cristianos que tratarían de realizar su existencia como seguimiento de Jesús y dedicación a la llegada de su reino para el mundo y para uno mismo. Pero en los cuatro casos se dan frecuentemente falsa interpretación y distanciamiento de la sacramentalidad visible y de la oficialidad institucional.

Hay una visión de la Iglesia verticalista y piramidal donde sólo algunos tendrían hilo directo con el Espíritu; ésta sería una «eclesiología de poderes». Y hay otra visión de Iglesia, tota ella comunidad animada por el Espíritu, cuya vida y luz reciben todos los bautizados.

Admitiendo que la Palabra y el Espíritu ya están presentes y activos en todo ser humano, hay dos formas de ver la relación de la Iglesia con el mundo: un grupo de creyentes que tratan de salvarse al margen del mundo considerado fundamentalmente malo, o un grupo perteneciente a la sociedad humana que mira al mundo como tierra donde ya tiene lugar la salvación. Y hay también dos formas de entender la verdad: la Iglesia tiene ya toda la verdad perfectamente formulada, o la verdad es compartida de modo que se va manifestando en la historia donde la Iglesia tiene también que aprender.

¿Qué modelo de Iglesia vamos a ofrecer en el catecumenado para tener claro en qué Iglesia entramos por el bautismo? Y análogamente, al introducir a los jóvenes en el dinamismo de la confirmación: ¿en qué orientación van a ser testigos del evangelio?, ¿en lucha contra todo lo que venga de fuera de la Iglesia, o en diálogo de amor con todo lo que vaya naciendo en la sociedad? Algo similar se puede plantear en la primera comunión: ¿comulgamos a Jesucristo para ser sagrarios cerrados en nosotros mismos y despreocupados de los demás, o para ser hermanos solidarios de los otros, re-creando la historia de Jesús? Estas alternativas no son tan excluyentes como parece a primera vista, y exigen muchas precisiones; pero se ve la necesidad de una catequesis esmerada.

– Finalmente, *de qué Dios hablar y cómo*. Ya hemos dicho cómo de los tres niveles –lenguaje, simbolismo, percepción teológica–, el tercero es decisivo para la renovación de las celebraciones sacramentales. Al ver cómo muchos bautizados viven esclavizados por el miedo a Dios, y cómo también otros compaginan sin conflictos prácticas religiosas con la idolatría del tener y del poder, uno se pregunta: ¿de qué divinidad estamos hablando?, ¿es que el Dios revelado en la conducta de Jesús no es el Padre que nos ama con misericordia entrañable, quiere vida en abundancia para todos y desea que todos participemos juntos como hermanos en la mesa común de la creación?

Precisamente porque las idolatrías, absolutos o señores falsos, atenazan a nuestra sociedad, hoy más que nunca debemos anunciar al verdadero Dios como único señor, cuya gloria incluye la libertad y perfección del ser humano. El problema sin embargo es «cómo hablar de este Dios» en la nueva situación cultural y pluralista. En otras palabras, cómo vivir y anunciar la fe cristiana. En una sociedad secular no valen ya las manifestaciones piadosas masivas para convencer a los otros de que los católicos tenemos la verdad. Ni un Estado democrático y aconfesional puede tolerar una situación de privilegio para una religión determinada en las instituciones civiles. Llega el momento en que la conversión de las personas al catolicismo no se logra mediante la presión de instituciones que imponen una práctica religiosa, sino que será obra de una gracia transformadora de las personas cuya conducta sea referencia e inspiración también para el cambio de las instituciones y organización social. Con ello se sugiere la necesidad de una catequesis para generar «un cristianismo personalizado», de convicciones y experiencias cristianas profundas. En una sociedad con una mayoría de bautizados sin mayor conocimiento de la identidad cristiana, que por otra parte viven atrapados por las idolatrías que desfiguran a toda nuestra sociedad, no es ya sufi-

[9] A. Tornos y R. Aparicio, *¿Quién es creyente en España hoy?*, Madrid 1995.

ciente la catequesis general ni la práctica sacramental de las parroquias. Urge ir creando pequeñas comunidades que, sin salir del mundo, evitando cualquier cerrazón o espíritu sectario, en actitud de búsqueda y en diálogo con todos, sean espacios válidos para iniciar en la vida cristiana como seguimiento de Jesús y testimonios creíbles en la nueva situación histórica que nos ha tocado vivir.

Lecturas

J. Daniélou, *Sacramentos y culto según los Padres*, Madrid 1963.

Secret. Nacional de Catequesis, *Ritual de la Iniciación Cristiana de Adultos*, Madrid 1976.

D. Borobio, *Proyecto de Iniciación Cristiana*, Bilbao 1980.

A. Iniesta, Varios artículos muy atinados en *Teopraxis. Ensayos de teología pastoral,* I. *Espíritu y misión*, Santander 1981.

M. Dujarier, *Iniciación cristiana de adultos*, Bilbao 1986.

A. Vela, *Reiniciación cristiana*, Estella 1986.

Varios, *La celebración en la Iglesia*, II. *Sacramentos,* Salamanca 1988.

C. Floristán, *Para comprender el catecumenado*, Estella 1989.

2

El bautismo: entrada en la Iglesia

El bautismo es el primer sacramento. Alcanzados por el Espíritu, los hombres aceptan la palabra y se ponen en camino hacia la comunidad de Jesucristo. Esta comunidad abre sus puertas y ofrece su dinamismo vital. En la celebración del bautismo, como en el nacimiento de un viviente, ya están marcadas las líneas fundamentales de su desarrollo. Partiendo de esta celebración, tendremos *el diseño de la espiritualidad cristiana*.

Según hemos dicho, los sacramentos cristianos son símbolos en acción; expresan simbólicamente y actualizan la fe o vida de la comunidad creyente. Conociendo el simbolismo de la celebración sacramental, tendremos acceso a la espiritualidad de cada sacramento. Podríamos analizar sin más el símbolo sacramental del bautismo para deducir su espiritualidad; pero nuestro discurso será más inteligible y completo presentando en primer lugar la fe o experiencia de la comunidad cristiana que sustenta y da contenido al rito. Finalmente, aunque sea de forma breve, remitimos al problema pastoral del bautismo de niños.

1. La fe de la comunidad cristiana

La experiencia o vida de la Iglesia que motiva, fundamenta y garantiza el rito bautismal, emerge dentro de una experiencia humana, cuyo eco se deja sentir en las distintas manifestaciones religiosas.

a) Una sensación común: alienación y culpabilidad

Para el hombre, su propia libertad es un misterio; se siente capaz de lo más sublime, y sin embargo cae mil veces en lo más rastrero. Goza de una «libertad esclavizada»: no hace siempre lo que quiere; y cuando lo hace, su decisión no es transparente y con frecuencia está deformada por motivaciones oscuras e inconfesables. Tal es la condición trágica del ser humano, que nada más nacer sufre la ineludible alienación existencial.

El poder y la impotencia de nuestra libertad provocan en nosotros el sentimiento de culpa; nos sentimos como deudores que debemos pagar algo. Insatisfechos e irreconciliados, buscamos la forma de superar esa triste alienación que nos impide ser nosotros mismos. En esta idea me impresionaron hace unos años obras como *El mito de Sísifo* de A. Camus, o *El proceso* de F. Kafka.

Los cristianos también sufrimos esa diferencia entre lo que somos y lo que anhelamos ser; entre la limitación que determina nuestra propia marcha y la universalidad o plenitud que barruntamos. La carta de Pablo a los Romanos traduce bien esa paradójica situación: «No hago lo que quiero, sino que hago el mal que no quiero»; «tengo la sensación de ser carnal vendido como esclavo al pecado» (7,9; 1,14). Es la fuerza arrolladora del mal que clava sus garras en cristianos, judíos y gentiles: «Ninguno es inocente, ni uno solo» (3,9).

b) Interpretación religiosa

Los distintos movimientos y grupos religiosos asumen la experiencia común de la humanidad, y tratan de dar su explicación. Con variadas expresiones e interpretaciones, plasman ese anhelo de plenitud que todos los hombres abrigamos en nuestra intimidad, mediante «la nostalgia del paraíso que ha cuajado en mitos y leyendas sagradas» [1].

Para explicar la situación de libertad alienada se acude frecuentemente a una caída del hombre tan antigua como la misma creación. En esa caída inciden todos los miembros del género humano, que necesitan ser purificados. La vida y la felicidad conllevan una exigencia de liberación que se pretende llenar estableciendo con el misterio o divinidad relaciones de humilde acatamiento.

[1] M. Eliade, *Traité de histoire des religions*, París 1968, 386.

c) Interpretación bíblica

En la Biblia se constata la experiencia humana común, que a su vez recibe una interpretación nueva. El hombre tiene deseos de una realización definitiva, porque su creador le ha hecho imagen suya y le ha destinado a la felicidad del paraíso. El Génesis se refiere a una inocencia en que los hombres pueden vivir su libertad en comunión amistosa con Dios y con todos los seres que pueblan el mundo; el paraíso tiene lugar en este proyecto diseñado para los hombres.

Pero quienes redactaron la historia bíblica de los orígenes conocían y sufrían esa trágica impotencia y humillante limitación del hombre para ser bueno y actuar en libertad. Desde un mundo desfigurado por la dominación, la injusticia y el crimen, buscaron una explicación en «el relato de la caída»: el hombre creado para ser libre y feliz no fue capaz de responder al proyecto de su creador (Gn 3,6-7).

Sin embargo, esa misma caída es interpretada «desde una experiencia original y fundante»: movido a compasión, Dios se ha inclinado hacia los hombres, se ha hecho cargo de su alienación, e interviene para formar un pueblo de personas libres que «levanten sus cabezas» y vivan como hermanos. Es el artículo central del «credo bíblico», que se apoya en un hecho histórico: cuando los israelitas vivían esclavizados en el imperio egipcio, Yahvé los liberó portentosamente.

Esa fe no sólo da pie para interpretar el pasado de la creación. También abre hacia un futuro esperanzador. A pesar de las impotencias y fracasos, Dios se mantiene fiel a su proyecto: hacer un pueblo de hombres libres. En la primera caída ya se anuncia la liberación final (Gn 3,15). Y cuando la perversidad de los hombres raya en lo intolerable, Dios mismo interviene mediante un diluvio para destruir lo perverso y promover de nuevo la verdadera creación.

Los líderes y la legislación bíblicos recordarán una y otra vez este proyecto. Pero el pueblo cayó con mucha frecuencia en la tentación idolátrica, y la legislación fue manipulada para servir a intereses bastardos contra el proyecto del creador. Como voz de Dios, llegan los profetas: Dios había intervenido

en el pasado liberando al pueblo y firmando con él alianza de amistad; a pesar de todas las infidelidades por parte de los hombres, llegará un porvenir de felicidad: nueva creación, nuevo éxodo, nueva purificación, el tiempo del paraíso, cuando el Espíritu transforme el corazón de los hombres, y la humanidad sea realmente «pueblo de Dios» [2].

Creación, paso del mar Rojo, diluvio, efusión del Espíritu anunciada por los profetas, serán en la tradición litúrgica y patrística figuras y anuncio del bautismo.

d) Interpretación desde la fe cristiana

– Como los demás hombres, también los cristianos sufrimos la situación de ambigüedad en nuestra vida. Pero tenemos la experiencia de que con Jesucristo ha llegado ya la salvación, la nueva humanidad, el reino esperado.

Porque Jesús vivió y murió con amor y libertad inequívocos, fue confesado como palabra, Hijo de Dios: la humanidad «satis-fecha», realizada plenamente por obra del Espíritu. O en otra versión: con Jesucristo ha llegado la salvación universal y definitiva para todos los hombres: «No hay bajo el cielo otro nombre dado a los hombres por el que nosotros debamos salvarnos» (Hch 4,12). Con esa fe, los primeros cristianos interpretaron la dura experiencia de alienación y de pecado.

La carta de san Pablo a los Romanos es buen ejemplo de esta interpretación creyente; hay que meditar su buena noticia. Destaca primero el poder arrollador del mal que clava sus garras en todos los hombres y los deshumaniza provocando en ellos desesperación y angustia:

> «¿Quién me librará de este ser mío instrumento de angustia?» (Rom 7,24).

Y aquí viene la novedosa experiencia cristiana. Jesucristo es la entrada de Dios mismo en la historia sufriente de los hombres para liberarlos y salvarlos de su alienación y limitaciones. Su amor gratuito ha vencido la fuerza del mal «en beneficio de todos» (5,15). Hay ya una realidad nueva: donde había esclavitud, reina hoy la libertad (8,15); la ley queda superada por el espíritu (Rom 8,4); tribulación, angustia, persecución quedan destruidas por el amor de Dios «manifestado en Cristo Jesús, Señor nuestro» (8,31).

– La fe cristiana incluye otro artículo no menos importante: gracias al Espíritu, hombres y mujeres «son convocados» para formar la Iglesia, «cuerpo espiritual» del Resucitado en la historia. Es el «nuevo pueblo de Dios», integrado por personas de toda raza, nación y condición social. Jesucristo es la piedra angular en que todos los bautizados encuentran consistencia (1 Pe 2,4); la vid cuya savia participan todos los cristianos (Jn 15,1-5). La Iglesia es «pueblo adquirido», «pueblo de Dios» donde se dan la liberación y salvación esperadas (1 Pe 2,9-10).

2. El bautismo de Jesús

La tradición y la liturgia ven el prototipo del bautismo cristiano en el bautismo de Jesús. Los relatos evangélicos de aquel acontecimiento histórico son piezas teológicas en que los primeros cristianos expresan su interpretación creyente sobre la vida y mensaje de Jesús. Según Mc 3,16, «Jesús salió del agua y en esto se abrieron los cielos»; no se trata de un milagro deslumbrante ni de un acontecimiento cósmico extraordinario; es más bien el lenguaje empleado por los profetas cuando hablan de nueva revelación (Ez 1,11). En el bautismo de Jesús, los evangelistas destacan tres rasgos más notables, que nos servirán para estructurar el significado y espiritualidad del bautismo.

a) Obra del Espíritu

Cuando Jesús fue bautizado en el Jordán, «descendió el Espíritu Santo sobre él» (Jn 3,22). «En forma de paloma» no sólo evoca la figura del Espíritu que aleteaba sobre las aguas primordiales de la creación (Gn 1,2); significa también que Jesús es como el nido, el lugar del Espíritu, como sugiere la confesión del Bautista según Jn 1,32: «Yo he visto al

[2] «Os daré un corazón nuevo e infundiré en vosotros un espíritu nuevo; quitaré de vuestra carne el corazón de piedra y os daré un corazón de carne; vosotros seréis mi pueblo y yo seré vuestro Dios» (Ez 36,26-28). También Os 2,25.

Espíritu descender del cielo como paloma y posarse sobre él». Por ello sólo Jesús puede ofrecernos «el bautismo del Espíritu»[3].

b) *Dios, amor gratuito*

«Tú eres mi Hijo, el amado, en quien tengo mis complacencias» (Mc 1,11). Esta confesión responde a lo que Jesús vivió y manifestó en su conducta y actividad históricas: «su intimidad única con el Padre». En los evangelios aparecen distintas visiones bíblicas sobre Dios; pero, de una forma u otra, todas dan a entender la originalidad en la experiencia de Jesús: vive la presencia y cercanía de Dios como Padre, amor gratuito que irrumpe allí donde nadie lo espera, que permanece inabarcable y escondido cuando se manifiesta como amor incondicional. El padre del hijo pródigo y el dueño de la viña que paga jornal completo también al que llegó tarde al tajo revelan la experiencia de Dios que vivió Jesús: la justicia del Padre brota y encuentra perfección en su entrañable misericordia.

c) *Dedicación total a la causa del reino*

«Reino» es en la Biblia una categoría que centra todos los anhelos y esperanzas del pueblo y de la humanidad: llegará un día en que Dios intervendrá con poder para vencer todas las alienaciones de la humanidad, impondrá justicia y derecho sobre la tierra, levantará de la marginación a los desvalidos, y creará una comunidad de hombres libres que no se adiestrarán para la guerra, sino que se relacionarán como hermanos[4]. Jesús habla del reino en esta mentalidad. Nunca lo definió, pero su venida constituye la buena noticia: «El reino llega ya»[5]. Con símbolos y parábolas, vuelve una y otra vez sobre la idea: el reino es como un banquete donde todos los hombres, ricos y pobres, puedan sentarse juntos en la misma mesa (Mt 22,1-10).

Al interpretar teológicamente el bautismo de Jesús, los evangelistas han querido destacar el reino como causa u objetivo central en su vida y martirio.

Lc 3,21 introduce: «Cuando todo el pueblo se bautizaba», también Jesús se acercó a recibir el bautismo. Sugiere así la solidaridad de Jesús con los hombres que reconocen su pobreza y buscan el cambio de una situación injusta. La interpretación del evangelista responde bien a la conducta histórica de Jesús: pensando en el reino, esa comunidad de hombres libres y hermanos, hizo suya la causa del pobre, denunció los atropellos de los potentados, y pidió la conversión al «Dios del reino»; así manifestó la voluntad del Padre que hace justicia con amor gratuito, pero solicitando la libre intervención del hombre.

Jesús se comprometió a fondo en secundar esa voluntad de construir el reino, pero su pretensión fue intolerable para las fuerzas del mal, que le condenaron a muerte. Su martirio fue consecuencia de una vida comprometida en la llegada de la nueva sociedad. En esta perspectiva, es elocuente que la tradición evangélica relacione el bautismo en el Jordán con la muerte de Jesús. Ya éste interpreta su martirio como un bautismo (Mc 10,38); pero los evangelistas van más allá. Mc 1,10 dice que, al ser bautizado Jesús, «los cielos se rasgaron»; la expresión evoca fácilmente otro texto de Mc 15,38: «Al morir Jesús, el velo del templo se rasgó de arriba abajo»; desaparecen los muros que separan a los hombres, se acaban las discriminaciones, llega ya el reinado de Dios.

En el bautismo de Jesús ya está presente su vida entregada por la nueva humanidad. Algunos autores traducen la confesión de fe: «tú eres mi Hijo, el amado», que tiene lugar en el bautismo del Jordán, por: «tú eres mi servidor». Se remite así al servidor de Isaías que, seducido por Dios, es capaz de sacrificar su vida por la liberación de los hombres, por un mundo «en justicia y en derecho»[6].

---

[3] J. Mateos, *Del bautismo de Juan al bautismo de Jesús*. Confer. en la Fund. «Santa María», Madrid 1986.

[4] Para conocer el significado de la categoría «Reino», R. Schnackenburg, *Reino y reinado de Dios*, Madrid 1966.

[5] Mc 1,15; Jesús sigue pensando que el reino llegará con su muerte (Lc 22,18); es el objetivo que centra toda su existencia y actividad (Mt 19,10-12).

[6] Para ver esta idea en la figura del servidor, cf. Is 32,1; 42,3; 53,5.9.11.

d) *Una vida en libertad y en confianza*

Jesús no sólo anuncia la llegada del reino; él mismo realiza esa llegada en su propia conducta. Los evangelistas confiesan su fe destacando la libertad de Jesús y su confianza plena respecto al Padre.

El relato del bautismo en el Jordán se completa en el relato de las tentaciones que traen los sinópticos. Mt 4,1-11 resulta bien elocuente. Como el pueblo de la Biblia, también Jesús es llevado al desierto. Pero donde el pueblo dijo «no» y sucumbió a la tentación, Jesús dice «sí» a la voluntad del Padre. Fue hombre libre de las idolatrías: recursos, seguridad egoísta, poder que oprime. En horizonte más amplio, Mc 1,12-13 confiesa que Jesús es el verdadero Adán: el hombre reconciliado con todos los seres de la creación; como al primer hombre antes de la caída, también los ángeles sirven a Jesús cuando supera las tentaciones.

La segunda tentación refleja bien lo que fue toda la existencia de Jesús: un camino en la oscuridad y en el riesgo, fiándose siempre del Padre; nunca exigió signos que matan esa tensión propia de la verdadera esperanza. Ya el servidor que aparece en el bautismo de Jesús se refiere al hombre que, atento siempre a lo que sugiere el espíritu, confía en el Señor (Is 42,2). Los evangelios dan a entender que Jesús vivió un proceso en su existencia y en su actividad. Tuvo que recorrer distintas etapas: anunció con alegría la llegada del reino, después sufrió la incomprensión de todos, y finalmente aceptó la cruz como servicio a la causa del reino. En todo ese proceso se mantuvo fiel a la voluntad del Padre; los primeros cristianos le confesarán «iniciador y consumador de la fidelidad» (Heb 12,2).

La conducta histórica y el martirio de Jesús estuvieron determinados por *una mística y una ruptura*. Una mística de hacer la voluntad del Padre o de anunciar la llegada del reino; vivió esa mística en su intimidad de Hijo y la plasmó en una libertad extraordinaria. Pero esa mística exigió también serias rupturas y conflictos hasta el martirio.

El bautismo en el Jordán, las tentaciones de Jesús, el retorno al paraíso serán temas muy socorridos en la tradición para explicar el significado del bautismo cristiano[7].

3. «Configurados a Cristo por el bautismo»

En estas palabras, el Vaticano II es fiel a la revelación neotestamentaria y a la tradición viva de la Iglesia[8]. Las primeras comunidades cristianas confesaban y celebraban esta realidad: mediante el bautismo, el hombre queda introducido en el misterio de Cristo, hace suyas las opciones fundamentales del Maestro y trata de «re-crearlas» en nueva situación histórica. Desglosemos un poco esta idea.

a) *Paso al mundo del Hijo*

Así define al bautismo el concilio de Trento. Hay dos mundos distintos y opuestos: uno es el del pecado y de las tinieblas, obra del primer Adán, el hombre pecador; otro es el mundo de la vida y de la luz, obra de Cristo, «nuevo Adán». El bautismo nos arranca del mundo perverso y nos introduce «al reino del Hijo de su amor»[9]. La catequesis bautismal de los primeros siglos confesó y celebró esta fe con expresiones bien elocuentes.

b) *«Partícipes y consortes»*

Los grandes obispos del s. IV explicaban a los recién bautizados el significado de su bautismo: «Habéis sido hechos partícipes y consortes de Cristo»; «sois ya posesión de Cristo y consagrados a él». Este sacramento significa el encuentro personal y vivo del hombre con el acontecimiento de Jesucris-

---

[7] Importantes: J. Daniélou, *Sacramentos y culto según los Padres*, Madrid 1962; Th. Camelot, *Espiritualidad del bautismo*, Madrid 1963.

[8] LG 7. Detallado comentario desde la tradición, en J. Espeja, *Por el bautismo nos configuramos a Cristo*: Ciencia Tomista 313 (1970) 513-559. Remitiremos a esta publicación con la sigla *a. c.*

[9] DS 1524.

to, celebrado en la comunidad cristiana. Es «la integración en Cristo», «comunión con el Verbo»[10].

c) «Os habéis vestido de Cristo»

Cuando algunos judaizantes querían imponer la circuncisión a los nuevos cristianos, Pablo reacciona: la verdadera descendencia de Abrahán es Cristo, a quien apuntan todas las promesas; los bautizados entran en el mundo de Cristo y no necesitan la circuncisión carnal (Gál 3,27).

La comparación del bautismo con el vestido seguramente no proviene de la túnica blanca que recibían los neófitos al salir de la piscina bautismal y cuya noticia más antigua es del s. IV. El apóstol quiere únicamente confesar la fe de la comunidad cristiana, sirviéndose de la mentalidad corriente: los vestidos son la continuidad y sustitutivo de la persona; transmiten la fisonomía y características del hombre al que pertenecen. Al decir que los bautizados revisten a Cristo, se quiere afirmar que los rasgos del salvador marcan ya la fisonomía del bautizado[11].

En esta idea, la tradición declara que las aguas bautismales «son cristíferas» y hacen que el Verbo llegue a ser «vestido del alma». El bautismo es «manto de salvación, túnica de alegría, vestido luminoso»[12].

d) «Sellados por el bautismo»

Es otra imagen tradicional para expresar el paso y la pertenencia de los bautizados al mundo de Cristo. Tienen sentido bautismal 2 Cor 1,21-22: «Es Dios quien nos conforta juntamente con vosotros en Cristo y el que nos ungió y el que nos marcó con su sello, y nos dio en arras el Espíritu en nuestros corazones»; y Ef 1,13: «En Cristo fuisteis sellados con el Espíritu de la promesa». Y el signo puede ser más elocuente si comparamos el bautismo con la circuncisión entendida como un sello:

> «En Cristo fuisteis circuncidados con circuncisión no quirúrgica, sino mediante el despojo de vuestro cuerpo mortal» (Col 2,11).

La catequesis y la liturgia del bautismo en los primeros siglos vuelven frecuentemente a la imagen: el bautismo es «el sello del Hijo de Dios». La liturgia visigótica pide por los recién bautizados, «a quienes sellaste con tu nombre». La vocación del cristiano es «llevar el nombre de Cristo». Es el fruto del bautismo que sugiere bien el rito de la signación: «Imprimo en tu pecho y en tu frente el sello de Nuestro Señor Jesucristo». A esta tradición responde el Vaticano II cuando afirma: cristiano es «el hombre consagrado a Cristo por el bautismo»[13].

e) «Habéis sido hechos Cristo»

Según Rom 6,5, por el bautismo los hombres reciben el mismo ser de Jesucristo. En el s. IV, san Cirilo de Jerusalén, hablando a los neófitos, hace un sabroso comentario:

> «Bautizados en Cristo, vestisteis a Cristo, habéis sido transformados en el Hijo de Dios; el que nos ha predestinado a ser hijos, nos ha hecho conformes al cuerpo glorioso de Cristo; con razón pues vosotros sois llamados cristos, vosotros sois imágenes de Cristo»[14].

Esta fe tiene ya su expresión en la alegoría de la vid y los sarmientos que trae Jn 15,1-8, y que ha sido muy frecuentada por la tradición catequética del bautismo para explicar la integración del bautizado en Cristo, verdadera vid cargada de vitalidad. Y es significativo un detalle: Jesucristo no es sólo la cepa, sino la vid –cepa y sarmientos–; los cristianos participan la única vida que tiene su plenitud en el Hijo.

En esta convicción nacieron frases como éstas:

> «la nueva creación del bautismo hace de mí un cristo»; «quienes son iluminados (bautizados) asumen la figu-

[10] Referencias en *a. c.*, 547-548.

[11] Hay que revestir la coraza de la fe y de la caridad (1 Tes 5,8); revestirse dc las armas de la luz (Rom 13,12); revestirse del hombre nuevo (Col 3,10).

[12] *A. c.*, 523-524.

[13] LG 31.

[14] *Cat. Mist.*, III, 1: PG 33, 1080.

ra y el aspecto de Cristo, la forma del Verbo queda impresa en ellos, de modo que en cada uno nace Cristo»; «al salir de las aguas bautismales, llevas en ti al Hijo de Dios, has sido transformado en él, has venido a ser de su misma familia, de su misma especie» [15].

f) En el dinamismo pascual

La existencia y destino de Jesús se realizan en un proceso de pascua: paso de Dios en la humanidad que, venciendo el egoísmo, la esclavitud y la muerte, entra por fin en un mundo nuevo de amor, libertad y vida. Este dinamismo marca toda la conducta histórica de Jesús, que fue un «sí» a la voluntad del Padre o implantación del reino, y un «no» a las idolatrías homicidas. Pero esa dialéctica entre vida y muerte resulta más palpable y escandalosa en la muerte de cruz y resurrección.

Por el bautismo, los hombres son incorporados en ese dinamismo pascual. En Rom 6,3, san Pablo escribe a los primeros cristianos:

> «¿O ignoráis que cuantos hemos sido bautizados en Cristo Jesús fuimos bautizados en su muerte?; fuimos pues con él sepultados por el bautismo en la muerte, a fin de que, al igual que Cristo fue resucitado de entre los muertos por medio de la gloria del Padre, así también nosotros vivamos una vida nueva».

La tradición ha vivido con intensidad esta fe: «Cuando sumerjo mi cabeza en el agua, recibo la muerte de Cristo, y cuando salgo de la misma, consigo la resurrección que busco». En el antiguo baptisterio de Ravena se lee: «Me introdujo en el lugar de su pascua». Y esa misma fe motiva la plegaria litúrgica:

> «Que se hagan partícipes de la muerte de Cristo por el bautismo, que participen de su resurrección» [16].

En sus catequesis bautismales, los obispos del s. IV explican cómo la celebración del bautismo representa la muerte de Cristo. Como Jesús avanzó al suplicio, el catecúmeno avanza también hacia su bautismo. Antes de sumergirse en las aguas saludables, se despoja de sus vestidos imitando a Cristo despojado de los suyos para ser crucificado. Al sumergirse dentro del agua, imita simbólicamente a Cristo sumergido en el sepulcro.

Según la teología medieval, entre las formas posibles de ablución bautismal, la más perfecta es la inmersión porque en ella se representa más claramente la sepultura del Señor. Las tres inmersiones evocan los tres días en que el cuerpo de Cristo permaneció en la oscuridad de la muerte. Las catequesis bautismales insisten: «el bautismo es imagen de los sufrimientos de Cristo», «anticipo de su pasión», «imitación de su muerte». Tal vez esta idea pudo influir en la arquitectura de las piscinas bautismales en forma de cruz o en forma rectangular a modo de sepultura [17].

Pero Jesús no muere para quedar muerto, sino para entrar en una vida nueva e inmortal. Y la celebración bautismal expresa también esta idea. La tradición llama al bautismo «sacramento de la resurrección del Señor». En la liturgia bautismal del s. IV había un rito muy solemne: al salir de la piscina, el neófito se ponía un vestido blanco, evocando así la figura del Resucitado cuyos vestidos «eran blancos como la nieve» [18].

Esta fe ha dejado su huella en la arquitectura bautismal. Frecuentemente hay en las piscinas tres gradas descendentes y tres de ascensión, evocando los tres días del Crucificado en el sepulcro y la resurrección «al tercer día». Representando simbólicamente, los sacramentos actualizan lo simbolizado; «significando, causan». Así tienen sentido las palabras de san Cirilo a los neófitos de Jerusalén:

> «¡Cosa admirable! Nosotros no hemos muerto físicamente, ni hemos sido crucificados, enterrados o resucitados; pero en la imitación simbólica se nos concede la realidad simbolizada» [19].

g) Renovación en el Espíritu

En la historia bíblica van unidas dos realidades: el agua como elemento imprescindible para la vida

[15] *A. c.*, 529.

[16] *A. c.*, 542.

[17] *A. c.*, 538.

[18] San Ambrosio, *De Myst.*, n. 34: PL 16, 417.

[19] *Cat. Mist.*, II, 5: PG 33, 1081.

del pueblo, y la figura del Espíritu «que da la vida». Esa vinculación se ve ya en Gn 1,1, cuando «el Espíritu de Dios aleteaba sobre la superficie de las aguas» como fuente de todos los seres creados. Mirando a la realización final de las promesas, los profetas ven unidas abundancia de agua y efusión del Espíritu: «Derramaré agua sobre el suelo sediento y haré brotar arroyos en la tierra seca; infundiré mi Espíritu en tu simiente y bendeciré tus retoños»; se llega incluso a identificar el «agua viva» que apaga la sed de los hombres con el mismo Dios[20].

Es posible que Jn 7,37-39 tenga un significado bautismal. La fiesta de los tabernáculos se celebraba durante varios días, y en el último, «el más solemne», se hacían plegarias especiales pidiendo las lluvias de otoño. En ese día, Jesús interviene: «Quien tenga sed, que se acerque a mí, y que beba; como dice la Escritura, de sus entrañas manarán ríos de agua viva». Y el evangelista sigue comentando: «Esto lo decía refiriéndose al Espíritu que iban a recibir los que creyeran en él». Dejando a un lado las distintas traducciones del texto, se ve la vinculación entre agua de vida y el Espíritu.

Como en el bautismo de Jesús, la tradición cristiana celebra el descenso del Espíritu en el bautismo de los cristianos. Impresiona la invocación del Espíritu en la bendición de las aguas bautismales. Las expresiones de los padres en sus catequesis son bien significativas: «El Espíritu Santo desciende del cielo, se detiene sobre las aguas que santifica con su presencia y, una vez santificadas, éstas adquieren el poder de santificar»; «si tienes una piedad sincera, sobre ti descenderá también el Espíritu». Según la tradición cristiana,

> «el Espíritu Santo es el autor de la generación espiritual»; «el agua corre sobre el cuerpo desde fuera, pero el Espíritu Santo bautiza totalmente las almas por dentro»; «el Verbo nos ha santificado y el Espíritu nos ha sellado»[21].

En el trasfondo de esta catequesis está la confesión de las comunidades apostólicas. El bautismo es «don del Espíritu», «nuevo nacimiento del agua y del Espíritu», «baño de regeneración y de renovación en el Espíritu»[22]. De ahí que san Pablo celebre con alborozo la novedad singular del bautismo cristiano:

> «Envió Dios a nuestros corazones el Espíritu de su Hijo»; «todos nosotros hemos sido bautizados en un solo Espíritu»; «vuestro cuerpo es templo del Espíritu Santo»[23].

Recibir el Espíritu de Cristo significa participar los rasgos fundamentales en la experiencia de Jesús: Dios como amor gratuito, dedicación total a la causa del reino, una vida en libertad y en confianza.

4. En la gratuidad de Dios

La celebración bautismal proclama simbólicamente que Dios por amor libera, purifica y da la vida.

a) Símbolo de liberación

La Biblia cuenta una historia de liberación. Dios mismo se inclina gratuitamente a favor de su pueblo para sacarle de todas sus alienaciones. Y esa liberación ha quedado vinculada históricamente al simbolismo del agua. Un acontecimiento es decisivo para la fe del pueblo: gracias a la intervención de Dios en las aguas del mar Rojo, fue posible la liberación de los hebreos esclavizados en Egipto. Cuando el pueblo estuvo a punto de morir por la sed, Yahvé hizo brotar milagrosamente agua de la roca (Ex 17,1-7). La intervención gratuita de Dios para liberar al pueblo será también evocada por su intervención milagrosa en el paso del Jordán para entrar en la tierra prometida (Jos 3,14-17). Fuerzas opresoras de los egipcios, sed mortífera en el desierto, y aguas caudalosas del Jordán fueron la ocasión de que Dios se revelase como amor liberador que «guía en su bondad al pueblo rescatado» (Ex 15,13).

---

[20] Is 43,20; 48,21-22; 49,9-13; 55,1-6.

[21] Véanse referencias con excelente comentario en Th. Camelot, *Espiritualidad...*, 194-220.

[22] Hch 2,38; Tit 3,5.

[23] Gál 4,6; 1 Cor 12,13; 6,19.

Toda la Biblia está sembrada de referencias a estos acontecimientos. Son como recuerdo vivo e imperativo de fidelidad, traídos una y otra vez por líderes y profetas para que Israel camine según el proyecto de su Dios. Evocando la liberación del éxodo, san Pablo en 1 Cor 10,1-5 recuerda a los nuevos cristianos la exigencia de su bautismo: «No quiero que ignoréis, hermanos, que nuestros padres estuvieron todos bajo la nube y todos atravesaron el mar, y todos fueron bautizados por Moisés en la nube y el mar...; pero la mayoría de ellos no fueron del agrado de Dios». La tradición y la liturgia cristianas sobre el bautismo recuerdan con mucha frecuencia esos acontecimientos bíblicos para manifestar que el bautismo cristiano es una liberación del mal simbolizado en el imperialismo egipcio[24].

Las clásicas homilías bautismales de los siglos III y IV confiesan una y otra vez esa buena noticia: «El bautismo es liberación de los cautivos, remisión de las deudas, muerte del pecado»[25]. Estas catequesis responden bien a la predicación de Pedro en pentecostés:

> «Arrepentíos y que cada uno de vosotros se haga bautizar en el nombre de Jesucristo para remisión de los pecados» (Hch 2,36-38).

b) Agua que purifica

El viejo tema babilónico del diluvio es contado y reinterpretado en la Biblia. Expresa no sólo el furor de Dios contra la perversión de la humanidad, sino también y sobre todo su voluntad de renovar la primera creación, purificándola de crímenes: «Guió al justo por las aguas en un vulgar leño» (Sab 10,4), y lo bendijo como hiciera con la primera pareja (Gn 6,18-19). En la memoria bíblica del agua purificadora está el recuerdo de Naamán el sirio que, por sus baños en el Jordán, quedó curado de la lepra (2 Re 5,1-14).

En el correr de los años, el pueblo de la Biblia fue tomando conciencia de que la opresión o pecado, cuyo símbolo era Egipto, se reproduce también dentro del mismo pueblo elegido. Los faraones perversos retoñan constantemente, aunque con distintos nombres: monarquía, potentados económicamente, nobles de raza, casta privilegiada. Contra todos estos egoísmos, y en nombre de Dios, denuncian los profetas, y anuncian nueva época en que la maldad será destruida y comenzará lo nuevo «como en el tiempo de Noé» (Is 54,9). El salmo 51 vuelve al simbolismo del agua en que todo se disuelve y el hombre queda más blanco que la nieve. El profeta Ezequiel, 36,25, mantiene viva la esperanza del pueblo humillado en el destierro:

> «Derramaré sobre vosotros agua pura y quedaréis purificados de todas las inmundicias, y os limpiaré de todas vuestras idolatrías» (36,25).

Esperando esa purificación última, los judíos practicaban numerosas abluciones. También se daba el «bautismo de los prosélitos» o paganos simpatizantes que pedían ingreso en la religión judía; aunque hay distintas opiniones entre los especialistas, ese bautismo era considerado al menos como purificación ritual. Los esenios, una secta que vivía junto al mar Muerto, practicaban abluciones religiosas de purificación. En este clima tuvo especial relevancia en el s. I antes de Cristo el bautismo de Juan, cuya existencia y talante conocemos por los evangelios. El gesto del Bautista debe ser interpretado en la visión profética de los últimos tiempos, y va claramente ligado a la conversión o cambio de costumbres. En este anhelo se ambienta el bautismo cristiano, donde sin embargo es ya el Espíritu quien, transformando el corazón del hombre, realiza la purificación anunciada por los profetas[26].

En su bautismo, Jesús es «el cordero de Dios que quita el pecado del mundo» (Jn 1,29); y esa purificación por el Espíritu será también efecto del bautismo cristiano.

La catequesis bautismal de 1 Pe 3,20-21 encuentra en el diluvio una figura del bautismo cristiano. Y en esa idea puede ser reveladora una frase del siglo V en el baptisterio de San Juan de Letrán: «Esta es la fuente que lava toda la tierra». Las antiguas catequesis bautismales destacan esta purifica-

---

[24] Algunos testimonios en J. Daniélou, *Los sacramentos...*, 106-166.

[25] San Basilio, *Del santo bautismo*, 5: PG 31, 433.

[26] Jr 31,31-34; Ez 36,26-27.

ción que tiene lugar en el bautismo: «La transgresión del pecado ha sido remitida en la fuente sagrada»; el hombre por el pecado está malherido y maltrecho, «medio muerto a la vera del camino»; «por el bautismo, Jesucristo, como el buen samaritano, le ha curado»[27]. Esa tradición refleja bien la enseñanza de san Pablo: en el bautismo «habéis sido lavados... por el Espíritu de nuestro Dios» (1 Cor 6,11). La misma idea en Ef 5,26-27:

> «Cristo amó a la Iglesia y se entregó por ella para santificarla, purificándola con el baño del agua en virtud de la palabra».

c) Agua de la vida nueva

Para la mentalidad bíblica, el agua y la vida son categorías muy vinculadas. Ya en el relato de la creación según la tradición sacerdotal tienen su eco las cosmogonías de los pueblos vecinos. Gn 1,1 evoca fácilmente las «aguas primordiales», de donde salen los vivientes de la creación. Y Gn 2,56 apunta: «No había hierba ni arbusto, porque Dios no había hecho llover». El agua es origen de la vida.

Esta idea, que ya tenían las leyendas babilónicas sobre la creación, caló más hondo en el pueblo hebreo marcado por su dura experiencia en el desierto: la sequía es sinónimo de muerte, y el agua símbolo de la vida. Lógicamente, aquellas tribus nómadas veían la lluvia como bendición de Dios. Los salmos cantan el tema del agua con ribetes de lirismo, que también celebran los sabios de Israel, y tiene su resonancia en la liturgia judía.

Por eso también es normal que la revelación bíblica presente la felicidad anhelada o tierra prometida como un lugar de manantiales y torrentes, que Dios mismo alimentará enviando lluvias abundantes a su tiempo: «Haré brotar manantiales en las alturas peladas y fuentes en medio de los valles, tornaré el desierto en estanque y la tierra seca en corrientes de agua»; entonces «llegarán los nuevos cielos y la tierra nueva»[28]. En los relatos del bautismo y tentaciones de Jesús, los evangelistas han presentado al hombre nuevo, al verdadero Adán que, según el proyecto del creador, debía ser feliz en el paraíso. Su misión en el mundo es que «todos los hombres tengan vida en abundancia» (Jn 10,10). Esa misma novedad tiene lugar en el bautismo cristiano.

Las antiguas plegarias para bendecir la fuente bautismal evocan la función matriz del agua en la creación con su simbolismo de vida para el pueblo. Y la revelación evangélica confiesa que el bautismo es «nuevo nacimiento en el Espíritu» (Jn 3,5). Las antiguas catequesis ofrecen esa misma fe con expresiones muy variadas: «el bautismo es nuevo nacimiento del alma», «restauración de la imagen»; «ahí el hombre encuentra de nuevo su juventud por la gracia». Siguiendo y haciendo suya esta fe de la Iglesia, el concilio de Trento confesó:

> «Al revestirnos de Cristo por el bautismo, nos hacemos con él una criatura totalmente nueva»[29].

Oración para hacer un cristiano

Yo te signo en el nombre del Padre, del Hijo, y del Espíritu Santo, para que seas cristiano:
los ojos, para que veas la luz de Dios;
los oídos, para que oigas la voz del Señor;
las narices, para que percibas el suave olor de Cristo;
los labios, para que, una vez convertido,
confieses al Padre, al Hijo y al Espíritu Santo;
el corazón, para que creas en la Trinidad indisoluble.

El Verbo nos ha santificado, el Espíritu nos ha sellado; el hombre viejo ha sido sepultado y el hombre nuevo ha salido al mundo encontrando de nuevo su juventud por la gracia.

San Gregorio, obispo de Nisa (s. IV),
Hom. 13: PG 40, 356 d.

Tres imágenes concretan esa fe: adopción, iluminación y retorno al paraíso.

[27] San Agustín, *De nat. et gratia*, 43, 50: PL 44, 271.

[28] Is 41,18; 35,6-7; 48,21.

[29] DS 1672.

• *Adopción filial*

Como en el bautismo de Jesús, en el bautismo cristiano también escuchamos la voz que nos dice: «tú eres mi hijo». En este sacramento recibimos el Espíritu que nos permite invocar a Dios como Padre (Rom 8,15; Gál 4,6). Es el nuevo nacimiento de la gracia. Todo el esfuerzo moral del bautizado y su respuesta generosa se sitúan en el interior y como fruto de la gracia bautismal. La oración del cristiano será el «Padrenuestro», como su bautismo de cada día.

• *Iluminación*

En la revelación bíblica, la luz es un concepto muy cercano a la vida; y en esa mentalidad discurren las comunidades cristianas de los primeros siglos. La liturgia y catequesis bautismales suelen traer la curación del ciego de nacimiento para explicar el efecto de la celebración bautismal: enviado por Jesús a la piscina de Siloé, el ciego se baña en ella, se abre a la luz y comienza a ser él mismo (Jn 9,1-40). Puede ser fragmento de un himno bautismal Ef 5,14:

> «Despierta, tú que duermes, levántate de la muerte, y te iluminará Cristo».

El bautismo es llamado «iluminación» y los recién bautizados «neófitos». Han sido introducidos en la vida cuyo símbolo es la luz. Es muy elocuente la felicitación para quienes acaban de recibir el bautismo:

> «Que la iluminación bautismal inunde vuestros ojos, vuestro olfato, vuestro cuerpo entero» [30].

• *Retorno al paraíso*

En la Biblia, el paraíso es el símbolo de la vida y de la convivencia en plenitud y sin sombras. En la tradición litúrgica y en las catequesis bautismales hay una idea central: por el bautismo, el hombre entra por fin en el paraíso. Después de renunciar al maligno, los catecúmenos se vuelven hacia oriente, lugar del Edén, «de donde fue expulsado nuestro primer padre a causa de su desobediencia». Y antes de bajar a la piscina bautismal, se despojan de sus vestidos: «abandonan la túnica con que Adán pecador pretendió cubrir su desnudez». Por ésta, la primera pareja humana fue expulsada del paraíso, cuya puerta se abre por el bautismo «para cada uno y para cada una de vosotros» [31].

Los sacramentos cristianos actualizan el pasado de Cristo en el presente de cada hombre (gracia), que así queda orientado hacia la felicidad o gloria todavía esperada. Es la enseñanza de la teología tradicional, que se apoya en la experiencia cristiana:

> «Por el bautismo, Dios nos ha sellado y ha depositado las arras del Espíritu en nuestros corazones» (1 Cor 1,22).

5. En función del reino

Existencia y martirio de Jesús tuvieron un objetivo central: la llegada del reino; esa nueva humanidad animada por un espíritu solidario. De acuerdo con este objetivo, su conducta obedeció a una jerarquía de valores permanentes en el evangelio: compartir con todos, dignificar al hombre, solidaridad sin fronteras, servicio a todos desde los más débiles. Un talante de vida que los evangelistas nos ofrecen a modo de síntesis en el bautismo y tentaciones de Jesús: «cuando todos se bautizaban», como uno más y solidarizándose con la suerte de sus vecinos, fue el servidor el que, renunciando a las idolatrías del «tener» y del «poder», entregó su vida por la llegada del reino.

Esa dimensión solidaria es también fundamental en el bautismo cristiano.

a) Referencia trinitaria

Los escritos neotestamentarios dan dos versiones sobre la celebración del bautismo: «en el nombre de

[30] Así hablaba en el s. IV san Gregorio Nacianceno, *Orat*. 40, n. 3: PG 36, 361.

[31] San Cirilo de Jerusalén, *Cat. Mist.*, I, n. 8: PG 33, 1073. Otras referencias en Th. Camelot, *Espiritualidad...*, 189-191.

Jesucristo»; «en el nombre del Padre, del Hijo y del Espíritu Santo». Las dos formulaciones van en la misma línea: el bautismo es *profesión solemne de vida en solidaridad con todos los hombres*.

La celebración bautismal «en el nombre de Jesucristo» quiere decir «en el seguimiento de Jesús», recreando su causa y actitudes en nuestra situación histórica. Y Jesús se dedicó totalmente a la causa del reino, esa humanidad solidaria. En su conducta plasmó su mensaje. Cristo es el «hombre nuevo» y libre de todas las idolatrías, el verdadero pueblo de Dios. 1 Cor 15,45 habla del Resucitado como «cuerpo espiritual», «nuevo Adán»: es el individuo que no sólo tiene vida, sino que la comunica; la persona que se realiza en la solidaridad.

Eso mismo viene a decir el bautismo «en el nombre del Padre, del Hijo y del Espíritu Santo». La Trinidad es el artículo fundamental y decisivo en el «credo» de los cristianos, la gran revelación de Jesús: Dios es comunidad de personas que se constituyen por una relación de amor. El bautismo significa el compromiso por vivir las relaciones con los otros en un amor solidario. Y la Iglesia, reunida en el nombre del Padre, del Hijo y del Espíritu, es germen de solidaridad en la historia[32].

El bautismo supone y promueve la gracia o experiencia de adopción. El bautizado recibe la «verdad de Dios» –misericordia que rectifica lo torcido–, y así descubre también la verdad del hombre, imagen e hijo de Dios. Su filiación conlleva la fraternidad y se muestra en el compromiso por hacer la verdad de Dios y la verdad del hombre dentro de una sociedad llena de ambigüedades.

La vocación cristiana celebrada en el bautismo lleva implícita una catolicidad cualitativa: el bautizado es hombre llamado a la solidaridad sin fronteras, superando toda mentalidad sectaria o proselitista. Y esta vocación se realiza en dos ámbitos íntimamente unidos: el de la Iglesia y el de la sociedad. Por el bautismo, los hombres pasan a formar la comunidad creyente, y al mismo tiempo quedan proyectados en la transformación del mundo.

[32] La Iglesia es el pueblo reunido «en virtud de la unidad del Padre, del Hijo y del Espíritu Santo» (LG 4). Así es germen del reino (LG 5).

> Una raza destinada al cielo nace aquí de una semilla santa, y el Espíritu hace que brote de las aguas que ha fecundado.
>
> Los hijos que la Iglesia madre ha concebido por la fuerza de Dios son traídos al mundo en el agua mediante un alumbramiento virginal.
>
> Inscripción del s. V
> en el baptisterio de Letrán.

b) Nace un nuevo pueblo

El proyecto de Dios es que los hombres formen un pueblo de hermanos. En la revelación bíblica, el nacimiento y promoción del pueblo va ligado al simbolismo del agua. Esta era signo de bendición y bienestar para una existencia continuamente amenazada por la sequía en una tierra desértica y árida. En la historia de los patriarcas, los pozos de agua son con frecuencia lugar de un primer encuentro para matrimonios que aseguren la continuidad del pueblo, cuya identidad se fortalece con el paso liberador del mar Rojo. Este simbolismo permanece y se actualiza en la celebración bautismal. Según Hch 2,42, recibir el bautismo significa integrarse como miembro de la comunidad creyente («congregatio fidelium») que llamamos Iglesia. En su catequesis, san Pedro afirma que los bautizados son el nuevo pueblo de Dios (1 Pe 2,10).

- *«La Iglesia engendra en estas olas»*

Obra del Espíritu, la Iglesia precede a los cristianos; es oferta de gracia que se actualiza en el bautismo, según reza la inscripción de Letrán: «Los hijos que la Iglesia madre ha concebido por la fuerza de Dios son traídos al mundo en el agua mediante un alumbramiento virginal». La comunidad cristiana se compromete y empeña en cada bautismo, ofreciendo a los hombres el don del Espíritu que previa y gratuitamente ha recibido.

En esta idea se comprende que la comunidad creyente arrope con su fe al recién nacido incapaz todavía de un acto libre y responsable:

«Los niños son presentados para recibir la gracia espiritual, no tanto por quienes los llevan en sus brazos, cuanto por la sociedad universal de los santos y de los fieles; ella engendra a todos y a cada uno» [33].

Por el bautismo, es la «Mater Ecclesia» quien nos recibe y ofrece los dones del Espíritu que ella misma ha recibido. Por eso la gracia de este sacramento es eminentemente eclesial: recibimos la vida de Cristo porque estamos incorporados a la Iglesia; ella es cuerpo espiritual del Resucitado en la historia, y un miembro sólo tiene vida integrado en el cuerpo. La tradición catequética de los primeros siglos destaca bien esa presencia real de la comunidad eclesial en la celebración del bautismo; la Iglesia es el sacramento donde logran sentido y eficacia los ritos sacramentales. La «comunión de los santos», alimentada por el Espíritu, es lugar ineludible de referencia para el nacimiento y vida del cristiano. De ahí la recomendación que se hacía en el s. IV a los neófitos:

«Permanece siempre fiel a la Santa Iglesia Católica en la que has sido engendrado a una vida nueva; ella es nuestra madre y la esposa fiel de Nuestro Señor Jesucristo» [34].

- *«Para formar un sólo cuerpo»*

La Iglesia es el cuerpo espiritual de Cristo cuyos miembros son obra del Espíritu en el bautismo:

«Todos nosotros hemos sido bautizados en un solo Espíritu para constituir un solo cuerpo»; «sólo hay un cuerpo y un Espíritu, como también una sola esperanza, la de nuestra vocación; sólo un Señor, sólo una fe, sólo un bautismo» [35].

En el siglo II, *El pastor* de Hermas tuvo esta visión: «Sobre las aguas se construye una gran torre con piedras cuadradas y limpias; la torre que tú ves construir soy yo, la Iglesia; es construida sobre las aguas porque nuestra vida encuentra la salvación por el agua» [36]. El concilio de Florencia profesa esta fe:

«El santo bautismo, puerta de la vida espiritual, nos constituye en miembros de Cristo y nos introduce en el cuerpo de la Iglesia» [37].

- *«Ninguna diferencia hay entre los nacidos»*

Esta frase, también inscrita en el baptisterio de Letrán, es eco fiel de Gál 3,27-28: «Todos los bautizados en Cristo os habéis revestido de Cristo; ya no hay judío ni griego, ni esclavo ni libre, ni hombre ni mujer, pues todos vosotros sois uno en Cristo Jesús». Todos los miembros del pueblo de Dios reciben la única fuerza del Espíritu con distintos matices y para distintas funciones; pero éstas no destruyen la igualdad fundamental de todos los bautizados. El Vaticano II lo dice claramente:

«Es común la dignidad que deriva de la regeneración en Cristo, común es la gracia de filiación, común la llamada a ser perfectos; una sola salvación, única esperanza e indiviso amor; no hay por consiguiente en Cristo y en la Iglesia ninguna desigualdad» [38].

Tenemos aquí el principio y la exigencia para una eclesiología de comunión, donde todos los miembros de la Iglesia, cada uno con su carisma, son necesarios, pero donde nadie es más que nadie, y todos deben servir a los demás. Sólo el servicio desinteresado en el amor garantiza la verdad cristiana en el ejercicio de carismas y ministerios. Ya en horizonte más amplio, el bautismo de Jesucristo, común a las confesiones cristianas, debería ser imperativo de diálogo y comunión fraternos.

c) Fermento de comunidad en el mundo

La Iglesia es referencial; no está en función de sí misma, sino en función del reinado de Dios: esa humanidad nueva con nuevas relaciones entre todos los hombres. Signo e instrumento de comunión universal, la comunidad cristiana tiene una dimensión social ineludible. Es la vocación que se

[33] San Agustín, *Epist*. 98, n. 5: PL 33, 362.

[34] San Cirilo de Jerusalén, *Cat.*, XVIII, 26: PG 33, 1048.

[35] 1 Cor 12,12-13; Col 3,9-11; Ef 4,5.

[36] Visión Tercera, II, 4-8.

[37] DS 1314.

[38] LG 32.

celebra ya en el bautismo. Merece la pena destacar esa dimensión humana y política, estructural y cósmica, que fácilmente se pierde o queda en la penumbra.

Este olvido puede tener cierta explicación. En el bautismo de niños como práctica generalizada se diluye fácilmente la iniciación cristiana como proceso de conversión y ruptura con la mentalidad egoísta e insolidaria del mundo; no se acentúa el compromiso responsable del bautizado en la transformación de la sociedad. Por otra parte, la idea del pecado como «mancha» de la que uno tiene que purificarse puede haber fomentado también que pasemos por alto las consecuencias sociales de nuestros abusos y omisiones. Sin embargo, la dimensión social de la existencia cristiana parece importante de modo especial cuando la Iglesia intenta separarse del poder y ser conciencia crítica ofertando un talante de vida evangélica.

La dimensión social del bautismo se percibe desde tres ángulos: conversión, incorporación a la comunidad fraterna, lucha contra las fuerzas del mal.

- *Conversión*

La práctica generalizada del bautismo de niños ha relegado la conversión al sacramento de la penitencia que, según la tradición de la Iglesia, es «renovación del bautismo». Hoy es urgente recuperar ese aspecto.

– Ya el Bautista predicó un bautismo de penitencia o conversión, que incluye un compromiso por una sociedad más justa: «El que tenga dos túnicas, que las reparta con el que no tiene; el que tenga para comer, que haga lo mismo» (Lc 3,10-11). Este es el camino de salvación, que no llega por «ser descendencia de Abrahán» (Lc 3,8). Como en los profetas de Israel, también aquí la «conversión» significa volverse, sintonizar con el «Dios de la alianza», que no tolera las idolatrías antisolidarias y homicidas.

También el bautismo cristiano exige la conversión (Hch 2,38). Paso del hombre viejo al hombre nuevo. De las obras egoístas de la carne: «fornicación, impureza, libertinaje, idolatría, odios, discordias, celos, rencillas, divisiones», a las obras del Espíritu que impulsa la solidaridad: «amor, alegría, paz, longanimidad, benignidad, bondad, fidelidad, mansedumbre, templanza» (Gál 5,19-23).

– En la organización bautismal de los siglos III y IV, esta conversión, con todas sus repercusiones sociales, tenía notable relevancia. La Iglesia escrutaba las motivaciones del candidato al bautismo, su conducta en la vida y su profesión social. Había profesiones que se debían dejar antes de recibir el bautismo. Por ejemplo, y por su fácil versión actual, los «sacerdotes de ídolos» no podían ser admitidos en la comunidad cristiana. En nuestros días, esos ídolos han cambiado de nombre: se llaman seguridad insolidaria, prestigio y rango social, pero sigue la profesión práctica de servicio a los ídolos, incompatible con la profesión bautismal.

– Las fuerzas del mal en la sociedad y en el mundo son descomunales, y a veces uno se ve impotente para vencerlas. Son como los «príncipes de este mundo» (Ef 2,2; 1 Cor 2,6). Las ideologías del imperialismo, del interés egoísta y homicida, son esos «príncipes del mal» que hacen imposible la solidaridad entre los hombres. En esta experiencia del maligno aplastante lograban profundo significado teológico los «exorcismos», que antiguamente se celebraban en el proceso del catecumenado. La comunidad cristiana se reúne y ora para que los llamados al bautismo luchen y venzan a las fuerzas del mal.

– Hay situaciones en que los «principados de este mundo», con sus círculos infernales, hacen muy difícil la salida. El bautizado, sin embargo, tendrá que luchar contra esas fuerzas malignas para que llegue el reinado de Dios o la nueva sociedad de hombres hermanados.

También los «diá-bolos» cambian de nombre. Se pueden llamar imperialismo, consumismo, nacionalismo, seguridad nacional. Los exorcismos tendrán que ser diferentes, pero la lucha contra esas estructuras de pecado, contra la injusticia y dominación que impiden una sociedad fraterna y solidaria, sigue siendo un desafío para todos los bautizados. En la celebración actual del bautismo, ni siquiera se hace ya el exorcismo para que el diablo salga del niño. Pero ese «diá-bolo», esa fuerza del mal sigue actuando en nuestro corazón y en nuestra sociedad, que han de ser transformados en reinado de Dios o humanidad nueva.

Por eso tiene significado teológico la «renuncia bautismal» que antiguamente los catecúmenos hacían de modo solemne antes de recibir el bautismo: mirando a occidente, lugar de las tinieblas, se comprometían a romper con «Satanás, sus pompas, sus obras y sus ángeles». Aunque hay distintas versiones e interpretaciones sobre la expresión, todas ellas coinciden: el que se decide a seguir la vocación bautismal debe renunciar a la dominación egoísta, al fasto mundano, a cualquier idolatría. Hoy, las «pompas diabólicas» serían: lujo desmedido, falsas seguridades y apariencias; «obras diabólicas» son: imperialismo aplastante, armamentismo, manipulación irreverente de la naturaleza; como «ángeles del maligno» funcionan la seduccion del «tener» y asegurarse al margen y a costa de los otros.

La «renuncia bautismal» supone e implica una práctica de ruptura contra esa mentalidad mundana que discrimina y mata creando división entre los hombres. Esta lucha intrahistórica o combate espiritual «contra los dominadores de este mundo tenebroso» (Ef 6,12) tuvo gran relevancia en la celebración bautismal de los primeros siglos, y sigue siendo imperativo permanente hoy para quienes se decidan a vivir como cristianos.

• *En la comunidad escatológica*

El Bautista insistía: está próxima la hora final anunciada por los profetas; esa hora final se llama «escatológica»; es la hora de la reconciliación universal, cuando todos los hombres vivirán felices como hermanos. Jesús declara que la comunidad «escatológica» y fraterna, el reinado de Dios, ha llegado ya. Se está cumpliendo el anuncio de los profetas: el nuevo éxodo, el nuevo pueblo, la utopía del paraíso.

La Iglesia es presencia y signo de esa etapa final. Según Hch 2,42-45, al bautismo sigue una vida de comunión o solidaridad. «Tener los bienes en común» y «colectas» en favor de los pobres fueron en las comunidades apostólicas gestos simbólicos de que la utopía estaba ya presente y en acción.

El bautismo es germen de catolicidad o solidaridad sin fronteras, pero ese dinamismo se desvela y concreta en el proceso histórico. Parece que la comunidad donde Pablo escribe no aplicó la exigencia igualitaria del bautismo en el caso de la esclavitud vigente. Aunque hoy reviste nueva faz la esclavitud que aliena, oprime y margina, sigue siendo un desafío intolerable para la vocación del bautizado.

• *Descender a los infiernos*

El descenso del Resucitado a los infiernos puede significar la victoria universal y solidaridad real con los muertos. Allí, en su propio imperio, Cristo venció al maligno y derribó las puertas del Hades en que los hombres sufren sin salida (Mt 16,18). Según Col 3,1, el que se bautiza participa de la resurrección de Cristo y entra en el dinamismo pascual, pasa de la muerte a la vida.

Las maravillas del éxodo, figura del bautismo, evocan ya el descenso de Dios al infierno de la muerte, para vencer al maligno (Ex 3,7-8). El paso milagroso del Jordán hace palpable la misma presencia de Dios y su intervención para superar las dificultades en la frontera de la tierra prometida. Según la cosmogonía que subyace a la revelación bíblica, en el fondo de los abismos están los monstruos enemigos del hombre. En esta creencia, los catecúmenos son ungidos para que, descendiendo al abismo de las aguas, puedan luchar valientemente contra sus enemigos.

Urge también aquí el conocimiento de los «infiernos» donde los hombres sufren y de «los monstruos homicidas». Pero es ineludible para los bautizados un combate intrahistórico y decidido contra los mismos. La existencia del bautizado ha de ser proclamación práctica de la victoria del Resucitado sobre las fuerzas del mal.

Resumiendo: Trinidad de personas y comunidad simbólica de la Iglesia; pecado original y organización diabólica del mundo, son llamada y reto para la vocación bautismal. Urge recuperar la dimensión social del bautismo. Hoy, los hombres y los pueblos no pueden eludir la interdependencia, pero ésta será destructiva si no avanza en clima de solidaridad. Aquí encuentra su razón de ser la comunidad de bautizados o Iglesia, que se define como «signo de comunión universal»[39].

6. «Andad en él»

Jesús de Nazaret no sólo vivió la experiencia de Dios como amor gratuito y se dedicó totalmente a la llegada del reino, la nueva humanidad solidaria. En su propia conducta ofreció ya esa novedad; es el realizador del mensaje, viviendo libre de todas las idolatrías hasta jugarse la propia vida por amor a la causa o proyecto del Padre. Jesucristo ha de ser camino para la existencia del bautizado.

a) Peregrinación con Cristo

El bautismo es la profesión pública de una fe o experiencia: «No soy yo, es Cristo quien vive en mí» (Gál 2,20). De ahí la conclusión: «Si vivimos, vivimos para el Señor, y si morimos, para el Señor morimos» (Rom 14,8). Esta singular experiencia determinará la historia del bautizado como una peregrinación con Cristo. Como discípulo, marchará sobre las huellas del Maestro, y su existencia en el mundo se hará en comunicación con él.

Esta fe se proclama y recibe su sello en el bautismo, que viene a ser como punto de partida para realizar la existencia en el seguimiento de Cristo, recreando su libertad y sus actitudes fundamentales. Es bien significativa la recomendación de san Agustín a los nuevos cristianos de Africa: «Que realmente vistáis en la vida lo que vestisteis en el sacramento»[40]. Otro gran testigo de la Iglesia en el s. V, san León Magno, despide a los neófitos: «Ahora debéis realizar en la existencia lo que habéis celebrado en el sacramento»[41]. Son el eco fiel de Col 2,6-7:

> «Ya que habéis recibido al Señor Jesús, andad en él, arraigados y proyectados en él».

b) Como hijos de la luz

El bautismo es el sacramento de la fe; «iluminación» es uno de sus nombres más frecuentados; la fe recibe su perfección en el bautismo, y éste se fundamenta en la fe. Antes de ser bautizado, el catecúmeno confiesa su adhesión al misterio de Dios-Trinidad, a su enviado Jesucristo y a su cuerpo visible que es la Iglesia o comunidad de creyentes. Quiere realizar en el mundo ese proyecto solidario de Dios, comunidad o amor, que se hace realidad en Jesucristo y se proclama hoy en la Iglesia.

El término «fe» debe ser interpretado en toda su profundidad bíblica: confianza y entrega sin límites a Dios y a su voluntad, a Jesucristo y a su pretensión, a la Iglesia como expresión del reino. No es tanto aceptar un elenco de verdades, cuanto una nueva forma de vivir en el amor de Dios, en el seguimiento de Jesús y en el Espíritu que transforma continuamente a la Iglesia.

En la celebración del bautismo hay un gesto simbólico: el ministro entrega un cirio encendido al recién bautizado: «Has sido transformado en luz de Cristo; camina siempre como hijo de la luz, a fin de que, perseverando en la fe, puedas salir con todos los santos al encuentro del Señor». Caminar como hijos de la luz es un tema bien elaborado en Ef 5,1-14; quiere decir: «en toda bondad, justicia y verdad, no participando en las obras infructuosas de las tinieblas, sino denunciándolas». *El Ritual* sugiere la parábola evangélica de las vírgenes que se mantuvieron en vela esperando la llegada del esposo.

En la tarea de cada día, el bautizado tendrá que superar las dificultades y oscuridades que cuestionan su confianza, fijando sus ojos y su corazón en Jesucristo, «iniciador y consumador de la fe» (Heb 12,3). San Pablo daba la norma fundamental para la conducta en la fe cristiana: «Consideraos muertos al pecado y vivos para Dios en Cristo Jesús» (Rom 6,11). Es como si dijera:

> «Que vuestra configuración con Cristo se actualice cada momento en vuestro corazón, en vuestros sentimientos y en vuestras acciones».

---

[39] LG 1; GS 42.

[40] *Serm.* 8, 1: PL 46, 838.

[41] *Serm.* 8, 4: PL 54, 382.

> La fe del bautismo está en el cristiano como un germen que no deberá cesar jamás de desarrollarse; es como una levadura que continuamente promoverá y transformará toda la existencia «hasta que todo quede fermentado». La vida del bautizado, «nueva criatura» (1 Cor 5,7), deberá ser un constante progreso hasta que llegue al «hombre perfecto» (Ef 4,13). ¿Se piensa lo suficiente en esta ley del progreso, en la marcha hacia un objetivo que no se alcanzará jamás en esta vida?
>
> Th. Camelot,
> *Espiritualidad,* 50-51.

c) *Tarea de cada día*

El mismo apóstol vivió intensamente esta configuración: «Estoy crucificado con Cristo» (Gál 2,19); «llevamos siempre la muerte de Cristo en nuestro cuerpo» (2 Cor 4,10). Es lo que antiguamente se destacaba bien: «El cuerpo del bautizado se hace carne del Crucificado»[42]. Después del bautismo continúa una especie de guerra civil contra nuestros vicios interiores; las renuncias a Satanás y a las idolatrías que los catecúmenos pronuncian antes de su bautismo deben ser confesión práctica de cada hora. En seguimiento del Crucificado, en ese «morir cada día», deben ser comprendidas y aceptadas limitaciones físicas, psíquicas y morales que tanto nos humillan. Todo un camino de ascesis hasta llegar a las «noches de sentido» y «noches del Espíritu» que de algún modo debemos pasar todos los cristianos.

Pero Jesús no murió para quedar muerto, como tampoco sufrió por amor al sufrimiento sin más. Su amor y dedicación se centraron en la causa del reino, «la vida en abundancia» para todos los hombres, la realización del proyecto de Dios en la historia humana. Su existencia estuvo motivada por el amor en el que fue capaz de vivir y morir. El que un día recibe el bautismo, une su suerte al dinamismo pascual de Cristo; enamorado de lo que para Jesús fue decisivo, el reino, «perla preciosa y tesoro escondido», «con gran alegría» rompe con todas las falsas seguridades, no se conforma ni acomoda en la mentalidad e intereses egoístas del mundo, y «pierde su vida» por el evangelio, la comunidad solidaria (Mc 8,35). Eso quiere decir «consideraos vivos para Dios en Cristo Jesús». Como si dijera:

> «Dejaos alcanzar por el Espíritu de Cristo, vivid como el Resucitado, siendo personas libres del individualismo, que perfeccionan su vida y hacen posible la vida de los otros en libertad» (1 Cor 15,46).

7. Sobre el bautismo de los niños

Es un problema inevitable cuando estamos pasando de una sociedad católica confesional a un pluralismo democrático. Manteniendo claros los principios que inspiran y justifican esa práctica, caben los interrogantes sobre la misma en una situación determinada.

El bautismo de los niños es de tradición antigua en la Iglesia, y se generalizó en el s. V. El concilio de Florencia dijo que los niños deben ser bautizados «lo más pronto que se pueda»[43]. Más tarde fue rechazada por el concilio de Trento la pretensión anabaptista: «Es mejor omitir el bautismo de los niños que bautizarlos sin un acto personal de fe, en la sola fe de la Iglesia»[44]. El Magisterio se ha mantenido fiel a esta enseñanza tradicional.

Los teólogos han discutido mucho sobre la posibilidad y conveniencia de bautizar a los niños. En principio y en teoría, es posible porque el amor de Dios nos precede, nos acompaña y se nos ofrece gratuitamente; un amor que se actualiza y toma cuerpo en la Iglesia –«comunión de los santos»–, en cuya fe los niños son bautizados[45]. Y es conveniente por la existencia del pecado original: aun admitiendo distintas interpretaciones del mismo, parece innegable que nuestra historia humana, escenario de muchos valores, también sufre un deterioro lamentable y generado por nuestra libertad esclavi-

---

[42] San León Magno, *Serm.* 66, 6: PL 54, 357.

[43] DS 1349.

[44] DS 1626.

[45] Es la fe en que se apoya la doctrina de san Agustín (*De pecc. mer. et remis.*, I, 25: PL 44, 131), al que sigue santo Tomás (III, 68, 3).

zada. Los niños que llegan y entran en nuestra historia no sólo participan de los valores que vive la humanidad; sufren también esa lacra o deterioro que desfigura las relaciones entre los hombres. Es natural que la Iglesia, sacramento de Cristo, se adelante ofreciendo la salvación gratuita de Dios a los nuevos miembros del género humano.

Pero *el problema es más bien de práctica*. Hay algunas dificultades reales en nuestra situación actual. El hombre moderno es celoso de la libertad y responsabilidad personales, no ejercidas todavía por el niño cuando es bautizado a los pocos días de su nacimiento. Por otra parte, no perduran «los marcos de cristiandad», se impone un legítimo pluralismo, y en el futuro será imprescindible el discernimiento y decisión de cada uno. Estos deben hacerse dentro de una sociedad éticamente desfinalizada y obsesionada por el ansia de «tener» y de «poder» que se oponen frontalmente al evangelio. Para ser cristiano se necesitarán convicciones maduras y muy arraigadas. A esto se añade otra realidad fácilmente constatable: una gran mayoría de bautizados reducen su cristianismo a la práctica de los llamados «sacramentos sociológicos», primera comunión y matrimonio, «porque se viene haciendo así».

Miradas juntamente, las dificultades cuestionan sin remedio: ¿seguimos bautizando sin más a los niños? Ahora no se discuten la posibilidad y conveniencia en principio, sino en la situación actual de nuestra sociedad. El ideal será que los niños bautizados encuentren ambiente apropiado y reciban catequesis adecuada para integrar su vida en la vocación bautismal. Pero si el ambiente de la sociedad y la educación oficial no garantizan ese desarrollo, habrá que recurrir al ámbito de la familia y de la comunidad cristiana. Dado que la familia con frecuencia está marcada por los valores paganos del consumismo y seguridad insolidaria, el desafío más claro es sin duda para la comunidad creyente.

La instrucción de la Congregación para la Doctrina de la Fe, *Sobre el bautismo de niños*, analiza las dificultades a la hora de seguir manteniendo el bautismo de los niños, y responde a las mismas en la tradición viva de la Iglesia. Pero también afirma que «urge un esfuerzo pastoral profundo y bajo ciertos aspectos renovado»[46]. Sin la pretensión de zanjar un tema que se irá concretando en la práctica pastoral, caben algunas pistas.

a) Dos referencias

Es necesaria una «fiel atención a la doctrina y a la práctica constante de la Iglesia». Dos son los indicativos a conjugar:

– El bautismo es signo e instrumento de amor proveniente de Dios que nos ofrece su vida y nos libra del pecado original o deterioro que sufre nuestra historia humana; la oferta de este amor a los niños no ha de ser negada ni en principio aplazada.

– Según la práctica constante de la Iglesia,

> «deben asegurarse unas garantías para que este don gratuito de Dios pueda desarrollarse mediante una verdadera educación de la fe y de la vida cristiana».

b) Dónde radica el problema

La cuestión no es «bautismo de niños sí, o bautismo de niños no». La alternativa es más bien otra: «O bautizar sin más a los niños, o bautizarlos sólo cuando hay garantías para un desarrollo normal de su fe». Se ve que la mayor urgencia es cómo asegurar un «acompañamiento creyente» de los niños después de su bautismo. Lo cual implica:

– Interpretar el bautismo como primer instante, punto de partida, de una existencia toda ella bautismal. Este sacramento no es independiente, sino más bien inseparable de la «iniciación cristiana», un proceso más global que continúa en la confirmación y comunión eucarística.

– Actualizar la dimensión comunitaria y eclesial de la fe cristiana. Por el bautismo nos hacemos miembros de un solo cuerpo animado por el único Espíritu. Todos los miembros de la Iglesia son responsables y corresponsables: el pecado y el amor de uno repercuten de algún modo en los demás, pues todos se salvan solidariamente. Los padres y fami-

[46] 20 de octubre de 1980, n. 27: AAS 77 (1980) 1151.

liares de los niños son los primeros que deben avivar esa responsabilidad comunitaria y acompañar al niño bautizado. Pero esa misión, sobre todo cuando las familias no responden, pertenece a la comunidad cristiana.

c) *En nuestra situación*

Ya dentro de la sociedad moderna, dos aspectos deben ser tenidos en cuenta: «la situación de no cristiandad» que va cundiendo, y la existencia de un «catolicismo sociológico». Estas dos características sugieren caminos a seguir.

• *Pastoral de acompañamiento*

El bautismo de los niños puede ser buena ocasión para descubrir lo que debe ser la evangelización, bien distinta de cualquier manipulación de las personas o mentalidad proselitista.

En nuestra situación actual, fácilmente llegarán casos en que, por falta de garantías, no sea conveniente administrar el bautismo a un niño. Pero debe quedar muy claro que la negativa «no es un medio de presión y menos aún de discriminación». Hace años, en un consejo pastoral alguien sugirió la necesidad de negar el bautismo cuando padres ignorantes sobre la naturaleza del cristianismo pidan el sacramento para sus hijos. Pero con buen sentido se puntualizó: «Si durante tantos años estos hombres se han visto casi obligados al bautismo, ¿no caeremos en una nueva imposición clerical negándoselo ahora sin más?; con el mismo derecho habría que negarlo también a muchos padres cristianos instruidos e incluso practicantes de actos religiosos que viven al margen del evangelio en el campo de la solidaridad y de la justicia». Se trata no de imponer, sino de ayudar a que los hombres sean ellos mismos y respondan responsablemente.

• *Diálogo con las familias*

Lo importante y decisivo será concientizar, crear responsabilidad en la familia del niño, mediante un diálogo adecuado. Dada la situación de «catolicismo sociológico», se impone fino discernimiento.

Hay padres creyentes que practican el cristianismo. Pueden y deben participar en el bautismo de sus hijos, no sólo mediante una preparación inmediata que promueva su fe cristiana, sino también acompañando a su hijo en el bautismo y comprometiéndose de verdad en la educación de su fe.

Cuando se trata de familias poco creyentes o no cristianas, se insistirá en dos puntos: «suscitar en ellas el interés por el sacramento que piden y advertirles de la responsabilidad que contraen». Pero no sería conveniente administrar el bautismo sin más a los niños de estas familias, sin tener las garantías suficientes para la educación de los mismos. Será más prudente retrasar el bautismo, continuando el diálogo con la familia del niño. Un diálogo que, a la hora de la verdad, es una catequesis de adultos. Esta y el bautismo de los niños son dos puntos inseparables cuando se desmorona la situación de cristiandad y urge la oferta pública de una práctica evangélica sin ambigüedades.

Lecturas

Th. Camelot, *Espiritualidad del bautismo*, Madrid 1963.
Varios, *Bautizar en la fe de la Iglesia*, Madrid 1968.
A. Iniesta, *El bautismo*, Madrid 1970.
A. Hamman, *Bautismo y confirmación*, Barcelona 1971.
D. Boureau, *El futuro del bautismo*, Barcelona 1973.
B. Neunheuser, *Bautismo y confirmación*, Madrid 1974.
A. Manrique, *Teología bíblica del bautismo*, Madrid 1977.
P. Aubin, *El bautismo, ¿iniciativa de Dios o compromiso del hombre?*, Santander 1987.

3

Confirmación: «Seréis mis testigos»

1. Para desbrozar el terreno

Cuando se habla de este sacramento, no es lo más importante amontonar referencias apostólicas y de la tradición para demostrar su sacramentalidad. Urge más bien situarlo en el dinamismo de la iniciación o fundamentación cristiana. Bautismo, confirmación y eucaristía, «sacramentos de la iniciación», son *ritos del único proceso* «en el cual los fieles, como miembros de Cristo vivo, son incorporados y asimilados a él por el bautismo, y también por la confirmación y la eucaristía»[1]. Es como la tierra común del pueblo de Dios, donde brotarán los distintos carismas y ministerios.

Para desbrozar el camino, se imponen algunas observaciones previas.

a) Actualidad y riesgo

Mientras estábamos en plena «situación de cristiandad», el sacramento de la confirmación no planteaba problemas. Contaba muy poco, y a veces ocurría que ni siquiera lo habían recibido algunos cuando iban a recibir ministerios ordenados. Eran tiempos en que sociedad y cristiandad prácticamente se identificaban, y no urgía un testimonio chocante y profético en una sociedad adversa.

Pero tal vez porque ya está cayendo la «situación de cristiandad» y la comunidad cristiana debe identificarse dentro de la sociedad secularizada, hoy la confirmación está en alza. Se ve como una celebración muy oportuna para que los jóvenes, bautizados de niños recién nacidos, tomen conciencia de su vocación cristiana y opten responsablemente por seguir sus imperativos.

Claro que también esta forma de ver las cosas tiene sus riesgos. Es normal que nos preocupen las generaciones jóvenes cada vez más alejadas de la fe cristiana y de la práctica religiosa. Pensamos que quizá con una catequesis adecuada para la confirmación puedan descubrir la fe que otros profesaron en su nombre cuando fueron bautizados. La intención es laudable, como es urgente la pastoral juvenil. Esas tareas, sin embargo, no necesitan de un nuevo sacramento que, por lo demás, sería innecesario cuando se reciba el bautismo ya de adulto consciente y responsable.

b) Cuestiones discutidas

Hay en este sacramento algunos puntos que frecuentemente se discuten:

[1] Vaticano II, AG 36.

• *Institución por Jesucristo*

No hay textos de los evangelios donde conste la institución inmediata de este sacramento por Jesucristo; y durante los primeros siglos, la confirmación no aparece como un sacramento distinto del bautismo. A esto se añade una diversidad en el rito: la Iglesia de oriente ha venido practicando la crismación como signo sacramental, mientras en la tradición latina el signo era la imposición de manos.

Por eso la sacramentalidad del rito es negada por unos y discutida por otros. Ya en el siglo XIII, santo Tomás decía que fue instituido por el Señor no determinando los elementos del simbolismo, sino prometiendo el Espíritu[2]. Hablando de la «iniciación cristiana», hemos transcrito algunos pasajes de la primera comunidad, donde los apóstoles imponen las manos sobre los ya bautizados, que por ese gesto reciben el Espíritu. Así lo hicieron Pedro y Juan con los bautizados en Samaría (Hch 8,17), y también Pablo en Efeso (Hch 19,6).

Pero en realidad esos textos eran ya conocidos antes del s. XII, y sin embargo no se decía expresamente que la confirmación fuera un sacramento distinto del bautismo. La interpretación de estos pasajes responde a otro momento en la evolución de la fe, cuando la Iglesia ha declarado ya que la confirmación es un sacramento. Y esta declaración parece fundamental.

Sabemos que hay sacramento propiamente dicho cuando la Iglesia empeña su vida y se compromete de modo especial en favor del hombre. Sólo ella puede asegurarnos cuándo tiene lugar ese momento privilegiado en que actualiza y ofrece la salvación que ya vive la comunidad cristiana. Si no admitimos que la Iglesia es cuerpo espiritual del Resucitado, no hay posibilidad de interpretar adecuadamente los sacramentos cristianos. En esta idea, la doctrina de santo Tomás, traída líneas antes, se podría traducir: Jesucristo instituye la confirmación «prometiendo el Espíritu a la comunidad cristiana», permaneciendo presente y activo en ella. Este sacramento no es invención de la Iglesia, sino la obra que Cristo realiza por el Espíritu en comunidad visible.

El distinto gesto empleado en oriente y en occidente puede ser un ejemplo práctico en la exigencia de inculturación que, por su misma naturaleza, incluyen los sacramentos cristianos. Ya nos hemos referido al tema.

• *¿Sacramento del Espíritu?*

Con frecuencia es llamado así el sacramento de la confirmación. Pero ¿no son también el bautismo y los otros sacramentos obra y oferta del Espíritu? La Iglesia latina insistió en la dimensión cristológica de las celebraciones sacramentales, pero tal vez ha dejado en la sombra la presencia y actividad del Espíritu, cuya intervención en esas celebraciones destacan bien las epiclesis de la liturgia oriental.

El Espíritu, ese don de Dios que es Dios mismo, realiza la salvación en todos los sacramentos. Lo decisivo será determinar la espiritualidad de cada uno. El único Espíritu que nos da la vida nueva en el bautismo se manifiesta de modo peculiar en la confirmación. ¿No es también el mismo y único Espíritu el que actúa en la encarnación y en pentecostés? Lo importante será rastrear esa peculiaridad del Espíritu en la catequesis y liturgia de la confirmación.

c) Puntos básicos del Vaticano II

El concilio de Florencia (1439) enumera la confirmación entre los siete sacramentos y resume la enseñanza de la teología escolástica sobre su efecto: «Como se dio a los apóstoles en pentecostés, en este sacramento se da el Espíritu para fortalecer a los cristianos en la confesión valiente de su fe»[3]. El concilio de Trento se redujo a confesar la sacramentalidad de la confirmación insistiendo en que su ministro ordinario es sólo el obispo[4].

---

[2] III, 72, 1, sol. 1.

[3] DS 1319.

[4] DS 1627.

El Vaticano II señala ya unos marcos muy válidos para la teología, espiritualidad y práctica de la confirmación. Dos aspectos merecen ser destacados.

• *En la iniciación total*

> «Revísese también el rito de la confirmación, para que aparezca más claramente la íntima relación de este sacramento con toda la iniciación cristiana; por tanto conviene que la renovación de las promesas del bautismo preceda a la celebración del sacramento» [5].

La orientación actual de la Iglesia insiste mucho en esta idea: la confirmación es *inseparable del bautismo y de la eucaristía*. Los tres realizan la incorporación a Cristo, insertan de forma plena en la comunidad cristiana. El simbolismo de la confirmación sólo es elocuente si se relaciona con el bautismo y con la eucaristía: la confirmación o plenificación supone ya la realidad del bautismo como «nacimiento del Espíritu»; la misma gracia para ser testigos que define a la confirmación se celebra y alimenta en la eucaristía.

Sin esta visión unitaria de la «iniciación cristiana», se caerá en el olvido de la confirmación, o en un exagerado realce de la misma, con el riesgo de oscurecer el bautismo y primera comunión eucarística. El *Nuevo Ritual de la confirmación,* y la constitución apostólica *Divinae consortium naturae* que lo introduce, siguen la orientación conciliar, destacando la necesidad de celebrar la confirmación en el «sacramento de la iniciación cristiana» [6].

• *Fuerza especial del Espíritu*

> «Por el sacramento de la confirmación, los fieles se vinculan más estrechamente a la Iglesia, se enriquecen con una fuerza especial del Espíritu Santo, y con ello quedan obligados más estrictamente a difundir y defender la fe como verdaderos testigos de Cristo por la palabra, juntamente con las obras» [7].

[5] SC 71.

[6] La constitución es del 25.8.1971: AAS 43 (1971) 657-664.

[7] LG 11.

El concilio habla de «una fuerza especial del Espíritu» con una finalidad concreta: ser testigos de Cristo. Así se nos da ya la clave para conocer la espiritualidad propia de este sacramento.

2. Experiencia o fe de la Iglesia

En el fondo, como base que sustenta y da sentido al rito sacramental, hay tres convicciones fundamentales en la comunidad cristiana: que la Iglesia es signo y oferta del reino de Dios, que cada bautizado participa esa condición y esa misión de la Iglesia, que llega un momento de la vida en que los hombres tienen que asumir responsablemente su vocación cristiana como testigos de la salvación.

a) Pueblo enviado

La Iglesia se considera en Jesucristo nuevo pueblo de Dios al servicio de la reconciliación universal. El proyecto divino es hacer de la humanidad un solo pueblo, y ese proyecto se plasma en la Iglesia, «que constituye para el género humano un germen segurísimo de unidad, de esperanza y de salvación»; comunidad de vida, de amor y de verdad, la Iglesia debe ser «como luz del mundo y sal de la tierra» [8].

El Vaticano II no hace más que confesar la fe de 1 Pe 2,9-10: «Vosotros sois pueblo adquirido para anunciar las alabanzas de aquel que os ha llamado de las tinieblas a su luz admirable; vosotros, que en otro tiempo no erais pueblo y ahora sois pueblo de Dios, de los que antes no se tuvo compasión y ahora son compadecidos». Es la vocación para ser propiedad, testigos del Señor ante todos los hombres que ya conlleva la elección del pueblo en Ex 19,5.

En una «situación de cristiandad» fácilmente cede la tensión misionera de la Iglesia. Pero cuando el mundo va recobrando su independencia de lo religioso y su autonomía secular, esa tensión se aviva: sólo en ese mundo se construye o malogra el proyecto salvador de Dios, al que debe servir la Iglesia. Urge respetar la consistencia secular del mundo, aportando la luz y fuerza del evangelio para que

[8] LG 9.

los progresos del hombre no se queden a medio camino volviéndose contra la humanidad. En las últimas décadas, la Iglesia viene tomando conciencia viva de su condición referencial; se constituye en la misión, y para ella sólo el reino de Dios es imperativo absoluto[9].

Esta preocupación misionera de la Iglesia exige recobrar las implicaciones de la expresión «pueblo de Dios». «Pueblo» quiere decir reunión de personas humanas que, como un sujeto histórico y colectivo, desarrollan sus virtualidades en un proceso por conseguir el bienestar, la libertad y la plenitud de vida. La Iglesia es parte del «pueblo», de la sociedad secular organizada; los anhelos y esperanzas, los desánimos y preocupaciones de los hombres son participados también por los cristianos. Como los demás mortales, el discípulo de Jesús vive y actúa en un entramado social, debe tomar postura en el tejido sociopolítico, y será ingenuo si pretende la neutralidad o la evasión espiritualista.

Pero la Iglesia es «pueblo *de Dios*». Un pueblo convocado y animado por el Espíritu, modelado según el corazón del Padre que nos reveló Jesucristo. Los profetas anuncian ese tiempo mesiánico, cuando la voluntad divina se transparentará en intimidad de los hombres que serán «el nuevo pueblo de Dios» (Jr 31,33), un pueblo que avanzará en clima de ternura y compasión (Os 2,25). La Iglesia cree, vive y se manifiesta como ese «nuevo pueblo»: «de los que antes no se tuvo compasión, ahora son compadecidos».

En la comunidad cristiana, transformada por el Espíritu, desaparece cualquier dominación de unos sobre otros: «Ya no hay griego ni judío, ni esclavo ni libre, ni hombre ni mujer, porque todos sois uno en Cristo» (Gál 3,28). Como nuevo pueblo de Dios, la Iglesia es signo y germen de solidaridad para todos los hombres. Reino y solidaridad sin fronteras vienen a ser lo mismo.

b) Profetas, reyes y sacerdotes

En la tradición hay una idea muy metida: como Cristo fue ungido por el Espíritu, también el bautizado es ungido para ser rey, sacerdote y profeta. La homilía bautismal de 1 Pe 2,9-10 es bien clara. En esa misma fe, san Ambrosio celebra con los neófitos:

> «Te has convertido en una raza elegida, sacerdotal, preciosa; todos nosotros somos ungidos con la gracia espiritual para formar el reino de Dios y una estirpe de sacerdotes»[10].

La realeza como libertad respecto a las idolatrías que desfiguran al mundo, y el sacerdocio como entrega de sí mismo en el seguimiento de Jesús para construir el reino, son notas que cualifican y definen al bautizado. Viviendo esa realeza y su vocación sacerdotal, los cristianos

> «pregonan el poder de aquel que os llamó de las tinieblas a su luz admirable».

Esta vocación profética de todos los bautizados es confesada en el Vaticano II:

> «El pueblo santo de Dios participa también de la misión profética de Cristo, llevando a todas partes su vivo testimonio, principalmente con una existencia de fe y de amor»; «todos los fieles, como miembros de Cristo vivo..., tienen el deber de cooperar a la expansión y dilatación del cuerpo de Cristo para llevarlo cuanto antes a la plenitud»[11].

c) Como un segundo nacimiento

El reino de Dios va creciendo en la evolución de los tiempos, y a la Iglesia corresponde discernir los signos de cada época, en la vida social y en el desarrollo vital de cada persona.

> Lo que significa y manifiesta en Jesús la venida del Espíritu Santo con ocasión de su bautismo lo significa y realiza en el bautizado el segundo sacramento de la iniciación.
>
> Th. Camelot,
> *Espiritualidad*, 276.

[9] Pablo Vl, Exhort. Apost. *Evangelii nuntiandi*, 8 y 14.

[10] San Ambrosio, *De myster.*, VI, 30: PL 16, 415.

[11] AG 36.

Hoy la Iglesia reconoce y admite la secularidad del mundo con el pluralismo de opiniones y conductas humanas en la vida social; tanto Juan XXIII como Pablo VI, al abrir y clausurar respectivamente las sesiones del concilio, saludaron con optimismo esta nueva realidad. El Vaticano II acogió la novedad con visión positiva y actitud de diálogo, pero denunciando al mismo tiempo el egoísmo y sus lacras que desfiguran actualmente las relaciones entre los hombres y entre los pueblos. Como un servicio al verdadero humanismo, la Iglesia quiere ofrecer a esta sociedad secular una conducta cristiana inequívoca. Pero este servicio profético exige que cada bautizado tenga conciencia clara y se comprometa sin ambigüedades a ser testigo del evangelio. Se vio en el concilio «un nuevo pentecostés», cuyo simbolismo realiza la confirmación en cada cristiano.

La nueva situación se refiere también al hombre concreto *en su desarrollo vital*. Todos tenemos como un doble nacimiento. Cuando abrimos los ojos por primera vez, nos acogen nuestros padres y nos dan lo mejor que tienen: cariño, cuidados, y su fe llevándonos al bautismo. Pero hay como un segundo nacimiento para toda persona humana: cuando tiene que ser ella misma y tomar sus decisiones en una sociedad cuajada de ideologías encontradas y de innumerables ofertas.

Como ayuda en esta situación nueva de la persona, la comunidad cristiana expresa, actualiza simbólicamente y ofrece su vida a favor de Dios en la confirmación. Ayuda más urgente hoy cuando la sociedad pluralista, y muchas veces deformada, exige cada vez más convicción y responsabilidad personales.

Ahora podemos ver por qué la confirmación puede ser un sacramento en sentido propio:

> «Hay un efecto especial de la gracia que corresponde a una necesidad de la vida natural; en la existencia del hombre hay un momento en que alcanza su mayoría de edad y puede actuar por sí mismo; a este momento corresponde la confirmación» [12].

La experiencia que tiene la Iglesia de ser pueblo de Dios enviado como testigo ante todas las naciones de la tierra sustenta y da sentido al sacramento de la confirmación.

3. Simbolismo y espiritualidad

a) Pluralismo en el rito

No entramos ahora en la relación que pueda tener este sacramento con la unción posbautismal que se encuentra en las liturgias antiguas. En los primeros siglos no hay más que un proceso catecumenal y una celebración solemne de iniciación por la que uno se hace cristiano. Esa celebración tiene varios momentos –bautismo con agua, don del Espíritu y participación en la eucaristía–, sin plantearse para nada la sacramentalidad independiente de los tres ritos. Los tres integran «la tradición del santo bautismo», según la expresión de san Hipólito en el s. III [13].

Para «el don del Espíritu», el símbolo más original es «la imposición de manos», según vemos en Hch 8,17, y 19,6. A principios del s. II, ya se practicaba ese gesto: después de salir del agua, «se nos imponen las manos llamando e invitando al Espíritu Santo para una bendición» [14]. Unos años más

[12] Santo Tomás, III, 72, 1.

[13] *Tradición Apostólica*, 21.

[14] Tertuliano, *Lib. de bapt.*, VIII: PL 1, 1316.

tarde, san Cipriano evoca el gesto de Pedro y de Juan cuando impusieron las manos a los nuevos cristianos de Samaría, y comenta:

> «Esto es lo que ocurre todavía entre nosotros, cuando aquellos que han sido bautizados en la Iglesia son presentados a los jefes de la misma, y por la oración e imposición de nuestra mano reciben el Espíritu Santo y el sello del Señor que consuma su iniciación» [15].

La Iglesia de occidente se mantuvo fiel a ese gesto, pero en oriente desde antiguo se viene practicando el rito de la unción con aceite perfumado («crismación»): «Según la regla transmitida a las Iglesias, hemos sido bautizados en estas aguas visibles y en este crisma visible» [16]. En el s. IV, san Cirilo de Jerusalén dice que «la unción, anticipo de la que ha recibido Cristo, es Espíritu Santo» [17]. Pronto la unción pasa de oriente a occidente, y desde el s. V es rito esencial del sacramento. La Iglesia romana hoy une crismación e imposición de manos en el único simbolismo:

> «El sacramento de la confirmación se administra por la unción con el crisma en la frente, que se hace con la imposición de la mano» [18].

b) Perfección del bautismo

Todavía tiene hoy su valor la doctrina de santo Tomás. La confirmación respecto al bautismo es

> «como el aumento respecto a la generación»; «es la última consumación del sacramento del bautismo; como lo dice su nombre, confirmar lo que ya encuentra» [19].

Es la misma idea que destaca el *Nuevo Ritual* cuando aporta sugerencias para la homilía. La confirmación «lleva a plenitud la consagración bautismal».

Esta perfección del bautismo se plasma en tres aspectos importantes: *una fuerza del Espíritu que nos enraiza más en la Iglesia para ser testigos del evangelio en el mundo*. Explicitemos estos rasgos.

[15] *Epist. ad Iub.*, IX: PL 3, 1160.

[16] Orígenes, *Com. a Rom.*, V, 8: PG 14, 1038.

[17] *Cat. Myst.*, III, 1: PG 33, 1088.

[18] CIC, can. 880, & 1.

[19] III, 72, 11.

c) Nuevo impulso del Espíritu

Vemos esa oferta del Espíritu en los relatos neotestamentarios sobre este sacramento: con la imposición de manos, el Espíritu desciende sobre los bautizados (Hch 8,17; 19,6). En la mentalidad bíblica, «la imposición de manos» evoca la transmisión del Espíritu para llevar a cabo una misión. El simbolismo es claro en el sacramento del orden. Es el sentido que la tradición latina da también a la imposición de manos que tiene lugar a continuación del bautismo. El concilio de Arlés en el 314 refleja esa interpretación: «Al bautizado se le impongan las manos para que reciba el Espíritu Santo» [20]. Según Jn 16,15, Jesús promete a sus discípulos: «Cuando venga el Espíritu de la verdad, os guiará hasta la verdad completa». Con razón los neófitos son llamados «nuevos cristos o ungidos»: «*vosotros estáis* ungidos *por el Santo*» (1 Jn 1,20). Es la unción que nos permite discernir dónde está la verdad y reconocer que «todo el que obra la justicia ha nacido de Dios» (1 Jn 2,27-29).

> Este sacramento da la fuerza del Espíritu Santo, como se dio a los apóstoles en pentecostés, para que el cristiano confiese con audacia el nombre de Cristo.
>
> Santo Tomás,
> *De art. fid. et de Eccl. sacra.*, n. 618.

Es lo que manifiesta el simbolismo de la unción con aceite. En el ámbito natural y en la cultura mediterránea donde nacen los sacramentos cristianos, el aceite es elemento básico en las comidas, fortalece los músculos, deshidrata la piel. En la mentalidad bíblica, el olivo es signo de prosperidad y su fruto, el aceite, garantía de bendición. Este fruto no sólo es indispensable para la vida (1 Re 17,14), sino que sirve para fortalecer los miembros del cuerpo huma-

[20] DS 123.

no (Ez 16,9), suaviza las llagas (Is 1,6; Lc 10,34) y mantiene viva la luz que los hombres necesitan para caminar en la vida (Ex 27,20; Mt 25,3). Son éstas propiedades del Espíritu según la revelación.

En esa fe discurre también la tradición cristiana. La petición de la liturgia siria es muy elocuente: «Para que el Señor bendiga este aceite, lo consagre, lo llene del Espíritu Santo, de la gracia y de la fuerza». En la tradición latina, san Agustín dice que la crismación es «el sacramento del Espíritu»; su celebración evoca el bautismo del Señor en el Jordán:

> «Al salir del agua, Jesús recibió el Espíritu Santo que en forma de paloma se posó en él, y así decimos que fue ungido con el Espíritu; de modo similar, tú recibes la unción en forma de cruz sobre la frente como signo y prueba de que el Espíritu Santo vendrá también sobre ti»[21].

Es la voz unánime de la tradición viva. La unción del bautizado al salir de las aguas «es participación de la unción de Cristo por el Espíritu después de su bautismo»[22]. Es la misma fe que subyace a la reflexión teológica medieval, cuando la Iglesia enumera la confirmación entre los siete sacramentos propiamente dichos. Este sacramento es relacionado con el bautismo de Jesús y con la venida del Espíritu en pentecostés: lo que allí significó el fuego es evocado aquí por el aceite; lenguas de fuego y crismación son dos símbolos del mismo Espíritu que todo lo penetra y enardece[23].

Santo Tomás explica por qué este sacramento debe ser administrado en el nombre de la Trinidad: ahí «se nos da la fuerza del Espíritu Santo como fuerza de lucha espiritual»; luego debe hacerse mención de la Trinidad, «fuente de plenitud para esa fuerza»; el bautizado es como casa ya edificada, que en la confirmación «queda dedicada al Espíritu Santo»[24].

[21] La plegaria litúrgica, en J. Gaboriau, *Chrétiens confirmés, le sacrement de la croissance*, Frib. en Br. 1988, 70; San Agustín, *Serm.* 227: PL 38, 1100.

[22] Referencias en J. Daniélou, *Sacramentos y culto...*, 137-149.

[23] Santo Tomás, III, 72, 1; ver Th. Camelot, *Espiritualidad del bautismo*, 263-285.

[24] III, 72, 11.

La forma del rito bizantino, atestiguada en los siglos IV y V, habla de la confirmación como «don del Espíritu», y la expresión es adoptada por la Iglesia latina. En 1971, Pablo VI lo determinó así en la constitución apostólica *Divinae consortium naturae:* El sacramento de la confirmación se administra mediante la unción del crisma en la frente, que se hace con la imposición de la mano, y mediante las palabras: «recibe por esta señal el don del Espíritu Santo». Sin desdeñar la venerable forma empleada durante varios siglos en la Iglesia latina, el papa prefiere la forma antiquísima del rito bizantino,

> «con la que se expresa el don del mismo Espíritu Santo y se recuerda la efusión del Espíritu en el día de pentecostés».

Hoy la Iglesia pide por quienes se disponen a recibir este sacramento:

> «Que poniendo el Espíritu su morada en nosotros, nos convierta en templo de su gloria»; «que nos dé a conocer toda la verdad, como lo prometió tu Hijo»[25].

d) Nos enraiza más en la Iglesia

El *Nuevo Ritual* sugiere ideas para la homilía en la celebración de este sacramento que «hace progresar a toda la Iglesia en la unidad y en la santidad», y «nos cualifica como miembros perfectos de la misma». Se responde así a la doctrina del Vaticano II:

> «Por la confirmación, los fieles bautizados se vinculan más estrechamente a la Iglesia».

Esta Iglesia existe ya en la pequeña comunidad de discípulos que vivieron con Jesús en Palestina. Pero sólo en pentecostés, cuando aquellos hombres fueron poseídos y transformados por la experiencia de la resurrección y por la fuerza de lo alto, se desarrolló la *ek-klesia*, que es «convocación del Espíritu». Es el perfeccionamiento que se hace verdad para cada bautizado en la confirmación.

La liturgia de la confirmación pide por quienes reciben este sacramento: «Que contribuyamos a

[25] Ritual sirio de la confirmación, en *o. c.*

que la Iglesia, cuerpo de Cristo, alcance su plenitud». En realidad, el bautizado será siempre un miembro de la Iglesia, marcado por la dimensión comunitaria; todas sus actividades llevarán esta impronta; cada obra que realice u omita beneficiará o será nociva para la santidad y unidad de la Iglesia, comunidad de bautizados.

e) «Seréis mis testigos»

Esta frase del Vaticano II es eco fiel de Hch 1,18: «Seréis mis testigos hasta los confines de la tierra». En la misa crismal del Jueves Santo según el rito latino se proclama el evangelio de Lc 4,18: «El Espíritu del Señor está sobre mí, porque me ha ungido...». Después viene la súplica: «Oh Dios, que nos haces miembros del cuerpo de Cristo y partícipes de su unción, ayúdanos a ser en el mundo testigos fieles de la redención que ofreces a todos los hombres». En el prefacio, la Iglesia da gracias a Dios porque ha elegido a los miembros del pueblo cristiano «para que, mediante la imposición de manos, participen de la sagrada misión del Hijo». A esa fe remiten las palabras del concilio:

> «Por el sacramento de la confirmación, los fieles quedan obligados a difundir y defender la fe, como verdaderos testigos de Cristo, por la palabra, juntamente con las obras».

> De la misma manera que Cristo, después de su bautismo y de la venida del Espíritu Santo, se dirigió a combatir contra el enemigo, vosotros también, después del santo bautismo y de la unción mística, revestidos con la armadura del Espíritu Santo, hacéis frente al poder adverso y lo combatís diciendo: «Todo lo puedo en aquel que me conforta, Cristo».
>
> San Cirilo de Jerusalén,
> *Cat. Myst.*, III, 4: PG 33, 1092.

• *Oleo perfumado*

En el aceite para la confirmación debe ir mezclado el bálsamo. El detalle tiene rico simbolismo, porque la utilización de los perfumes, sobre todo en oriente, tiene gran importancia. Personas y casas son perfumadas como signo de acogida y hospitalidad amistosas. Algunos pueblos emplean aromas para apaciguar a sus divinidades, cuya presencia es el buen olor.

La revelación bíblica tiene lugar en esa cultura: «El aceite perfumado alegra el corazón, como la dulzura del amigo consuela el alma» (Prov 27,9). En el templo de Jerusalén se hacía la «ofrenda de los perfumes», y el Salmo 141,2 canta: «Esté mi oración ante ti como aroma perfumado». Cuando lleguen los tiempos mesiánicos,

> «en todo lugar se ofrecerá incienso a mi nombre entre todas las naciones» (Mal 1,11).

A esta mentalidad responde también la revelación neotestamentaria. Jesús mismo acepta y reconoce el simbolismo del perfume como medio para relacionarnos con los demás amigable y agradablemente (Mt 6,17; Lc 7,46). Los primeros cristianos interpretan la oblación de Jesús por amor como una oblación «de suave aroma» (Ef 5,2). Y como realización final del proyecto divino, Ap 5,8 describe a los hombres llevando en sus manos

> «copas de oro llenas de perfumes, que son las oraciones de los santos».

Todo un simbolismo para descubrir la espiritualidad de la confirmación, el sacramento para ser testigos:

> «Gracias sean dadas a Dios que nos lleva siempre en su triunfo, en Cristo, y por nuestro medio difunde en todas partes el aroma de su conocimiento, pues *nosotros somos para Dios el buen olor de Cristo*» (2 Cor 2,14-15).

• *La unción y el ungido*

Se comprende que la unción con aceite sea el signo de vida y fortaleza. Si además está perfumado, incluye voluntad de relacionarse con los demás comunicándoles un aroma que les permita respirar agradablemente.

Porque tienen como misión dirigir al pueblo, el rey y, después del exilio, el sumo sacerdote, son ungidos. Así reciben el espíritu o fuerza necesaria para secundar el proyecto de Dios: «hacer justicia y derecho», «rectificar lo torcido», levantando a los socialmente más débiles[26].

Los profetas hablan de un personaje futuro que realizará plenamente la misión encomendada por Dios a los reyes. Será «el ungido», el mesías: animado por el Espíritu, hará justicia y establecerá el derecho en la tierra, rectificará lo torcido y construirá la paz, dignificando a los desvalidos (Is 9,6; 11,14). El servidor que realizará esa obra de salvación para todos confiesa:

> «El Espíritu del Señor está sobre mí, pues me ha ungido, me ha enviado a llevar la buena nueva a los pobres, a vendar los corazones rotos, a pregonar la liberación a los cautivos y a los reclusos la libertad» (Is 61,1; 42,1-3).

Los evangelios han visto realizada la promesa en Jesús de Nazaret. Ya en la encarnación interviene el Espíritu Santo. Pero hay un segundo momento: el bautismo en el Jordán, cuando Jesús sale del ámbito familiar y se lanza por los caminos de Palestina como testigo fiel de que ya llega el reino esperado. En ese acontecimiento, el Espíritu se manifiesta de nuevo: Jesús vive la intimidad con el Padre, y al mismo tiempo es el servidor que acepta la solidaridad con los hombres, se hace cargo de la situación pecadora que deshumaniza, y carga con las consecuencias del pecado[27].

En la pieza teológica del bautismo-tentaciones, los evangelistas han querido plasmar el significado teológico que tuvieron la vida y la muerte de Jesús: el profeta de la salvación aceptó ser víctima para la salvación de todos, y así es *testigo fiel*, gracias a «la unción del Espíritu» que recibió en su bautismo. En esa visión hay que leer Hch 10,37:

> «Vosotros sabéis lo sucedido en toda Judea comenzando por Galilea, después que Juan predicó el bautismo: cómo Dios a Jesús de Nazaret le ungió con el Espíritu Santo y con poder, y cómo él pasó haciendo el bien y curando a todos los oprimidos por el diablo».

Se comprende ahora bien la confesión de Jesús según Lc 4,16-19:

> «El Espíritu del Señor está sobre mí, porque me ha ungido; me ha enviado a anunciar a los pobres la buena nueva, a proclamar la liberación a los cautivos y la vista a los ciegos; para dar la libertad a los oprimidos y proclamar el año de gracia del Señor».

- *Eco en la tradición*

Hay una idea frecuentada en las catequesis antiguas:

> «Como Cristo después del bautismo y de la venida del Espíritu Santo se dirigió a combatir contra el enemigo, vosotros también, después del santo bautismo y de la unción mística, *revestidos con la armadura del Espíritu Santo*, hacéis frente al poder adverso y lo combatís»; «sois el buen olor de Cristo entre todos aquellos que han sido salvados»[28].

En esa fe se celebra la liturgia de la confirmación. Entre las ideas para la homilía, el *Nuevo Ritual* sugiere: la confirmación «nos configura más plenamente con Cristo, que también fue ungido en su bautismo y enviado para que el mundo entero ardiera con la fuerza del Espíritu». La Iglesia pide para los confirmados: «Que nos haga ante el mundo testigos valientes del evangelio de Jesucristo». Y termina la liturgia con un deseo:

> «Que quienes han participado en tus sacramentos, sean en el mundo buen olor de Cristo».

Santo Tomás tiene una doctrina muy valiosa en este punto. La confirmación se celebra «cuando el hombre llega a la mayoría de edad y empieza a relacionarse con los otros; antes vive como aislado». Con el aceite se mezcla bálsamo por la fragancia del olor que los demás perciben; «el bálsamo es perfume y libra de la corrupción»; «es elemento relacionador, como las lenguas lo fueron en pentecostés». En este sacramento se celebra y ofrece a los hombres «*la potestad espiritual para confesar pública-*

---

[26] R. de Vaux, *Instituciones del Antiguo Testamento*, Barcelona 1964, 154-156; 509.

[27] En su bautismo, Jesús es confesado «el Hijo» (Mc 1,11). Solidario con el pueblo (Lc 3,21), cordero de Dios que quita el pecado del mundo (Jn 1,29).

[28] San Cirilo de Jerusalén, *Cat. Myst.*, III, 1: PG 33, 1039.

mente la fe de Cristo con palabras y *ex officio*». Y esta confesión desencadena «una lucha contra los enemigos visibles que se oponen a la fe» [29].

• *«Creí, por eso hablé»*

San Pablo escribió así en 1 Cor 4,13, cuando sufría incomprensiones y fracasos en su tarea evangelizadora, «como un aguijón en la propia carne». Pero aquel hombre fue un testigo; habló de lo que vivía; estaba con-vencido, transformado por el mensaje que anunciaba. Jesús prometió a sus seguidores el Espíritu para conocer e interpretar su evangelio. En este conocimiento podemos seccionar tres ámbitos.

– El de la experiencia personal que identificamos como fe cristiana. La «fortaleza especial del Espíritu» en la confirmación siembra una *sensación de gozo, consuelo y esperanza;* un impulso de valentía y audacia para seguir y roturar el camino. El bautizado es «casa habitada por el Espíritu»; en la confirmación, esa casa se ilumina y se abre por la fuerza de Dios que nos relaciona con los demás. Una experiencia similar a la que tuvieron los apóstoles en pentecostés. «Conocimiento» en sentido bíblico: «simpatizar», saborear la presencia de Dios que nos salva. Es «la unción del Santo» que nos permite gustar y permanecer en la verdad (1 Jn 2,20.27).

– Esa misma experiencia o fe cristiana es vivida y se nos oferta en muchos hombres y mujeres que han plasmado en su existencia la conducta de Jesús en intimidad con el Padre y en el empeño por construir el reino de Dios. Son los testigos que, según Heb 12,1, contemplan y animan nuestra marcha trabajosa en la oscuridad de la fe. El *conocimiento y presencia de estos ejemplos vivos* son ambiente propicio para que la celebración sacramental sea elocuente y dé su fruto.

– Hay un tercer ámbito de conocimiento. Sobre todo en la constitución GS, el Vaticano II ha insistido en que nuestro suelo y nuestra historia ya son tierra donde crece la salvación, porque ya son campo del Espíritu. Para ser testigo de la Palabra «que ilumina a todo hombre que viene al mundo», el confirmado debe ser sensible y *acoger esta positividad fundamental de la creación*. Tendrá que ponerse «a la escucha» para distinguir los signos o llamadas del Espíritu. Reconocimiento y acogida sincera de todo lo verdadero que cada día emerge y prueba la calidad evangélica del testimonio.

Sólo con la experiencia personal del Espíritu, en comunión con los demás creyentes, y en sintonía con toda la humanidad que camina ya en los brazos de Dios, los confirmados pueden ser eco en la historia del «testigo fiel» (Ap 1,5).

• *«Testigos de la muerte y resurrección de Cristo»*

Esta frase que leemos en el *Ritual* de la confirmación resume la espiritualidad de este sacramento; según el concilio, «un compromiso por difundir y defender la fe» cuyo centro es Jesucristo.

Aquí podemos reflexionar un poco. Jesús de Nazaret tuvo una pretensión fundamental, manifiesta en distintas expresiones: secundar la voluntad del Padre, construir el reino de Dios, crear la nueva humanidad en que todos los hombres se sienten juntos como hermanos en la misma mesa. Una pretensión que desencadenó el conflicto y le llevó al martirio. Ser testigos de «su muerte y resurrección» significa confesar que la causa del profeta sí tiene sentido y merece la pena. El Espíritu que impulsó a Jesús para comprometerse por un mundo en justicia y en ternura es el que ahora se manifiesta en la confirmación.

• *«Con sus palabras»*

Según el relato bíblico de la creación, Dios infundió su Espíritu en el barro amorfo, y surgió el hombre que tomó la palabra como lugarteniente del creador. Todos los hombres tenemos derecho, estamos llamados a tomar la palabra. Jesús de Nazaret, inundado por el Espíritu, es Palabra definitiva de Dios y del hombre. Sacudida por ese mismo Espíri-

[29] III, 72, 5.

tu, la Iglesia, dejando sus miedos y rompiendo su silencio, en pentecostés tomó la palabra y se lanzó a la evangelización del mundo:

> «No podemos nosotros dejar de hablar de lo que hemos visto y oído» (Hch 4,20).

Alcanzados también por el Espíritu, los confirmados toman la palabra que anuncia la buena noticia de Jesús. El Vaticano II recuerda «la obligación de ser testigos»; quiere decir, «necesidad de ser testigos»; la misma necesidad que vivieron los primeros seguidores de Jesús. Y aquí resulta ineludible un interrogante: ¿cómo puede haber tantos cristianos confirmados que ni dentro ni fuera de la Iglesia toman y dicen su palabra?

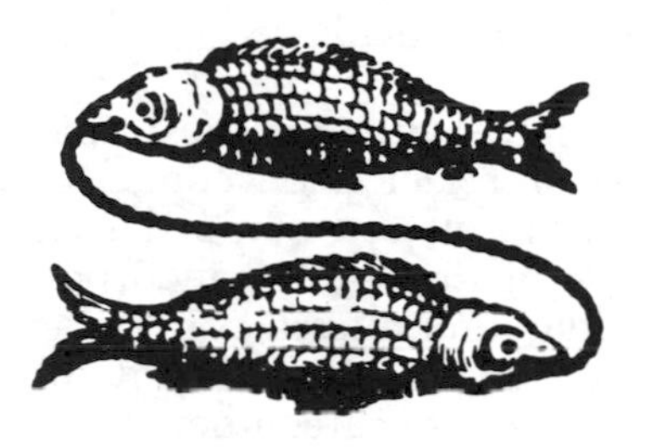

Lo que venimos diciendo da pie para otra reflexión. La Palabra donde toda palabra del cristiano encuentra sentido y normatividad es la conducta de Jesús que se refleja en los evangelios. Por eso la palabra del testigo no es defensa de su fe cristiana contra el hombre, sino «un servicio a todos los hombres siguiendo a Jesucristo, que no vino a ser servido, sino a servir» *(Ritual)*. La evangelización nada tiene que ver con el proselitismo ni con la mentalidad sectaria.

> El encargo dado al cristiano en la confirmación es el encargo de una misión apostólica en el mundo, como parte de la función y del encargo de la Iglesia de hacer que el mundo retorne glorificado a la casa paterna, al reino de Dios que está por venir.
>
> K. Rahner,
> *La Iglesia*, 99.

- *«Y con sus obras»*

La vida cristiana es traducción de una experiencia viva en una conducta práctica. Jesús se comportó de un modo singular, y en sus palabras explicó su comportamiento. Realizó «las obras buenas» del padre: curar enfermos, levantar a los desvalidos, desmontar las falsas idolatrías, hacer justicia o rectificar lo torcido, con entrañas de misericordia.

El Vaticano II dice que los confirmados deben ser testigos de la fe «con sus obras». Y el *Ritual* precisa más: «a través de vuestra vida»; «que, como dice el apóstol, vuestro vivir cotidiano sea ante los hombres como el buen olor de Cristo». Aquí está la misión profética que debe satisfacer todo bautizado y en la cual es promovido y perfeccionado por la confirmación. Esa misión la realizará

> «viviendo en el amor, plenitud de la ley, y manifestando la libertad gloriosa de los hijos de Dios».

Amor cuya versión es la justicia en situaciones de injusticia; que se hace cargo y carga con las miserias del otro. *Libertad ante las idolatrías* del poder y del tener, que significa «lucha contra los enemigos de la fe», las fuerzas del dinero, prestigio egoísta y dominación, que deshumanizan a los hombres y cierran el camino hacia la nueva sociedad de hombres hermanos. El confirmado será testigo «siendo bueno»; pero esta bondad se mide por su compromiso histórico en la llegada del reino.

Amor y libertad que hoy se articulan en la «solidaridad sin fronteras». Por ahí tiene que ir el auténtico desarrollo humano, y ahí se verifica la caridad cristiana. La fortaleza del Espíritu que la Iglesia ofrece a los que se confirman no debería quedar en el ámbito intimista, sin ninguna repercusión en las relaciones sociales. Tendría que fructificar en un impulso de amor hacia la entera familia humana, y en un «no» práctico al poder dia-bólico que divide y mata. En nuestra situación actual, cuando incluso los llamados a ser testigos de Jesucristo nos acomodamos a la ideología consumista hoy reinante y nos resignamos a ir tirando como sal insípida, la confirmación puede actualizar y recordarnos la exigencia del verdadero profeta cristiano:

«Quien pretenda salvar su vida, la perderá; pero quien pierda su vida por mí y por el evangelio, la salvará» (Mc 8,35).

4. Algunas sugerencias pastorales

Las cuestiones de práctica pastoral tienen gran acogida y mucho espacio en recientes publicaciones sobre la confirmación. Y es natural, porque ahí se juega la verdad o mentira del sacramento. Siguiendo la reflexión que precede, caben algunas breves sugerencias[30].

a) Problema de identidad cristiana

Hemos insistido en una preocupación fundamental: que los sacramentos respondan a necesidades y situaciones importantes en la vida de los hombres. «Mayoría de edad», «nacimiento psicológico para manifestarse y tomar la palabra en el tejido social», y otras expresiones parecidas, sugieren nueva etapa en la existencia del ser humano. Pero aquí conviene acotar.

Los hombres tenemos ya nuestros ritos sociales, dentro de cada cultura, para celebrar acontecimientos importantes como son el nacimiento de un niño, su presentación en sociedad cuando ya está crecido, el amor entre hombre y mujer, o la muerte de un ser querido. Esos ritos pertenecen al pueblo y no se deben confundir con los sacramentos cristianos. Tal vez porque durante muchos años lo religioso absorbió lo secular, el pueblo se ha quedado sin ritos propios, y ahora lógicamente seculariza los sacramentos, despojándolos de su singularidad cristiana.

Debemos recuperar la tradicional analogía entre la vida natural y el desarrollo de la salvación; también la correspondencia entre sacramentalismo social, ritos religiosos y sacramentos cristianos. Pero hay que *dejar bien clara la novedad singular* de estos últimos. En una práctica sacramental «por costumbre», esta clarificación se impone cada vez más. La urgencia se ve, por ejemplo, en el caso del matrimonio.

Es verdad que la confirmación todavía no se ha perdido en el entramado y bullicio de las fiestas sociales, pero su renovación no vendrá por ahí, sino por el énfasis en su peculiaridad cristiana. Es válido y conveniente hablar de «un segundo nacimiento» del hombre que sale de sí mismo y de su ámbito familiar para ser ciudadano emancipado y responsable de sus acciones. Pero *la novedad de la confirmación* es obra gratuita del Espíritu; y en esta fe han de insistir tanto el catecumenado como la celebración del sacramento.

b) Un rito de iniciación

Hemos insistido mucho en esta idea. La confirmación debe ir relacionada con el bautismo y la eucaristía, como el testimonio del cristiano es la manifestación histórica de su incorporación a Cristo y de su vida comunitaria con los demás creyentes. Pero esa relación sólo es mantenible mediante la unidad del proceso catecumenal.

El problema no es mantener esa conexión en el plano litúrgico. En la práctica de la Iglesia oriental, la continuidad está bien asegurada, pues la confirmación sigue inmediatamente al bautismo. Por razones pastorales, en la Iglesia latina la confirmación se retrasa, pero el *Nuevo Ritual* trata de que aparezca la conexión entre los dos sacramentos: antes de ser confirmados, los candidatos renuevan las promesas bautismales.

Lo difícil es *asegurar la continuidad progresiva del catecumenado* en cuyo proceso se celebran bautismo, confirmación y eucaristía. Dado que hoy la mayoría de los que se confirman recibieron el bautismo de niños, se impone presentar detalladamente y en toda su pureza el «credo» cristiano, a fin de que los candidatos a la confirmación puedan asumir su compromiso consciente y adecuadamente. Tal vez conviniera actualizar, en la preparación a este sacramento, algunos gestos muy elocuentes en la tradición bautismal, como por ejemplo la *traditio symboli* y la *redditio symboli*. Así la renovación de

---

[30] D. Borobio, *Proyecto de iniciación cristiana*, Bilbao 1980, 170-207; Varios, *Celebración en la Iglesia*, II. *Los sacramentos*, Salamanca 1988, 174-180.

las promesas bautismales tendría más profundidad y eficacia.

c) *Como perfeccionamiento del bautismo*

Perfeccionamiento y explicitación que no sólo tienen lugar cuando los confirmados recibieron el bautismo de niños, sino también cuando la confirmación se celebra inmediatamente después del bautismo de adultos. En este sacramento se manifiesta y se promueve la vocación profética de todos los bautizados que deben ser testigos en una sociedad cuyo entramado es bien complejo.

El confirmado no sólo debe creer quién es Jesucristo, conocer su evangelio y participar en las acciones litúrgicas de la Iglesia. En este sacramento queda cualificado como testigo de Cristo y de su comunidad *ex officio,* según la expresión de santo Tomás. Pero para desempeñar esa misión debe conocer no sólo el evangelio, sino también la realidad social, leyendo los signos del Espíritu en la historia y desenmascarando las fuerzas malignas que se oponen a la llegada del reino. Y así, la misma peculiaridad de la confirmación dentro de la única vocación cristiana exige un contenido nuevo en el catecumenado, porque el confirmando necesita discernir, analizar, situarse dentro de los dinamismos sociales, a fin de ofrecer ahí significativamente su experiencia o fe cristiana.

d) *Sobre la edad del confirmando*

Aunque se ha fijado edad distinta según los distintos tiempos y regiones, es evidente que tal discernimiento supone al menos «el uso de la razón» [31]. Pero en la madurez de razonamiento intervienen distintos factores a examinar en cada cultura, región e incluso en cada caso. Como norma indicativa, tratando de acoger la tradición secular de la Iglesia occidental y al mismo tiempo abrir nuevas posibilidades, parece válida la del *Ritual* (n. 11):

> «Por lo que se refiere a los niños, en la Iglesia latina la confirmación suele diferirse hasta alrededor de los siete años. No obstante, si existen razones pastorales, especialmente si se quiere inculcar con más fuerza en los fieles la plena adhesión a Cristo el Señor, y la necesidad de dar testimonio de él, las conferencias episcopales pueden determinar una edad más idónea, de modo que el sacramento sea conferido en una edad más madura, después de una instrucción conveniente».

Se da por supuesta la posibilidad de hacer la primera comunión antes de ser confirmado. Partiendo de *una celebración en condiciones ideales*, es bien jugoso el comentario de san Agustín a los neófitos:

> «Primero habéis sido molidos, como el trigo, en la penitencia de los ayunos y exorcismos; después habéis sido humedecidos en el agua bautismal para tomar la forma de pan; como éste, también vosotros habéis sido pasados por el fuego representado en el santo crisma; así os habéis hecho pan en la eucaristía» [32].

Sin embargo, el principio y el diseño de la identidad cristiana se dan en el bautismo, puerta de los demás sacramentos; tanto la confirmación como la eucaristía, cada uno con su peculiar gracia, desarrollan y explicitan la única vocación bautismal. La primera participación en la cena del Señor puede tener lugar antes de la confirmación, pero sin menoscabo de que la celebración eucarística dominical sea la cúspide y punto de referencia para todos los demás sacramentos.

Teniendo en cuenta la situación de nuestra sociedad española y de nuestra práctica cristiana, con buen sentido la Conferencia Episcopal Española, en 1984, señaló como edad orientativa para la confirmación los catorce años. Y todavía en cada diócesis habrá que hacer fino discernimiento pastoral. Es inevitable y hasta conveniente un cierto pluralismo, pero no se debe ir más atrás de lo indicado por la Conferencia Episcopal. Cualquier decisión

---

[31] Muy sugerente, A. Iniesta, *El testimonio cristiano (confirmados para ser testigos)*, en *Sacramento del Espíritu*, Madrid 1976, 87-106; G. Briuemer, *La controversia sobre la edad de la confirmación, caso típico entre la teología y la pastoral*: Concilium 132 (1978) 283-292; D. Borobio, *Bautismo de niños y confirmación, problemas teológico-pastorales*. Confer. en Fund. «Santa María», Madrid 1987.

[32] *Serm*. 227: PL 38, 1100.

que se tome deberá tener en cuenta que la misión profética en nuestra sociedad exigirá cada vez más firme convicción personal y una práctica evangélica sin ambigüedades.

Lecturas

A. Adam, *La confirmación y la cura de almas*, Barcelona 1962.

S. Verges, *El bautismo y la confirmación*, Madrid 1971.

H. Bourgeois, *El futuro de la confirmación*, Madrid 1973.

D. Borobio, *Confirmar hoy. De la teología a la praxis*, Bilbao 1974.

Valoración del sacramento de la confirmación, en *Proyecto de iniciación cristiana*, Bilbao 1980, 170-207.

Varios, *El sacramento del Espíritu*, Madrid 1976.

J. Gea Escolano, *La confirmación ¿para qué? 40 respuestas de un obispo a los confirmados*, Madrid 1986.

P. Tena, *Sacramentos de la Iniciación Cristiana: bautismo y confirmación*, en *La celebración en la Iglesia*, 27-180.

4

La eucaristía: centro de la existencia cristiana

1. Introducción

Tres puntos parecen importantes para situar la reflexión teológica y la renovación de este sacramento.

- *Una práctica insatisfactoria*

Para evitar diagnósticos simplistas y caricaturas de la situación real, demos por supuesto que la celebración de la eucaristía en la comunidad cristiana normalmente se hace no sólo con validez, sino también con verdad. Por otra parte, las deficiencias tanto en la celebración de este sacramento como en los demás no justifican la descalificación de las celebraciones sin más, aunque postulan una revisión continua. Pero ahora, quizá exagerando un poco, vamos a destacar algunas deformaciones que, al menos como tentación y peligro, pueden ser indicativas.

– *Culto sin el seguimiento de Jesús*

Cuando uno participa en misas dominicales con asistencia masiva de gente silenciosa y paciente, tiene la impresión de un rito sacralizado y muy unido al cumplimiento. Así la pregunta brota espontáneamente: ¿qué relación tiene este rito con la vida y cuáles son sus repercusiones en ella? La separación entre las tareas cotidianas y la eucaristía es un peligro continuo para la verdad cristiana de los sacramentos. En un tiempo de inseguridades y desconcierto moral, las prácticas religiosas se reducen a tranquilidad por un deber cumplido y puede ser «coartada religiosa» para que nuestros corazones sigan aburguesados en la instalación que paraliza el dinamismo comunitario desencadenado por el evangelio.

La existencia de cada día es dura y conflictiva. Por eso necesitamos momentos de reposo y distanciamiento para no caer en el vértigo de la sociedad moderna y tomar posiciones desde la visión evangélica. En este sentido, la celebración eucarística puede ser momento privilegiado. Pero en ningún caso esa celebración justifica la huida de los ruidos y conflictos; más bien puede ser tiempo propicio para que descubramos la presencia de Dios en la realidad conflictiva de cada día, y para realizar ahí su proyecto de vida.

Sin duda en la celebración eucarística debemos saborear y dar gracias por la autodonación de Cristo resucitado a la humanidad, y la unión de los hermanos que viven la única filiación y se sienten llamados a participar en la única mesa. Pero la eucaristía no es una acción religiosa y ritual más, sino la celebración simbólica o sacramental de la vida, muerte y resurrección de Jesús que han tenido lugar en el proceso histórico de una existencia apasionada y sacrificada por la llegada del reino y por la rehabilitación de los pobres. Celebraciones «buenas y logradas» no son únicamente las que tienen un ambiente cálido y festivo. Como «memorial» de Jesucristo incluyen el anhelo del reino que se verifica en la preocupación por liberar a los crucificados del mundo. La gracia o encuentro personal con el verdadero Dios revelado en Jesucristo no hace invisible ni narcotiza el dolor del mundo; más bien suscita una compasión ilimitada, eficaz e histórica.

En una sociedad individualista como la nuestra, nuestra misma relación con la divinidad puede caer en el dinamismo de la compra-venta: fácilmente separamos el sacramento del altar, del sacramento del hermano. Dada la ideología hoy reinante, tendemos a unir culto a Dios y culto al dinero; buenas intenciones de un momento y rendición habitual a las idolatrías de turno. No podemos comulgar en la mesa del Señor abierta para todos, sin preocuparnos de la suerte que puedan correr los otros. ¿Es posible compartir el pan «entregado para la vida del mundo» y seguir insensibles ante tanta miseria y tanta muerte?, ¿cómo podremos celebrar el sacramento del amor gratuito siguiendo aferrados a nuestro individualismo?

– *Inmersión total en el compromiso*

En la sacramentalidad del mundo y en la sacramentalidad religiosa, los sacramentos cristianos destacan una verdad singular: Dios mismo se autocomunica –encarnación– y como Espíritu transforma nuestra intimidad haciéndonos nueva criatura. Esta novedad se celebra de modo especial en la eucaristía, memorial de la última cena en que Jesús se entrega en la comida del pan y del vino. Como punto de partida y núcleo siempre festivo de la celebración sacramental está el amor gratuito de Dios que transformó la humanidad de Jesús y siempre nos acompaña para que demos un paso más en nuestro perfeccionamiento humano.

Quizá como reacción contra celebraciones rutinarias que no superan el formalismo y no se hacen verdad en la transformación de relaciones humanas, algunos dicen que sólo merece la pena celebrar «la propia vida» –aspiraciones, luchas y logros– con el grupo que tiene nuestros mismos puntos de vista y nuestras mismas opciones. Según esta mentalidad, cuando ya se ha vivido intensamente la relación con los miembros del grupo, ¿a qué viene celebrar la eucaristía?, ¿qué sentido puede tener la celebración eucarística con personas que tienen visiones de la realidad o posiciones distintas de las nuestras?

Cuando se olvida que la eucaristía es ante todo celebración de la entrega gratuita de Jesucristo, camino para todos –un «más» que siempre juzga e impulsa nuestros logros de cada día–, uno acaba en el narcisismo de celebrar únicamente su propia vida, y en la concentración egoísta que cierra las puertas de un porvenir mejor. Por supuesto, resulta más agradable y fácil celebrar la eucaristía en un grupo de amigos que se relacionan con espontaneidad y sinceridad, que con personas distanciadas de nosotros por sus opiniones o conductas. Pero si celebrar la eucaristía significa sentarnos y participar en la mesa del Señor, la verdad del sacramento ¿no postula y facilita que maduremos en el amor cuyos beneficiarios deben ser también nuestros enemigos?

- *Afirmaciones del Vaticano II*

En el último concilio, la Iglesia otra vez ha confesado su fe proclamada en Trento:

– *La eucaristía es como el corazón para la vida de la Iglesia*

> «No se construye ninguna comunidad cristiana si no tiene como raíz y quicio la celebración de la sagrada eucaristía» [1].

La eucaristía es «centro y culminación de toda la vida de la comunidad cristiana» [2]. La celebración eucarística es «fuente y cima de la evangelización» [3].

---

[1] PO 6.

[2] *Chr. Dom.*, 30.

[3] PO 5.

– *Presencia real de Jesucristo*

«Cristo está presente a su Iglesia, especialmente en las acciones litúrgicas; está presente en el sacrificio de la misa, en la persona del ministro, ofreciéndose ahora por ministerio de los sacerdotes el mismo que se ofreció en la cruz; está presente sobre todo bajo las especies eucarísticas» [4].

– *Sacrificialidad de la eucaristía*

«Participando en el sacrificio eucarístico, fuente y cumbre de toda la vida cristiana, los fieles ofrecen a Dios la víctima divina, y se ofrecen a Dios juntamente con ella» [5].

• *Cómo historizar esa fe*

La cuestión es vital para la Iglesia. Cuando los creyentes vaciamos o deformamos el sentido de la celebración eucarística, corremos el peligro de falsear la calidad cristiana de nuestra comunidad. La deformación puede venir por dos capítulos:

– *Desfigurando la novedad evangélica*

Como en otros artículos de la fe cristiana, el problema es la *inculturación*: lograr que esa experiencia fundamental de la Iglesia se haga verdad en distintos contextos y situaciones culturales. Mediaciones filosóficas y lenguaje que pudieron ser válidos para expresar la fe cristiana en tiempos del pasado son ya insignificantes y pueden ser equívocos en una situación cultural nueva. Ya centrándonos en el tema de la eucaristía, todavía quedan manuales donde se comienza por la presencia real, se habla después del sacrificio eucarístico, y se deja en último lugar la sacramentalidad, que sin embargo es clave para explicar e interpretar bien la presencia real y la sacrificialidad.

Como ese plateamiento queda ya trasnochado, en la década de los sesenta la teología *en diálogo con el mundo moderno* planteó la necesidad de revisar e incluso cambiar categorías empleadas por el concilio de Trento y en la teología de la Contrarreforma, o que no responden a la mentalidad y comprensión actuales. En la Enc. *Mysterium fidei* (1965), Pablo VI trató de asegurar el núcleo central de la confesión mantenida por la Iglesia en su larga historia, y como suele ocurrir en estas intervenciones también aquí quedaron silenciados no sólo la necesidad de una nueva presentación teológica, sino también algunos ensayos hechos por teólogos en esos años. Pienso que, salvada la integridad de la fe cristiana, y precisamente para ser fieles a la tradición viva de la Iglesia en una nueva cultura, debemos retomar la preocupación y los apuntes de aquellos teólogos.

La eucaristía es el acto más importante del culto cristiano, el *sacrificio de la nueva alianza*. Otro artículo que pertenece al «credo» cristiano de los católicos. Pero ¿en qué marcos interpretamos el culto y el sacrificio?, ¿qué tienen que ver con el culto y los sacrificios comunes a otras religiones?, ¿a qué divinidad remiten?, ¿cómo articular este culto y este sacrificio con el seguimiento de Jesús cuyo culto y sacrificio «en espíritu y en verdad» fueron históricos antes que litúrgicos?

– *Manipulando el rito*

Y todavía esta manipulación puede responder a distintas intencionalidades. Indico dos:

En la celebración ritual de la eucaristía se mantienen todavía ceremonias, ritos y normas litúrgicas que pertenecen al pasado y a una cultura ya caduca. Por ello su simbolismo resulta *insignificante para la mentalidad actual* en culturas muy distintas a las que crearon esos ritos y esas formas con su normativa. Por eso hay una cuestión ineludible: ¿cómo abrir caminos para una verdadera inculturación de la eucaristía, cuando los pueblos están despertando a su identidad y singularidad cultural?

Y hay otro tema propio de los países tradicionalmente católicos que también exige revisión. La misa se viene celebrando para todo. No sólo para bodas y exequias, aunque los contrayentes o asistentes no participen y apenas sepan qué es la Iglesia y qué significa la celebración eucarística; también para iniciar

[4] SC 7.

[5] LG 11.

un curso escolar o para una manifestación de carácter político; alguna vez hasta para una jura de bandera. ¿Qué sentido puede tener este oficialismo de la misa en una sociedad cada vez más pluralista en el ámbito de las creencias y de las prácticas religiosas?

2. La experiencia de las primeras comunidades cristianas

Como los demás sacramentos, también la eucaristía es un símbolo que hace presente, promueve y oferta la fe o vida creyente de la Iglesia. Esa fe que, como referencia continua para la historia eclesial, confesaron y nos dejaron las primeras comunidades cristianas en las cartas apostólicas y en los evangelios.

a) La tradición sobre la «última cena»

El libro de los Hechos narra cómo aquella comunidad cristiana celebraba la «fracción del pan», pero no hace referencia explícitamente a la última cena. Esta referencia, ya desde una práctica litúrgica, se ve con toda claridad en las cartas de Pablo y en los sinópticos[6]. Se ven dos tradiciones. Una de Lucas-Pablo, y otra reflejada en Mateo-Marcos. Merece la pena transcribir el texto para cotejar parecidos y diferencias.

Lc 22,19-20

«Mientras comían, tomó Jesús el pan, lo partió y lo dio a los discípulos diciendo: "esto es mi cuerpo *que se entrega por vosotros; haced esto en memoria mía*". Y del mismo modo con la copa, después de haber cenado, dijo: "*esta copa* es la nueva alianza en mi sangre, que será derramada por vosotros"».

1 Cor 11,23-26

«Porque yo he recibido del Señor lo que os he transmitido. Que el Señor Jesús, en la noche en que fue entregado, tomó pan y, después de dar gracias, lo partió y dijo: "este es mi cuerpo *que se entrega por vosotros*, haced esto en memoria mía". Y del mismo modo con la copa después de haber cenado, dijo: "*esta copa* es la nueva alianza sellada con mi sangre; cuantas veces la bebáis, *hacedlo en memoria mía. Pues cuantas veces toméis este pan y bebáis esta copa, anunciáis la muerte del Señor hasta que venga"*».

Mc 14,22-24

«Cuando estaban comiendo, Jesús tomó pan, y después de bendecir, lo partió y dio a sus dicípulos diciendo: "tomad, este es mi cuerpo". Tomó una copa, pronunció la acción de gracias, se la dio y bebieron todos de ella; y les dijo: "esta es mi sangre, la sangre de la alianza que será derramada por todos"».

Mt 26,26-28

«Mientras comían, tomó Jesús pan, lo partió y al darlo a los discípulos dijo: "tomad y comed, esto es mi cuerpo". Y tomando una copa y habiendo dado gracias, se la dio diciendo: "bebed todos de ella, porque esta es *mi sangre*, de la alianza, derramada por muchos para remisión de los pecados"».

Parece que Lucas y Pablo traen una relación extendida en las comunidades de Antioquía, mientras Mc y Mt son testigos de una práctica en las comunidades cristianas de Jerusalén[7].

Hay argumentos suficientes para creer que Jesús celebró con solemnidad especial una cena en la que se despidió de sus discípulos. Hacia el año 40, pocos años después de la muerte de Jesús, Pablo ha recibido una tradición que a su vez entrega con fidelidad (1 Cor 11,23). No podemos conocer con

[6] Otra referencia también desde una práctica litúrgica en Jn 6,51-52; y más veladamente quizá en Heb 9,20.

[7] Los exégetas aún discuten sobre la precedencia cronológica entre estas dos tradiciones. Mientras por los semitismos, la tradición de Mc-Mt parece ser la primera, el detalle de Lc-Pablo –«Jesús tomó la copa de acción de gracias después de la cena»– responde al rito religioso judío (A. Gerken, *Teología de la eucaristía*, Paulinas, Madrid 1991, 14-15; J. Jeremias, *La última cena. Palabras de Jesús*, Cristiandad, Madrid 1980, 205-207; H. Schurmann, *Palabras y acciones de Jesús en la última cena:* Concilium 40 [1968] 629-640).

exactitud cuáles fueron las palabras originales de Jesús en esa última comida; y ello nos permite movernos con cierta libertad en la lectura de los relatos sobre la última cena. Pero, teniendo en cuenta su actitud en el tiempo inmediatamente anterior a su martirio tal como reflejan los evangelios, Jesús muy bien pudo interpretar su muerte remitiéndose a la figura del servidor anunciado por Isaías. Estaba convencido de que paradójicamente quien «pierde su vida» por el evangelio, «la gana», y parece normal que con esa perspectiva interpretase su fracaso como un servicio a la vida de los seres humanos[8].

Una primera lectura de los cuatro relatos hace ver las diferencias entre los mismos[9]. Se discute si esta comida se celebró coincidiendo con la cena pascual de los judíos; pero en todo caso la interpretación dada en los distintos relatos se hace dentro de un contexto pascual[10]. En cualquier caso, algo parece suficientemente claro: tanto en el ámbito judío como en el ámbito helenístico, las primeras comunidades cristianas remiten a una comida de Jesús con sus discípulos poco antes de su martirio.

[8] Mc 8,34; Lc 22,27; Jn 13,1-15. Ante el duro fracaso, Jesús tuvo que buscar un sentido a su martirio; y posiblemente lo encontró en la historia bíblica que narra cómo Dios va realizando su obra en la medida en que hombres y mujeres se entregan con humildad y se deciden a dejar que Dios sea el único señor. Así se explica Lc 24,26-27: «¿no era necesario que el Cristo padeciera eso y entrara así en su gloria?; y empezando por Moisés y continuando por todos los profetas, les explicó lo que había sobre él en todas las Escrituras».

[9] Lucas y Pablo añaden la recomendación de Jesús: «Haced esto en memoria mía»; Lucas una vez, y Pablo dos. Respecto a las palabras sobre el pan, Lucas y Pablo precisan: «mi cuerpo que será entregado –se entrega– por vosotros». En las palabras sobre la copa, Lucas y Pablo también puntualizan calificando la alianza de «nueva». Finalmente Pablo añade: «pues cuantas veces comáis este pan y bebáis este cáliz, anunciáis la muerte del Señor hasta que venga».

[10] Mientras los sinópticos sitúan la última comida de Jesús en la celebración de la pascua judía, Juan viene a decir que fue la víspera (los judíos que llevaron a Jesús ante Pilato no entraron en la casa del pagano para no contaminarse y así poder celebrar la pascua, Jn 18,28). Pero el mismo Juan sugiere la conexión entre la muerte de Jesús y la celebración de la cena pascual judía (19,36 –«no le quebrarán ni un hueso»– evoca fácilmente Ex 12,46; según Jn 1,29, Jesús es «el cordero de Dios...»).

b) El testimonio del cuarto evangelio

Juan no describe la celebración de la última cena, pero destaca como ningún otro evangelista las implicaciones de la celebración para la verdad de la comunidad cristiana. Con la preocupación por salvaguardar el realismo de la encarnación y superar el sacramentalismo ritualista, Jn 6,22-68 nos entrega una reflexión teológica de gran calidad. Merece la pena transcribir algunos versículos:

> «Os aseguro que no fue Moisés el que os dio el pan del cielo; es mi Padre quien os da el verdadero pan del cielo; el pan que viene del cielo y da vida al mundo...Yo soy el pan de vida; el que viene a mí no volverá a tener hambre y el que cree en mí nunca tendrá sed... Yo he bajado del cielo no para hacer mi voluntad, sino para hacer la voluntad del que me ha enviado... Los judíos comenzaron a murmurar de él: este es Jesús el hijo de José, conocemos a su padre y a su madre, ¿cómo se atreve a decir que ha bajado del cielo?... Jesús replicó: no sigáis murmurando; yo soy el pan de vida; vuestros padres comieron el maná en el desierto y murieron; pero este es el pan del cielo y ha bajado para que quien lo coma no muera. Y añadió: yo soy el pan vivo bajado del cielo; el que coma de este pan, vivirá siempre. Y el pan que yo daré es mi carne, yo la doy para vida del mundo.... Si no coméis la carne del Hijo del hombre y no bebéis su sangre, no tendréis vida en vosotros; el que come mi carne y bebe mi sangre tiene vida eterna y yo le resucitaré en el último día. Mi carne es verdadera comida y mi sangre es verdadera bebida; el que come mi carne y bebe mi sangre, vive en mí y yo en él».

Con ese mismo interés por superar una participación en la eucaristía sin el compromiso histórico en el seguimiento de Jesús, el cuarto evangelista narra en el contexto de la última cena el lavatorio de los pies. Se trata de un gesto profético para simbolizar el sentido teológico de la existencia y martirio del mesías: servir a los demás entregando la propia vida. Los discípulos deben actuar siguiendo el ejemplo del maestro (Jn 13,17).

c) Significado de la última cena

Cuando las primeras comunidades cristianas celebran la eucaristía, ya viven la presencia de Cristo resucitado en cada uno de los creyentes y en la comunidad. Acompañando y animando a los cristianos mientras van de camino –los discípulos de Emaús son ejemplo de la Iglesia que por los años ochenta sufre persecución–, el Resucitado en una comida se entrega como alimento.

Esa voluntad de estar con y entregarse como alimento para su comunidad fundamenta la presencia real de Cristo en la eucaristía. Su mensaje y su misión no fueron aceptadas por las autoridades judías que se volvieron contra él y le condenaron a muerte; tampoco le entendió la mayoría del pueblo e incluso los más cercanos a él. Sólo quedaba un camino para realizar la voluntad o proyecto de Dios en favor de los seres humanos: entregar la propia vida en el martirio. Y así la ausencia de Jesús, el martirio del mesías en libertad y por amor, fue momento y mediación de una nueva presencia más profunda de Cristo con su espíritu en la comunidad: «os conviene que yo me vaya, porque si no me voy, el Paráclito no vendrá a vosotros, pero si me voy, os lo enviaré» [11]. Esa presencia en la ausencia es lo que Jesús ofrece a los comensales en la última cena, que renovarán las comunidades cristianas en la celebración eucarística.

> Cuando esta nueva comunidad de los que creen en Cristo se va destacando más y más del mundo que empuja a la muerte al Señor de esta comunidad y también a los que creen en él, entonces llega el momento en que, en la celebración cultual de esa muerte, que es propiamente la vida de esa Iglesia, esta comunidad se hace cargo de su más propio e íntimo ser; nos hallamos así con la eucaristía.
>
> K. Rahner,
> *La Iglesia*, 85.

• *En el contexto de la pascua judía*

No hay razones serias para negar que Jesús celebrase con sus discípulos una comida de adiós ante su muerte próxima. Y parece que esta comida fue celebrada en el marco de la pascua judía. Esta celebración era un símbolo sacramental del paso de Dios para liberar al pueblo esclavizado en Egipto. En este símbolo que los hebreos celebraban cada año, Dios mismo renueva y actualiza, en favor del pueblo y de sus miembros, la inclinación gratuita, compasiva y benevolente para liberarlos de las distintas alienaciones que van surgiendo en la historia:

> «De generación en generación, cada uno se debe reconocer como saliendo de Egipto» [12].

Esta celebración constaba de cuatro partes: primer plato, liturgia pascual (servicio de la palabra), plato principal y liturgia final. Al llegar el plato principal, el padre de familia recitaba la oración sobre el pan ácimo y lo repartía; y es ahí donde Jesús da un sentido nuevo al gesto: «tomad y comed, esto es mi cuerpo que se entrega por vosotros» (por todos, por la vida del mundo). Después de la comida principal, Jesús tomó la tercera copa llamada «copa de la bendición»; y pronunciada la acción de gracias, la pasó a los comensales, dando también un significado nuevo al gesto: «tomad y bebed todos de él; este cáliz es la participación de la nueva alianza en mi sangre».

• *Símbolo real de una historia peculiar*

Símbolo real quiere decir que hace presente la realidad que significa: Cristo resucitado que ofrece a su comunidad como alimento su conducta realizada en la intimidad con el Padre y en el amor a favor de los otros.

– *«Se ha cumplido el tiempo»*

La conducta histórica de Jesús es el sacramento de una experiencia singular: misericordia entrañable de Dios en favor de todos los seres humanos,

---

[11] Jn 16,7. El Espíritu trae una presencia nueva y más profunda de Jesús (1 Jn 5,7).

[12] Según la Misná, *Pes.* 10, 5. Es el «memorial» *–Zikkarón o Azkarah–*, que los LXX traducen con el sentido dinámico de *conmemoración*. En su tiempo fue novedosa la exposición de Max Thurian, *La eucaristía*, Salamanca 1965, 25-149.

proyecto de comunidad, preocupación por rehabilitar a los excluidos. En el acontecimiento Jesucristo llega el tiempo de salvación, «el año de gracia», la vida y liberación para todos. El reino de los cielos se parece a una fiesta de bodas, donde todos son invitados para juntos participar en el banquete común que ha preparado el Padre. Aquí está la gran novedad del reino que desmonta la pirámide con sus mil expresiones en las relaciones humanas y en el dinamismo socio-cultural.

No se debe legitimar esa pirámide con leyes dictadas desde arriba, con ritos religiosos o con invención de falsas divinidades sedientas de sacrificios humanos y apáticas ante las injusticias que matan a los pobres. Para Jesús tampoco es solución dar la vuelta sin más a la pirámide para que los de arriba queden aniquilados y sepultados para siempre. Más bien quiere hacer un círculo donde todos se acepten como hermanos y hagan fiesta juntos. La multiplicación de los panes expresa bien su intención: una muchedumbre no tiene que comer, y se ha acercado a Jesús buscando solución a sus problemas; sólo cuando, movidos a compasión, los que tienen bienes se disponen a compartir con los pobres, llega el milagro de la nueva humanidad: todos satisfacen sus necesidades y se sientan juntos como personas libres.

Este cambio supone que los seres humanos se dejen alcanzar y transformar por la novedad del evangelio; se apasionen por la perla preciosa y el tesoro escondido para «con gran alegría» poner a disposición de los demás cuanto son y cuanto tienen. Y aquí viene muy bien la versión espiritual de Mateo en la parábola del banquete de bodas; para participar en él los invitados deben ir «vestidos de fiesta». Es el vestido nuevo que su padre regala con amor al hijo pródigo. La experiencia de gustar la cercanía de Dios como «Abba», el gozo de sentir que ha llegado ya el «año de gracia», la fiesta de bodas. Eran los sentimientos que Jesús respiraba poco antes de su martirio y quiso expresar en el símbolo de la última cena.

– *«El Hijo será entregado»*

La pretensión de Jesús le llevó al conflicto que terminó en su muerte violenta. No fue un sacrificio litúrgico exigido por una divinidad sedienta de sangre para satisfacer su honor ofendido. Aquel martirio fue verificación del amor de Dios encarnado en el corazón humano en acto de amor. La vida y la muerte de Jesús fueron la expresión histórica de un corazón apasionado por llevar a cabo en este mundo el proyecto de Dios, quien sin embargo tuvo la iniciativa, inspiró la conducta de Jesús y en ella realizó su obra de liberación, pues nos ama «siendo nosotros todavía pecadores» (Rom 5,8). Aquella vida y aquella muerte fueron sacrificio no litúrgico, sino existencial. Su objetivo no fue aplacar a una divinidad airada por su honor ofendido, sino más bien la expresión de un amor histórico y verdadero que se fragua en el conflicto y madura en el sufrimiento.

Toda la vida de Jesús fue paso de Dios por nuestra historia realizando las «obras de vida» y venciendo así las limitaciones de muerte: curando enfermos, rehabilitando a los indefensos, combatiendo a los «dia-bolos» que tiran a las personas por los suelos. En este sentido podríamos decir que toda la práctica histórica de Jesús es resurrección. Cuando en su martirio aceptó «hacerse nada» (Flp 2,7) dejando al Dios de la vida ser el único señor, la plenitud de vida se manifestó de modo definitivo «en la carne»; según el cuarto evangelista, la exaltación de Cristo en la cruz es ya su glorificación[13].

– *Jesús se da a sí mismo en una comida*

Tanto en el contexto judío como en la historia de Jesús, las comidas tenían una elocuencia singular. Eran símbolo privilegiado de amistad entre los comensales, y profecía del reino de Dios, ese mundo feliz en que todos y todas se puedan sentar juntos y participar en una misma mesa «con manjares frescos y buenos vinos» (Is 25,6). Comiendo con publicanos y pecadores, Jesús ofrecía su amistad y la buena noticia de salvación para quienes religiosa y socialmente no tenían porvenir. En un banquete dijo a la mujer pecadora: «tus pecados te son perdonados». Y sus discípulos son «los que comen con él». Como expresión máxima del simbolismo teoló-

[13] Jn 1,14; 13,31; 7,39 leído junto con 19,34.

gico expresado en esas comidas, la última cena es el sacramento de amor y reconciliación que Dios mismo nos regala en el acontecimiento Jesucristo [14].

– «*Comed, bebed*». En el gesto de la cena, Jesús es el anfitrión, como el padre que prepara un banquete de bodas e invita con amor: «tomad, comed y bebed». Y el alimento entregado es Jesús mismo, su propia vida; «cuerpo» *(basar)* es todo el ser humano débil y sometido a la muerte. Al final de la cena, Jesús tomó la copa de bendición, pero al pasarla para que beban sus discípulos, les ofrece ahí su misma vida, entregada a la muerte por amor y para vida de los seres humanos. La existencia de Jesús fue una pro-existencia, una historia de amor gratuito en favor de los otros. En el empeño histórico de ese amor surgió el conflicto, y aquella existencia fue tronchada, rota, partida, entregada totalmente por la vida del mundo.

Una observación para completar este punto. El don de su propia vida que Jesús ofrece no termina en el pan; va destinado más bien a los comensales: «comed, bebed». La intencionalidad del gesto y de las palabras no es convertir el pan en el cuerpo y el vino en la sangre por un milagro que suspenda todas las leyes naturales. Su objetivo es el encuentro personal con los que se sientan a la mesa. La visión cosista de la presencia real vino después, ya en la Edad Media; bajo la obsesión de precisiones filosóficas, las palabras «esto es mi cuerpo» recayeron directa y finalmente sobre el pan y el vino con fuerza sobrenatural para convertirlos en el cuerpo y en la sangre de Cristo.

– *El espacio interior y la práctica de Jesús*. «Carne y sangre» son la persona íntegra con su ser y su actuar, con sus proyectos y su conducta histórica, con su espacio interior o espíritu. El significado teológico de la frase: «Si no coméis la carne y no bebéis la sangre del Hijo del hombre no tendréis vida en vosotros» queda manifiesto en esta otra: «Sólo el espíritu da vida, la carne no sirve para nada» [15]. En la última cena Jesús entrega su espíritu o espacio interior que se manifestó en una práctica histórica, cuyo alimento fue hacer la voluntad del Padre, su pasión la llegada del reino y su preocupación rehabilitar a los excluidos.

Jn 13,4 introduce los gestos de Jesús en la última cena, cuando se dispone a sufrir el martirio, «sabiendo que había venido de Dios y a Dios volvía». Toda la historia de aquel hombre discurrió en la intimidad con el Padre: tenía conciencia de ser enviado, se fió totalmente de Dios y buscó siempre realizar su voluntad o proyecto de vida sobre los surcos de nuestra tierra.

Según los sinópticos, a esa voluntad divina se refiere el reino de Dios, la causa que polarizó totalmente todas las energías de Jesús; y como un servicio a la misma, él interpretó su martirio inminente. El evangelista Lc pone el «Padrenuestro» en labios de Jesús mientras sube a Jerusalén para enfrentarse al martirio; con anhelo profundo decía: «Venga tu reino». Y durante la cena de despedida expresó este mismo anhelo: «no comeré más esta pascua hasta que llegue su cumplimiento en el reino de Dios» [16].

Finalmente, la preocupación por rehabilitar a los excluidos. A lo largo de su vida, Jesús tuvo gestos de acogida singular para ellos, curando a los enfermos, participando en la mesa de los pobres y declarando así su dignidad de personas invitadas por el Padre a la mesa común de sus hijos. Cuando Jesús mismo sufre ya la marginación de los indefensos, celebra la última cena dando a entender que sigue fiel a su objetivo; cree que, al entregar su propia vida, se abrirá un camino de liberación para todos.

La práctica histórica de Jesús estuvo animada con un espíritu: «Que todos tengan vida en abundancia». Como buen pastor «se juega la seguridad por sus ovejas», «entrega su propia vida voluntariamente». En el gesto de lavar los pies a sus discípulos, Jesús deja bien clara la intención o espiritualidad de su práctica histórica y de su martirio: sien-

[14] Exposición de esta idea en J. Espeja, *Visión cristológica de la eucaristía*: Escritos del Vedat XI (1981) 127-130.

[15] Jn 6,53 y 63. En la conducta histórica de Jesús, el espíritu siempre vive y actúa encarnado en la historia efímera.

[16] «Padre Nuestro» en Lc 11,1-4. Según Lc 22,18: «No beberé más del fruto de la vid hasta que llegue el reino de Dios», Jesús hace como un voto por lo que ha sido y es objetivo central de sus anhelos y empeños.

do señor y maestro, asume y ejerce la función del servidor; se desprende de su manto como símbolo de que se desprende de su vida para que los demás puedan vivir. Así lo quiso plasmar simbólicamente con el lavatorio de los pies en vísperas de ser crucificado. Y así dejaba esa conducta como testamento para sus seguidores [17]. Es el clima en que se celebra la última cena, donde Jesús ofrece a la comunidad de discípulos su vida, su espíritu o espacio interior, que se tejió en la intimidad singular con el Padre, en la dedicación total a la llegada del reino y en su preocupación por rehabilitar a los excluidos.

- *«Nueva alianza en mi sangre»*

La última cena se celebró en el contexto de pascua judía, que sacramentalmente recordaba y actualizaba la liberación del pueblo, ratificada por la alianza. Pero la conducta del pueblo invitado a ese pacto de amistad con Dios no respondió a la fidelidad que Dios mantuvo hasta las últimas consecuencias:

> «Sellaré con el pueblo una alianza nueva; pondré mi ley en su interior, la escribiré en su corazón, yo seré su Dios y ellos serán mi pueblo; le daré un corazón nuevo y le infundiré un espíritu nuevo; le arrancaré el corazón de piedra y le daré un corazón de carne» [18].

Jesucristo es el sí de esta promesa. Su corazón se dejó alcanzar y transformar de tal modo por la voluntad de Dios que fue siempre fiel, inspirado y motivado por el amor o cercanía benevolente de Dios. Se fió totalmente, dejó que Dios fuera en él único señor y transparentó en su práctica histórica la encarnación del amor divino. Por eso los primeros cristianos le confesaron Palabra, Hijo de Dios. En el acontecimiento Jesucristo ha tenido por fin lugar la «nueva y definitiva alianza», cuyo sello es la existencia del mesías coherente hasta el final, «sellada con su sangre». La última cena es el símbolo real de esta alianza en la que pueden y deben participar los comensales.

- *Aceptar el proyecto de Jesús*

La parábola evangélica del banquete nupcial es símbolo adecuado del reinado de Dios que significa participación en la vida, martirio y destino glorioso de Jesús. En la versión del evangelista Mt, preocupado por la integridad moral de los cristianos, la sala del banquete se llena de invitados. Pero puntualiza: «cuando el anfitrión vio que alguno no llevaba traje de bodas, le llamó la atención» [19]. Al presentar esa parábola, el evangelista conocía ya lo sucedido en la última cena: Judas no acepta el proyecto de Jesús, y se vende a quienes obsesionados por su seguridad insolidaria deciden eliminar al Profeta; el llamado a ser discípulo de Jesús elige salir al mundo de las tinieblas y ya no pertenece a la comunidad cristiana, debe abandonar la mesa. Sin duda con intencionalidad teológica Jn 13,30 comenta: cuando salió Judas, «era de noche».

d) «Haced esto en memoria mía»

La tradición de Lc-Pablo trae expresamente el mandato de Jesús, mientras en las comunidades de Mc-Mt ya se hace realidad ese mandato. Hay dos posibles interpretaciones del mismo. Una en línea con la celebración sacramental de la pascua hebrea: «haced esto como memorial mío», actualizando en cada situación histórica la vida, martirio y resurrección de Jesús. Según otra interpretación, «haced esto para que Dios se acuerde de mí»; que Dios haga realidad en la comunidad cristiana lo que ha hecho en el acontecimiento Jesucristo: la llegada del reino.

Desde sus primeros pasos, las comunidades cristianas, cada una dentro de su contexto cultural, celebran la presencia del Resucitado que convoca y perfecciona su comunidad en una comida. Pasados

[17] Se ha hecho notar el paralelismo entre Jn 10,10-18 (el buen pastor que entrega la vida y la recobra) y Jn 13,4 y 12 (Jesús deja el manto para lavar los pies a sus discípulos y, terminada la acción, de nuevo se lo pone). Sugiere así que la autoridad y el señorío de Jesús se manifiestan como servicio humilde en amor. Es el criterio moral para la comunidad cristiana (Jn 13,14).

[18] Estas frases pertenecen a Jr 31,31-33; Ez 36,26.

[19] Mt 22,10-11. Ese detalle no está en la versión de Lc 14,15-24.

ya los años ochenta, el relato pascual de los discípulos que decepcionados abandonan la comunidad cristiana reunida en Jerusalén y viajan a Emaús, su lugar de origen, es muy elocuente para la Iglesia ya perseguida en aquel tiempo: partiendo el pan eucarístico y dándoselo a los discípulos, el mismo Resucitado se autocomunica como alimento y fuerza para que sus seguidores no se dejen abatir por las contradicciones y recuperen la esperanza de liberación.

> Así debéis celebrar la eucaristía. Primero sobre el cáliz: Te damos gracias, Padre nuestro, por la sagrada vid de David, tu siervo, la cual nos enseñaste por Jesús, tu Hijo y servidor; a ti la gloria por los siglos. Y sobre la fracción del pan: Te damos gracias, Padre nuestro, por la vida y la ciencia, que nos enseñaste por Jesús, tu Hijo y siervo; a ti la gloria por los siglos. Como este fragmento de pan estaba disperso sobre los montes, y recogido se hizo uno, así sea unida tu Iglesia desde los confines de la tierra en tu reino, porque tuya es la gloria y el poder, por Jesucristo, en los siglos.
>
> *Didajé*, IX, 1-4.

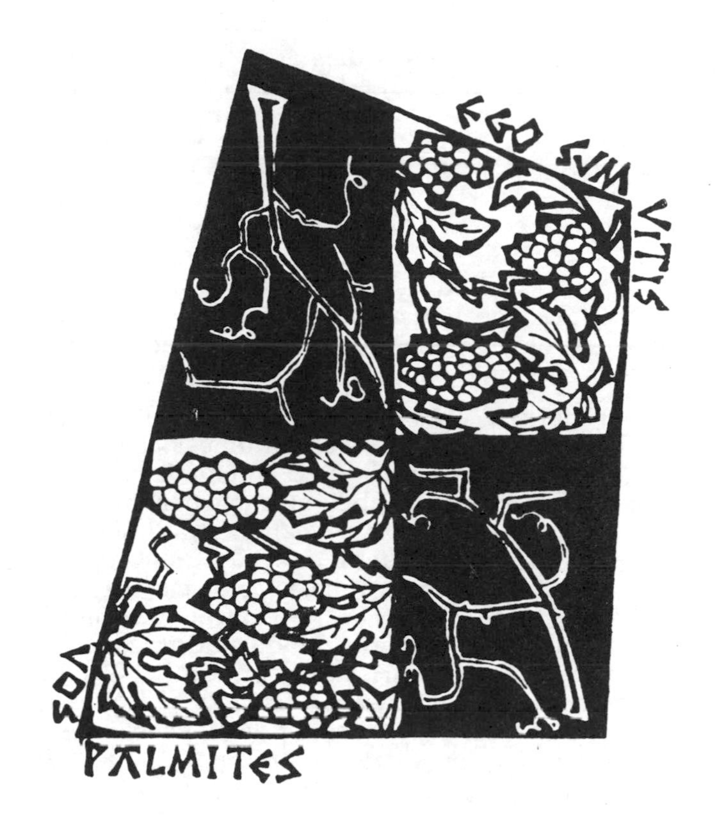

- *Presencia del Resucitado en la comunidad cristiana*

Los primeros cristianos han experimentado que Jesús de Nazaret, el mismo que murió en la cruz, ha triunfado sobre la muerte y «ya no muere más». Es el «cuerpo espiritual», el hombre nuevo que no sólo tiene vida, sino que la comunica; es el individuo solidario que se personaliza creando comunidad. El Resucitado está en su cuerpo que es la Iglesia «todos los días hasta el fin del mundo» [20].

En la percepción bíblica, el «espíritu de Dios» es como el aire sin el cual no podemos respirar y en la que todos estamos unidos en una común atmósfera; como el agua necesaria para la vida de las plantas y de los animales; como el fuego que inspira el brío de los profetas y consume lo perverso. El espíritu de Dios actúa en los orígenes de Jesús, alienta todos los pasos de su misión profética, le mantiene fiel cuando llega el martirio y le conduce a la plenitud de vida: el Señor resucitado «es el Espíritu» que convoca, da vida y libertad a la comunidad cristiana (2 Cor 3,17).

- *Como pan de vida en la comida eucarística*

Tres referencias de las primeras comunidades son exponentes de una fe común.

– El espíritu de Dios que acompañó siempre a Jesús se manifestó como fuerza singular en el momento del martirio donde Jesús se mantuvo fiel animado «por el espíritu eterno» (Heb 9,14). En ese

[20] Mt 28,20. Sobre la resurrección como entrada en una plenitud de vida sin muerte, Rom 6,9; «cuerpo espiritual», en 1 Cor 15,44-45.

momento, cuando Jesús deja que Dios sea el único señor en su existencia, el dueño de la vida se revela como vencedor de la muerte. Una victoria sin embargo que, «como primicias de una gran cosecha», todavía es inacabada (1 Cor 15,20). En la comida eucarística «se anuncia la muerte del Señor hasta que vuelva» (1 Cor 11,26); y al mismo tiempo se presenta como don gratuito el «cuerpo espiritual» del Resucitado, el espíritu que animó la práctica histórica de Jesús, que le fortaleció en su martirio, que sigue animando a la comunidad cristiana y la conduce a la plenitud de vida.

– Cuando la comunidad cristiana tenía la tentación de reducir el evangelio a una doctrina teórica, Jn 6,53 reacciona: «Si no coméis la carne del Hijo del hombre y no bebéis su sangre, no tendréis vida en vosotros». En otras palabras, «si no aceptáis que en la conducta de este hombre Dios mismo se revela, y no tratáis de "re-crear" esa conducta en vuestra historia, no estaréis en camino de salvación». Es el contexto adecuado para interpretar la comida eucarística; y en esa perspectiva es posible *superar una visión fisicista de la presencia real* de Cristo en la eucaristía: «el espíritu es el que da la vida, la carne no sirve para nada» (Jn 6,63).

– Ahora se comprende mejor qué implica «discernir el cuerpo de Cristo» cuando se participa en la eucaristía. San Pablo quiere atajar las divisiones en la comunidad cristiana de Corinto que, sin tratar de solucionarlas, pretende celebrar la eucaristía. Esa pretensión es intolerable, porque los comensales olvidan el espíritu que animó el espacio interior y el proyecto de Jesús: amor gratuito y solidario que crea comunidad (1 Cor 11,20-29).

- *Para edificar la comunidad*

La dimensión comunitaria está en todas las tradiciones sobre la eucaristía: es el cuerpo «entregado por vosotros, por todos, por la vida del mundo»; con su vida y su martirio, Jesucristo derribó el muro de enemistad que separaba a los pueblos (Ef 2,14). Destacan más ese aspecto comunitario la tradición de Lc-Pablo y el cuarto evangelio.

– *Compartir*. Lo acabamos de ver en Pablo cuando escribe a la comunidad de Corinto: la participación en la «cena del Señor» supone que los comensales hagan suyo el proyecto de Jesús: compartir todo lo que son y tienen con los demás. Sencillamente porque «si el pan es uno y todos participamos del único pan, todos formamos un solo cuerpo». En la eucaristía comulgamos el cuerpo «espiritual» del Resucitado, individuo solidario y creador de comunidad; así, es contradictorio comer ese pan –cuerpo espiritual del Resucitado– negándonos prácticamente a compartir o vivir en comunidad formando un solo cuerpo donde cada miembro es solidario de los otros[21].

Saliendo al paso de un sacramentalismo ritualista donde falta el seguimiento de Jesús, Jn 13,18-30 viene a decir lo mismo de otro modo: hay algunos que participan en la mesa de Señor sin hacer suyo el proyecto de compartir; son como Judas que decide traicionar al Maestro entregándole a quienes, por mantener sus seguridades insolidarias, se oponen al proyecto de la fraternidad y matan al Profeta. Esos homicidas se apoyan en el dinero; es su fuerza e instrumento de muerte.

San Pablo dice lo mismo denunciando las idolatrías que matan: «no quiero que entréis en comunión con los demonios; no podéis beber el cáliz del Señor y el cáliz de los demonios; no podéis participar en la mesa del Señor y en la mesa de los demonios». Según el cuarto evangelista, el demonio es el «padre de la mentira», «homicida desde el principio», que rechaza «las obras de Jesús» y quiere dar muerte a su proyecto[22]. «Compartir el pan» será símbolo y verificación de la identidad en todas las generaciones cristianas.

– *Vivir la fraternidad*. Punto de partida y espíritu de la comunidad cristiana es vivir como hermanos: «amaos los unos a los otros como yo os amé» (Jn

[21] En 1 Cor 10,17, la palabra «cuerpo» se refiere al cuerpo del Resucitado –«el pan que partimos ¿no es la comunión del cuerpo de Cristo?»– y a la Iglesia –«siendo muchos un solo pan y un solo cuerpo somos»–. Leer al mismo tiempo 1 Cor 12,12-26.

[22] 1 Cor 10,20-21; Jn 8,43-47: los que se oponen al proyecto de fraternidad son hijos del diablo, «mentiroso y padre de la mentira».

13,34-35). Un solo mandamiento que se orienta no a las relaciones directas del hombre con Dios o con Cristo, sino «con los otros». Y ese amor tiene que estar a la altura del amor de Dios manifestado en la conducta histórica de Jesús, «hasta el extremo», «hasta dar la vida» por los demás. En eso consiste la glorificación de Dios: que todos los seres humanos tengan vida «en abundancia»; que sean capaces de jugarse la propia vida para que los otros puedan vivir[23].

– *Sirviendo a los demás*. Así lo entendió y escenificó Jesús mismo lavando los pies a sus discípulos. Entre los judíos, el gesto era originariamente señal de la hospitalidad concedida por el anfitrión de un banquete (Lc 7,44). Luego fue considerado como servicio de mujeres y esclavos. Aunque el siervo llegue cansado de trabajar en el campo, debe lavar los pies a su señor; de ahí el simbolismo profético de Jesús que, «siendo señor y maestro», lava los pies a sus discípulos[24]. En ese gesto, el evangelista evoca la figura del servidor celebrado en Isaías por su entrega para liberación de muchos.

En la eucaristía se ofrece la posibilidad de ser y actuar como hijos de Dios que «a todo da vida y aliento», y se ha manifestado en el acontecimiento Jesucristo como vida para todos[25]. El Señor proclama bienaventurados a quienes emprendan y «recreen» la conducta de Jesús: «Sabiendo esto, dichosos seréis si lo cumplís»[26].

Con la misma perspectiva, el evangelista Lc hace notar que Jesús, siendo señor y maestro, está con los discípulos «como el que sirve». Y después de la última cena, el evangelista trae las recomendaciones sobre la conducta de los cristianos: no deben seguir la lógica de dominación en que funcionan los príncipes de este mundo; la categoría del verdadero discípulo se mide por su actitud y conducta de servicio desinteresado en favor de los demás (Lc 22,24-30).

[23] Jn 10,10; Mc 8,34-35.

[24] Hay que leer Jn 13,13 con el trasfondo de Lc 17,7-10.

[25] Hch 17,25; Jn 14,6: «Yo soy el camino, la verdad y la vida».

[26] Jn 13,17. Al final de su evangelio, y dando a la fe toda su densidad histórica como seguimiento de Jesús, Jn 20,19 declara: «Dichosos los que sin ver han creído».

Seguir a Jesucristo apasionados por el reino de Dios –«tesoro escondido», «perla preciosa»– implica también conflictividad en el camino: «si alguno quiere venir en pos de mí, niéguese a sí mismo, tome su cruz y sígame» (Mc 8,34). La existencia del mesías, su compromiso histórico por llevar a cabo el proyecto de Dios, culminó en su martirio. En el gesto simbólico de la última cena, Cristo resucitado entrega esa vida suya sacrificada en el martirio. Pero el cuerpo del Resucitado se participa en una comunidad todavía peregrina y anhelante de una vida en plenitud; por eso la participación en la eucaristía es alimento para un camino todavía por recorrer («viático») en medio de los conflictos.

– *En vida comunitaria*. «El que come mi carne y bebe mi sangre tiene vida eterna» sugiere, supone aceptar la presencia de Dios en la dimensión corpórea e histórica de Jesús; quizá para destacar el realismo de la encarnación, Jn 6,54 no emplea el verbo griego *estio* (comer), sino *trogo* (masticar). Pero esa aceptación supone la fe que es un don de Dios: «el que cree en mí tiene la vida eterna»[27]. Sólo en la fe de la comunidad cristiana, que ha sido alcanzada por el espíritu del Resucitado, éste se hace presente como don para quienes le reconocen como enviado de Dios[28]. En este sentido, la eucaristía hace a la Iglesia, pero antes el sacramento brota como profesión de la comunidad creyente.

3. Un sacramento

En algunos tratados sobre la eucaristía no era infrecuente hablar primero de la presencia real, para estudiar después la sacramentalidad y la sacrificialidad. Se veía la presencia real como un milagro extraordinario para convertir el pan en el cuerpo de Cristo y el vino en su sangre, al margen de la sacramentalidad, con la cual a su vez nada o muy poco tenía que ver el sacrificio de la misa. Pero es

[27] Jn 6,47; «nadie puede aceptarme si el Padre no se lo concede» (Jn 6,65). Las dos partes de Jn 6 –la que se refiere a la fe y la otra que habla de la comunión eucarística– van inseparablemente unidas.

[28] «El espíritu es quien da la vida, la carne no sirve para nada; las palabras que os he dicho son espíritu y vida, pero algunos de vosotros no creéis» (Jn 6,63).

necesario cambiar de perspectiva: la sacramentalidad de la eucaristía es clave para explicar adecuadamente la presencia real de Cristo y la sacrificialidad de la misa. Es la visión en que ahora vamos a proceder.

Recordemos una vez más que los sacramentos cristianos son símbolos en que la comunidad creyente o de convocados por el Espíritu *(Ek-klesia)* confiesa su fe y ofrece su vida de amor y esperanza en favor de las personas en situaciones determinadas de su historia. Y esta oferta, que sin duda se hace también cuando se proclama la palabra, cuando se hace oración y se practica la justicia, tiene lugar de modo especial en los siete sacramentos. Ahí la Iglesia, sacramento y presencia del Espíritu, comunidad de Cristo y de sus seguidores, moviliza y empeña su propia vida de modo infalible –«ex opere operato»– para que los seres humanos se abran al encuentro con Dios. Son «los sacramentos de la fe», porque suponen y manifiestan la fe o vida de la comunidad y benefician a quienes los reciben con fe o abriéndose a la gracia. Por ello siempre perfeccionan la fe de la comunidad y también la fe de quienes reciben el sacramento[29].

En el simbolismo sacramental se hace presente la fe o experiencia de la comunidad. Como en el abrazo de una madre a su hijo esperado por mucho tiempo se hace presente y fortalece el amor materno. Por eso hay correspondencia mutua entre simbolismo sacramental y gracia o encuentro interpersonal de la comunidad con Dios. En el simbolismo eucarístico de la comida, esa comunidad creyente manifiesta y ofrece su fe o encuentro de vida con Dios revelado en Jesucristo.

a) Experiencia evangélica

La fe de la comunidad cristiana pertenece a una etapa nueva en la historia de la salvación narrada en la Biblia. En esa historia, una convicción es central: Dios quiere hacerse presente y habitar en medio de su pueblo. Según la fe cristiana, este proyecto se hizo realidad en Jesucristo, y ahora se hace realidad para nosotros en la celebración de la eucaristía[30].

• *«En Cristo estaba Dios reconciliando al mundo»*

– Esta interpretación creyente del acontecimiento Jesucristo responde a *una promesa que inspira toda la historia bíblica:* El creador que acompaña siempre a su obra quiere habitar entre los seres humanos que le acogen con libertad y amor. Interviene ya en la historia de los patriarcas Abrahán, Isaac y Jacob, encaminando sus pasos a la realización de un proyecto; todavía es una presencia de Dios que viene y se retira. En el Exodo, la presencia de Dios acompañando a su pueblo parece más continua; Moisés, el «amigo de Dios», experimentó de modo singular esa cercanía; pero todavía se trata de una presencia pasajera y en favor del pueblo, más que permanente y en cada miembro del mismo. Sin embargo ya queda formulada de algún modo la promesa: «Habitaré en medio de los hijos de Israel y seré su Dios» (Ex 24,45).

Cuando el pueblo liberado de Egipto se había establecido ya en Canaán, David quiso edificar un templo que fuera como la residencia de Dios en medio de su pueblo. Pero entonces habló el profeta Natán: «Hácete saber Yahvé que él te edificará casa a ti, y que cuando se cumplan tus días y te duermas con tus padres, suscitaré tu linaje después de ti, el que saldrá de tus entrañas; él construirá una casa para mi nombre». Salomón edifica el templo de Jerusalén y cree que así cumple la profecía de Natán; pero el Señor le hace comprender que la promesa sigue sin cumplimiento definitivo, y el templo edificado sólo es anuncio profético de una realidad todavía por venir[31].

Los profetas anuncian el futuro templo que «será siempre lugar donde habitará Yahvé en medio de los hijos de Israel»; será su único señor y ellos serán el pueblo de Dios. Entonces el pueblo verdaderamente comunitario proclamará con su vida:

[29] SC 59.

[30] Ampliación de la idea en Y. Congar, *El misterio del templo*; J. Espeja, *Acampó entre nosotros*, Villava 1969.

[31] 2 Sm 7,11-12; 1 Re 8,17-25; 1 Re 8,12-13.

«Dios está aquí». Será también el tiempo en que los hombres ofrezcan a Dios un culto verdadero «en espíritu y en verdad»[32].

– Esta promesa *se ha hecho realidad en Jesucristo*. Es muy clara la profesión de fe que hace Jn 1,14: «El Verbo se hizo carne, puso su tienda entre nosotros y hemos visto su gloria». La Palabra, que es Dios mismo según los primeros versos del capítulo, se inclina hacia nosotros en la condición de hombre frágil y caduco; eso quiere decir el término «carne». El verbo griego *eskenosen* propiamente significa «puso su tienda», o acampó, y tiene como trasfondo los c. 33 y 34 del Exodo: Yahvé quiso tener su tienda en el campamento del pueblo todavía peregrino en el desierto. El Verbo encarnado es el lugar donde Dios se hace personal y definitivamente presente para su pueblo. La gloria que cubría la tienda de Yahvé, y más tarde cubrió el templo de Jerusalén, se manifiesta en la Palabra encarnada: «Hemos visto su gloria»[33].

En Jesucristo se ha manifestado la presencia de Dios de modo único. No sólo en medio del pueblo, sino en el corazón de la humanidad y de cada persona humana: es portador de «gracia y verdad» que todos podemos participar. El verdadero templo de Dios «no hecho por manos de hombre». El sacrificio y el culto «en espíritu y en verdad». Una vez cumplida su misión en el martirio, el velo del templo antiguo «se rasgó en dos partes de arriba abajo»: ante la realidad ya presente, perdía sentido la figura profética de esa realidad[34].

[32] Ez 43,7; 37,27; 48,35. En el tiempo mesiánico «diré a "no mi pueblo", tú "mi pueblo"; y él dirá "mi Dios"» (Os 2,25). El profeta Joel 3,21 termina su vaticinio: «Yahvé morará en Sión». Is 7,14 anunciaba la llegada del mesías como Enmanuel, «Dios con nosotros». Los profetas no rechazan el culto sin más, sino el culto formalista que ampara y encubre la injusticia y muerte de los indefensos. Y esos mismos profetas anuncian la nueva alianza cuando Dios infundirá su espíritu y transformará el corazón de los seres humanos: «Vosotros seréis mi pueblo, y yo seré vuestro Dios» (Jr 31,31-34; Ez 36,27); cf. J. Espeja, *Sacerdocio regio del pueblo cristiano*: Ciencia Tomista 91 (1964) 82-84.

[33] Jn 1,14. El mismo lenguaje simbólico en la transfiguración (Mc 9,7) y en la ascensión (Hch 1,9).

[34] Jn 1,12-14; 2,21; 4,23; Mt 21,51; Heb 9,24. Las primeras comunidades cristianas expresaron esta fe confesando que Jesucristo vivió, murió y resucitó para salvación de todos (Hch 4,12; Jn 10,10), o por nuestros pecados (1 Cor 15,3, donde Pablo trae una formulación tradicional). En lenguaje cultual, la carta a los Hebreos habla del «acceso» que todos tenemos a Dios gracias a la vida de Jesús entregada en favor de los hermanos. En eso consistieron la verdad y novedad de su sacrificio (c. 5, 9 y 10). En esa perspectiva debe ser leída la expresión: «Dios es único como único es también el mediador entre Dios y los hombres, un hombre, Jesucristo, que se entregó a sí mismo para redimir a todos» (1 Tim 2,5).

- *La Iglesia, cuerpo «espiritual» del Resucitado*

La experiencia o fe cristiana incluye a su vez otro artículo central: la Iglesia es sacramento del Espíritu, recuerdo y presencia de Cristo resucitado que sigue convocando a los hombres al encuentro de gracia con Dios (Jn 15,26).

Hay continuidad entre el Jesús histórico y la Iglesia. Mientras vivió en Palestina, el mesías creó una pequeña comunidad con la intención de que fuera ella el signo palpable del reino de Dios o nueva fraternidad sin dominación de nadie sobre nadie. Pero el encuentro con el Resucitado fue la experiencia decisiva para la formación de la comunidad cristiana decepcionada y dispersa por la muerte ignominiosa del Maestro; el fracaso de la cruz había sumergido a los discípulos en la desesperanza, que lograron superar porque el Resucitado irrumpió en sus vidas. En ese encuentro pascual, tan real como inefable, aquellos primeros cristianos entendieron bien que había llegado ya la realidad de la presencia esperada: «Yo estaré con vosotros hasta el final del mundo» (Mt 28,20). Tanto los discípulos de Emaús como María de Magdala o Tomás son paradigmas para todos los seguidores de Jesús llamados a descubrir la presencia del Resucitado en la dureza del camino, en el que está junto a nosotros y en la oscuridad de la fe[35].

De modo especial Pablo ha celebrado la presencia del Resucitado en la Iglesia y en el corazón de cada creyente. La comunidad cristiana es templo del Espíritu como lo es cada uno de los creyentes. Porque sus miembros están alcanzados por el único Espíritu que los convoca en un solo cuerpo, hay que superar las divisiones dentro de la Iglesia y abandonar las idolatrías que continuamente amenazan la

[35] Lc 24,13-24; Jn 11,20; 18,28.

comunión[36]. La Iglesia tiene conciencia de ser comunidad de salvación donde se ofrece un culto «en espíritu y en verdad»[37].

b) La eucaristía, sacramento de esta fe o vida eclesial

La Iglesia proclama su fe o experiencia de vida en un sacramento, un símbolo que hace presente la realidad o vida de la Iglesia: Cristo resucitado presente y activo en forma de comunidad como salvación para todos. Una vez más, los símbolos sacramentales representan y así hacen presente la vida de la Iglesia en favor de quienes participan en el sacramento[38]. En la eucaristía, la Iglesia representa simbólicamente y celebra la presencia del Resucitado que se ofrece como camino, verdad y vida para los seres humanos.

• *El Resucitado convoca a su comunidad*

La eucaristía es acto de toda la comunidad cristiana, unida y reunida por el espíritu del Resucitado. El mismo Jesús que, poco antes de morir, celebró la última cena con sus discípulos y mandó que sus seguidores renovasen ese gesto, ahora, ya en la posesión de vida plena, convoca y preside también a la comunidad cristiana; por eso el presidente de la celebración tiene también una representatividad sacramental: «Estoy en medio de vosotros como el que sirve» (Lc 22,27)

– *Ofreciendo su vida*. Así lo expresan las palabras: «Tomad y comed, este es mi cuerpo; tomad y bebed, esta es mi sangre». Cristo resucitado entrega su persona que ha vivido como ser humano en nuestra tierra, que ha sentido compasión ante las miserias de la humanidad y se ha comprometido en la liberación de la misma, que ha combatido las fuerzas del mal que matan y que hoy es «cuerpo espiritual», individuo solidario.

– *Una vida sacrificada*. La intimidad de Jesús y su práctica histórica discurrieron apasionadas por la llegada del reino de Dios, la fraternidad sin discriminaciones. Fue una existencia verdaderamente apasionada por esa nueva humanidad. Y como el que descubre un tesoro escondido, «motivado por el hallazgo», vende todo lo que tiene para comprar el campo, Jesús gastó su vida y la sacrificó hasta el martirio. Es lo que ahora re-presenta y nos ofrece la eucaristía: «Mi cuerpo entregado por vosotros»; «esta es mi sangre derramada por vosotros». En aquella vida y en aquella muerte de Jesús se plasmó históricamente la «nueva alianza», el proyecto de Dios cuyo espíritu ha entrado en nuestra humanidad cambiando nuestro «corazón de piedra» en «corazón de carne». Y esa nueva alianza, firmada en el acontecimiento Jesucristo, se hace presente para nosotros en la celebración eucarística como posibilidad abierta de salvación.

– *Como alimento para el camino*. En la celebración eucarística, el Resucitado, presente y activo en forma de comunidad, ofrece su vida, su martirio y su resurrección en una comida. Como alimento para quienes ya entraron en la Iglesia por el bautismo, pero todavía deben configurarse a Jesucristo en un proceso histórico. Así sucedió en la última cena y así sucede también hoy en la celebración eucarística: se participa la vida de Jesús en amor hasta el martirio, pero en esa participación se anhela una plenitud todavía esperada. En la comunión eucarística, la presencia del Resucitado es invitación al seguimiento histórico de Jesús y al mismo tiempo una nostalgia de encuentro definitivo «hasta que vuelva». Más que sagrarios, en la comunión nos hacemos testigos de la salvación ya presente, cuya plenitud aún esperamos[39].

4. La presencia real

Las comunidades apostólicas celebraron la presencia de Cristo resucitado que alimenta y reanima

---

[36] 1 Cor 6,16-20; 12,12-26.

[37] Jn 4,23; 1 Pe 2,5; Rom 12,1.

[38] Proporcionalmente para todos los sacramentos vale lo que el Vaticano II dice para el bautismo: «Rito sagrado en que se representa y efectúa la unión con la muerte y resurrección de Cristo» (LG 7).

[39] 1 Cor 11,26. Dimensión escatológica que rejuvenece continuamente a la Iglesia: «¡Ven, Señor Jesús!» (Antigua plegaria de la comunidad cristiana –1 Cor 16,21– con que hoy la Iglesia sigue aclamando la celebración eucarística).

en una comida sacramental. Pero esa fe común tuvo que ser proclamada en distintas culturas, cuyos marcos de comprensión a veces desfiguraban la fe tradicional. Sólo conociendo las principales versiones culturales de esta presencia en el pasado se podrán comprender mejor preocupaciones y posiciones del presente. Aunque seamos conscientes de que a verdades-límite como ésta de la presencia real eucarística llegan nuestros ojos sólo cuando nos arrodillamos, tenemos derecho y obligación de reflexionar desde y para nuestra cultura donde debemos ser testigos de la buena noticia. Primero veremos los principales cambios de cultura y consiguientes cambios en el modelo de comprensión que han tenido lugar en el pasado, para después sugerir caminos para presentar esta verdad en nuestra cultura.

a) Algunos modelos de comprensión en el pasado

Nacido en el mundo judío, pronto el cristianismo tuvo que abrirse al mundo griego y traducir su mensaje con categorías propias de ese mundo. Más tarde, la Iglesia entró en la cultura latina y en la mentalidad germánica de los pueblos centroeuropeos con su modo peculiar de comprensión. Avanzada la Edad Media, la teología, marcada por la mentalidad germánica, se sirvió de categorías filosóficas griegas para comprender la fe cristiana sobre la presencia real. Esas categorías fueron ratificadas en el concilio de Trento y oficialmente siguen siendo reconocidas como válidas hasta nuestros días.

• *Versión en filosofía platónica: «símbolo real»*

El ambiente mediterráneo, donde primero se propagó la fe cristiana, llevaba la impronta del platonismo y del neoplatonismo, donde prevalecía lo especulativo sobre lo ético. Ya sabemos cuáles son los principios estructurales de la filosofía platónica: 1) los objetos reales son copia de la Idea o realidad absoluta que proyecta en ellos su sombra; al ser copia, esos objetos hacen presente de modo imperfecto el original y remiten continuamente al mismo; por eso mirar la realidad implica entrar en relación con la Idea o realidad absoluta; 2) el reflejo de la Idea o realidad absoluta en las realidades creadas se hace por grados, dentro de una escala natural de los seres.

En los marcos de esta filosofía platónica, *los padres griegos* hablan de la eucaristía como «símbolo real»: presencia deficiente de otra realidad más alta. Eso quiere decir *anámnesis*, presencia objetiva y abierta a una plenitud. El pan y el vino son imagen *(symbolon, eikón, typos)* del cuerpo y sangre de Cristo; es decir, la realidad de Cristo –«cuerpo y sangre»– se hace presente para nosotros en el pan y el vino[40].

Los padres latinos, como Cipriano, Ambrosio y Agustín, también discurrieron con esa visión platónica, si bien más preocupados por la dimensión ética que por la explicación teórica. En Cipriano, la eucaristía es alimento para fortaleza en la persecución; al mismo tiempo es realización y fuente de unidad en la misma Iglesia. Buen conocedor de la tradición griega, Ambrosio destaca la dimensión ético-pastoral: necesidad de acogida y apertura libre por parte de quienes reciben la eucaristía. Finalmente Agustín, un platónico cristiano, con su profunda visión eclesiológica, dice: La comida eucarística es «símbolo real» no sólo de Cristo, sino también de su cuerpo que es la Iglesia; esta es el «cuerpo real de Cristo», mientras la eucaristía es el «cuerpo místico»; es decir, el «símbolo real» según la expresión de los padres griegos, donde Cristo y su Iglesia expresan y entregan su vida.

Agustín es sin duda el padre latino más platónico. Su genialidad será interpretada parcialmente y falseada en la Edad Media, cuando se traiga su autoridad para justificar que la eucaristía es mero signo, negando el realismo del símbolo en la tradición platónica de los padres griegos. Aunque la visión de Ambrosio destaca bien la intervención gratuita de Dios en la presencia real, pero no da el

[40] Buena exposición sobre la versión de la presencia real en en la visión y categorías del platonismo, en A. Gerken, *Teología de la eucaristía*, Madrid 1991, 59-79.

debido relieve a la visión de los padres griegos, e introduce el llamado «metabolismo»[41].

• *Otra versión en la Edad Media*

Y aquí vamos a distinguir tres momentos. En los dos primeros se ve fraguar la oposición entre signo y realidad que no existía en la visión platónica de los padres, y en un tercer momento se comprende la presencia real como término de la llamada «transubstanciación».

– *Primera controversia: s. IX*

El cristianismo entra en la cultura germánica, donde tuvo relevancia el pueblo franco. En el pensamiento de esta cultura se inscriben también los godos en España. Años de grandes invasiones y desplazamientos rápidos, no había tiempo para asimilar con serenidad y profundidad la cultura grecolatina ni la versión del cristianismo dentro de la misma. Por otra parte, la mentalidad de la cultura germánica es fisicista y cosista; por ejemplo, el homicidio se subsanaba con dinero, pues el valor simbólico de la persona no cuenta; el dinero podía también cubrir las deudas del pecador, y en esa mentalidad surgieron las «redenciones» de la penitencia: por una suma estipulada, otros podían suplir al pecador. Una visión propicia para la simonía, absolutización de imágenes y reliquias.

En este nuevo contexto cultural surgió en el s. IV la polémica entre dos monjes, Pascasio Radberto y Ratramno. Según el primero, si en la eucaristía está el cuerpo de Cristo presente como en signo, no lo está en realidad. Ratramno le arguye acudiendo a la autoridad de san Agustín, pero no capta bien el realismo del simbolismo platónico en que se mueve el obispo de Hipona. En los padres griegos, la imagen o símbolo no se opone a realidad, pero aquí sí. En adelante, la discusión se polariza en esta alternativa: la presencia de Cristo en la eucaristía está en realidad, o en signo. La conciencia de la comunidad cristiana y la enseñanza oficial de la Iglesia defienden el realismo; pero se pierde la visión patrística del símbolo, y con mentalidad fisicista se pretende explicar cómo se da una presencia real somática de Cristo en el pan y en el vino consagrados.

– *Segunda controversia:*
Berengario de Tours († 1088)

Este obispo francés se apoyaba en san Agustín y sigue la línea de Ratramno. Emplea el término «substancia» no en sentido aristotélico –esa filosofía no había entrado aún en occidente–, sino como la suma de propiedades de una realidad perceptibles por los sentidos. Y discurre: las substancias de pan y de vino permanecen después de la consagración, no cambian; pan y vino son únicamente imagen *(figura)* o semejanza *(similitudo)* del cuerpo y de la sangre de Cristo.

Se había perdido la visión platónica de símbolo real, y había sido sustituido por el signo que se opone a realidad. Y los adversarios de Berengario, en vez de aceptar el reto de la nueva cultura buscando una nueva versión de la fe, zanjaron sin más la cuestión cayendo en un objetivismo groseramente empírico, según la profesión de fe que impusieron en 1059: «El pan y el vino que se ponen sobre el altar después de la consagración son no sólo sacramento (signo), sino verdadero cuerpo y sangre de Nuestro Señor Jesucristo y pueden ser tocados y partidos, y ser alcanzados por los dientes de los fieles»[42]. La profesión de fe que de nuevo tuvo que hacer Berengario en el 1079 es más modesta, pero sigue contraponiendo realidad y signo; se pierde completamente la categoría de «símbolo real», y se centra la atención en una presencia «somática» cuya explicación exigirá nuevas teorías en la teología medieval[43].

[41] Habla san Ambrosio de la transformación del pan y del vino en el cuerpo y sangre de Cristo por la plegaria de bendición. Y así, después de la bendición en la eucaristía, podemos distinguir «lo visible y lo invisible». Se sugiere ya otra vía de causalidad eficiente que tendrá el monopolio en la teología medieval, y que es distinta de la causalidad simbólica tan destacada en los padres griegos.

[42] DS 690.

[43] «Yo, Berengario, creo de corazón y afirmo con la boca que el pan y el vino después de la consagración son el verdadero

> La presencia del verdadero cuerpo y de la sangre de Cristo en este sacramento no es accesible a los sentidos, sino sólo a la fe que se apoya en la autoridad divina. Pero es consecuencia lógica del amor de Cristo, quien por nuestra salvación asumió un cuerpo verdadero de nuestra naturaleza.
>
> Santo Tomás, III, 75, 1 c.

– *La «transubstanciación». Teología escolástica*

Ya en los últimos años del s. XI, el binomio ambrosiano «visible-invisible» es sustituido por «especies» y «substancia». En el s. XII entra en el discurso teológico la filosofía de Aristóteles con su distinción «substancia y accidentes», núcleo consistente de una realidad y cualidades perceptibles de la misma. Con la mediación de esta filosofía se interpreta la presencia real como fruto de la «transubstanciación» [44]. Y en ese marco de la filosofía aristotélica se mueve la teología medieval del s. XIII, cuyo representante más genial es Tomás de Aquino. Merece la pena señalar los principales pasos de su discurso:

• Primero una observación fundamental: la presencia real de Cristo en el sacramento de la eucaristía «no es perceptible a los sentidos, sino a la fe que se apoya en la autoridad divina» [45]. La reflexión teológica se queda en el terreno de las aproximaciones, y cualquier teoría explicativa de la misma debe aceptar esa limitación.

• La presencia real tiene lugar mediante «la conversión de toda la substancia del pan y del vino en el cuerpo y sangre de Cristo». «Substancia» es categoría de la filosofía aristotélica: la esencia de las cosas que se actualiza en los accidentes perceptibles y cambiables. Después de la consagración permanecen los accidentes de pan y vino –sabor, color...– como signo externo («sacramentum tantum»), pero no la substancia de esos elementos; la substancia del cuerpo y de la sangre de Cristo es la nueva realidad («res et sacramentum»), fuente de gracia para los fieles («res tantum») [46].

• Santo Tomás discurre dentro de la fe que se verifica y se concreta en la práctica litúrgica de la comunidad cristiana –«lex orandi, lex credendi»–. En el s. XIII, la adoración al Santísimo ocupaba un puesto muy relevante en la piedad comunitaria, y esa piedad popular fue su lugar teológico: si después de la consagración permanecieran las substancias del pan y del vino, «habría en el sacramento una substancia que no puede ser adorada con el culto de latría». Pero si esas substancias no permanecen, ¿cómo y dónde sustentar los accidentes que, según la filosofía aristotélica en que se apoya la explicación, no pueden estar sino en la substancia? Y aquí santo Tomás rompe con la teoría filosófica: debemos afirmar que después de la consagración los accidentes de pan y de vino permanecen sin sujeto de adhesión o substancia en que se apoyen. Una vez más, la fe prevalece sobre la lógica racional [47].

El gran maestro de la teología medieval superó definitivamente el realismo sensista de la preescolástica. También distinguió bien la verdad proclamada en la fe de las mediaciones filosóficas para la comprensión aproximativa de la misma. Por ello en el espíritu de santo Tomás ni siquiera la categoría «transubstanciación» empleada por él tiene valor permanente para todos los tiempos. Pudo ser término apropiado en una época y en un contexto cultural determinado, pero no formulación definitiva [48].

---

cuerpo de Cristo que nació de la Virgen y que, ofrecido por la salvación del mundo, fue colgado en la cruz y está sentado a la derecha del Padre; y también la verdadera sangre de Cristo que brotó del costado, no sólo en el signo y virtud del sacramento, sino también en la propia naturaleza y en la verdad de la substancia» (DS 700).

[44] Ya en 1215, el IV Concilio de Letrán introdujo ese lenguaje para confesar la presencia real de Cristo en la eucaristía: «El cuerpo y la sangre de Cristo están presentes de verdad en el sacramento del altar bajo las especies de pan y de vino, *transubstanciado* el pan en cuerpo y el vino en sangre por el poder divino» (DS 802).

[45] III, 75, 1.

[46] III, 75, 2-4.

[47] III, 75, 2, sol 2.

[48] El contenido de la fe no se agota en las expresiones o categorías humanas. Por eso «el acto del creyente no termina en lo enunciable, sino en la realidad» (Santo Tomás, II-II, 1, 2, sol 2).

Sin embargo en esa teología medieval se redujo el horizonte bíblico y patrístico para interpretar adecuadamente la presencia real eucarística. Se perdió incluso la visión de san Agustín para quien la Iglesia es lugar matriz de la presencia real eucarística. En la teología medieval se afirma que la eucaristía construye a la Iglesia, pero no se deja claro que antes la Iglesia es comunidad creyente donde brota la eucaristía [49].

• *Reformadores y concilio de Trento*

– Ante una práctica eclesial y una teología deformadas por el objetivismo de la presencia real somática y fisicista de Cristo en el pan y en el vino consagrados, *los reformadores del s. XVI* destacaron bien aspectos olvidados de la revelación. Por ejemplo, según la tradición paulina, la eucaristía es la «cena del Señor»; una comida o banquete al que somos invitados (Lutero) para participar en la vida y destino de Cristo (Calvino), saliendo de nosotros mismos y fiándonos de Dios (Zuinglio). Los reformadores criticaban también a la Iglesia porque no celebraba la eucaristía dando la comunión de pan y de vino como hizo Jesús en la última cena. Tampoco podían aceptar la prevalencia de la mediación filosófica empleada sobre el dato revelado: apoyados en la filosofía aristotélica, los teólogos medievales afirmaban que permanecía Cristo presente en el pan y en el vino mientras no se corrompieran los accidentes. Lutero rechazó la «transubstanciación», y defendió la presencia real sólo en el signo de la comida mientras se comulga («in usu»).

Admitiendo los sanos correctivos de la reforma para unilateralismos y deformaciones en que habían caído la teoría y la práctica de la eucaristía, los reformadores una vez más *se fueron al otro extremo:* destacaron tanto el subjetivismo de la fe, que olvidaron la entrega gratuita y real de Cristo resucitado en su cuerpo espiritual e histórico que es la Iglesia.

Por lo demás, Lutero, que criticó el absolutismo de las mediaciones filosóficas, él mismo aceptó esas mediaciones («consubstanciación» o permanencia de la substancia del pan y del vino con la substancia de Cristo). Su crítica entra y se queda en la dialéctica del discurso medieval, que abandona la sacramentalidad o «simbolismo real» de la tradición patrística.

– El concilio de Trento reaccionó contra las desviaciones de la reforma en su *Decreto sobre la eucaristía*. De sus 11 cánones, ya mirando a la enseñanza de los reformadores, tienen especial importancia los cuatro primeros:

Saliendo al paso de la interpretación «espiritual» dada por Zuinglio y Calvino, el concilio afirma: en la eucaristía

> «están presentes verdadera, real y substancialmente el cuerpo y la sangre de Cristo, con su alma y divinidad; consiguientemente Cristo íntegro» [50].

Contra la doctrina de Lutero que no aceptaba el término «transubstanciación» viene el can. 2:

> «La presencia real de Cristo se logra por la singular conversión de toda la substancia de pan en el cuerpo y de toda la substancia de vino en la sangre, aunque permaneciendo las especies de pan y de vino. A esta conversión la Iglesia católica llama con propiedad (*aptissime*) transubstanciación» [51].

Para salvaguardar el realismo de la presencia eucarística y de la práctica litúrgica, se añaden otros dos cánones:

> «En el venerable sacramento de la eucaristía está Cristo íntegro, en cada especie y en cada parte de las especies, una vez hecha la separación» [52].

> «Después de la consagración, en el admirable sacramento de la eucaristía están presentes el cuerpo y la sangre de nuestro Señor Jesucristo, no sólo "in usu" mientras son comidos, sino también antes y después; y en las hostias o partículas consagradas, que se reservan después de la comunión, permanece el verdadero cuerpo del Señor» [53].

[49] El esquema agustiniano (Cristo-Iglesia, cuerpo real-eucaristía, cuerpo místico) se invierte: Cristo-eucaristía, cuerpo real-Iglesia, cuerpo místico; cf. H. de Lubac, *Corpus mysticum. L'eucharistie et l'Eglise au Moyen Age*, París 1949, 97-147. Buen comentario en A. Gerken, *o. c.*, 120-122.

[50] DS 1651.

[51] DS 1652.

[52] DS 1653.

[53] DS 1654.

– *La intervención de Trento ante la reforma era delicada*. Tenía que salvar el realismo sacramental de la Iglesia como cuerpo espiritual y la entrega real de Cristo en el sacramento de la eucaristía. Pero también debía examinar la racionalidad filosófica bajo la que venía funcionando la teología, y corregir muchas prácticas litúrgicas deformadas. Pero tal vez por miedo al antiguo error de Berengario, los padres conciliares se centraron exclusivamente en el realismo de la presencia eucarística, sirviéndose sin más de las categorías filosóficas transmitidas en la teología medieval. En Trento no se aprovechó la ocasión para revisar ese modelo medieval de interpretación. En vez de volver a la tradición patrística y recuperar la categoría «símbolo real», se insistió en el objetivismo de la presencia. Quizá no había otra alternativa en aquel momento, pero la doctrina del concilio dio pie a la teología de la Contrarreforma para postergar la importancia de la fe, y dejó camino abierto para una práctica de ritualismo malsano.

b) Hacia un nuevo modelo de comprensión

En la segunda mitad de nuestro siglo se hace cada vez más notoria la entrada de una nueva cultura, con nuevas formas de interpretación y nuevas prácticas. Lógicamente, categorías y modelos de comprensión que pudieron ser válidos en el pasado, pueden ser hoy inadecuados. El lenguaje de Trento, marcado por la teología escolástica, es ya irrelevante para el hombre moderno; por ejemplo, en las ciencias físicas nada significa hoy la teoría hilemórfica con sus distinciones de materia y forma, substancia y accidentes.

Por otra parte, ha tenido lugar entre las dos últimas guerras mundiales un movimiento bíblico y patrístico que amplía el horizonte y permite apreciar las limitaciones de la visión escolástica y neoescolástica[54]. A su vez, el diálogo ecuménico, tan promovido en los años del Vaticano II, ha servido para que la Iglesia católica incorpore aspectos y matices destacados por la Reforma del s. XVI[55]. Finalmente, en la filosofía moderna también ha caído la visión objetivista, abstracta y estática de la realidad; la definición substancialista y conceptual que define las cosas «en sí» al margen de la concreción y dinamismo históricos ha dejado paso a la explicación de las realidades, incluida la humana, como «ser –para– o en relación con el otro».

Todos estos cambios afectan inevitablemente al modo de interpretar la única fe de la Iglesia sobre la presencia real de Cristo en la eucaristía. Primero hay que conocer un poco los intentos más recientes buscando un nuevo modelo de comprensión. Después, y asumiendo lo positivo de esa búsqueda, podremos sugerir algunas claves para una interpretación renovada.

• *Algunos intentos recientes*

Al contacto con las fuentes bíblicas y patrísticas, se han recuperado las categorías «memorial», *anámnesis*; y recurriendo a la intervención del Espíritu, se ha presentado la eucaristía como un banquete en que Cristo resucitado convoca y fortalece a la comunidad cristiana con su cuerpo y con su sangre[56]. Pero con la preocupación de acceder a la confesión de fe cristiana con categorías filosóficas actuales más personalistas que la metafísica griega, en la década de los sesenta hubo algunos ensayos

[54] En la renovación de los estudios bíblicos hay que recordar aquí necesariamente la influencia de «L'Ecole Biblique» de Jerusalén. En el ámbito de la liturgia, la renovación se hizo volviendo a la tradición patrística, y tuvo su lugar en algunas abadías centroeuropeas. Un representante muy significativo en esta renovación fue Odo Casel, monje de María Laach, con su «doctrina de los misterios» (*Mysterienlehre*), que no dio razones muy convincentes de su doctrina cuando le atacaron algunos teólogos, pero cuya intuición fue asumida por el Vaticano II (SC 102). Son centrales dos obras suyas traducidas al castellano: *El misterio del culto cristiano*, San Sebastián 1963, y *El misterio de la Ekkesia. La comunidad de todos los redimidos en Cristo*, Madrid 1964.

[55] A modo de ejemplo, fueron representativos dos teólogos no católicos: F. J. Leenhardt, *Ceci est mon corps*, Neuchâtel-París 1955 y Max Thurian, *La eucaristía, memorial del Señor, sacrificio de acción de gracias y de intercesión*, Salamanca ²1967.

[56] Además de Max Thurian, *o. c.*, fue conocido en traducción castellana L. Bouyer, *Eucaristía*, Barcelona 1969.

para abrir nuevos caminos de interpretación[57]. Por ejemplo, según K. Rahner, el concilio de Trento confiesa la presencia real de Cristo en el pan y en el vino, pero esa profesión no incluye también una explicación determinada de la presencia. En el examen hermenéutico de los textos tridentinos, Schillebeeckx analiza detalladamente y distingue entre el contenido de la fe que se proclama, y las categorías filosóficas empleadas para presentarlo.

Aunque J. Ratzinger ya destaca que pan y vino pasan a ser signos realizativos de Cristo que se ofrece como alimento a los comensales, fue P. Schoonenberg quien, desde una filosofía fenomenológica, propuso una interpretación nueva, cuyo discurso procede así. Primero hace dos distinciones previas: 1) entre signo informativo –nos da conocimiento de algo–, y signo realizativo –portador en sí mismo de una realidad, por ejemplo el regalo de un ser querido–; 2) entre presencia espacial y presencia personal; ésta sólo tiene lugar mediante un signo realizativo, y así nuestro cuerpo puede estar junto a otro sin comunicación alguna, o ser signo realizativo de una presencia por la voluntad comunicativa de relacionarnos con el otro. Un regalo enviado a una persona querida puede ser un signo más eficaz de presencia personal que un «estar junto» físicamente sin comunicación alguna.

Hechas estas ditinciones, Schoonenberg explica la presencia real eucarística. Cristo resucitado, «cuerpo espiritual» o individuo comunitario, puede comunicarnos su presencia de vida para nosotros en el signo realizativo del pan y del vino. Gracias al Espíritu, en estos elementos se da un cambio real que podemos llamar «transignificación», pues la comida de pan y de vino se transforma en comida del Resucitado con su comunidad. En la eucaristía Cristo está presente «en relación a» o como alimento para nosotros. Se habla de una ontología relacional y personalista, muy otra de la metafísica griega.

[57] Por ejemplo K. Rahner, *La presencia de Cristo en el sacramento de la cena del Señor*, en ET IV, Madrid 1962, 367-396; J. Ratzinger, *Transubstanciación y eucaristía*, Madrid 1969: un artículo publicado en alemán en 1967; P. Schoonenberg, *Transubstanciación: ¿hasta qué punto está determinada históricamente esta doctrina?:* Concilium 24 (1967) 86-100; E. Schillebeeckx, *La presencia de Cristo en la eucaristía*, Madrid 1968.

- *La Enc. «Mysterium fidei», septiembre 1965*

Se acababa de celebrar el Vaticano II, donde la eucaristía fue presentada como fuente en la vida de la Iglesia, de la caridad y del apostolado, centro de los sacramentos, comienzo y fin de la evangelización. A esto alude Pablo VI en la introducción de la encíclica. Pero hay también una preocupación extraconciliar: las discusiones en Holanda sobre «el dogma de la transubstanciación y del culto eucarístico que perturban a las almas de los fieles». Algunos teólogos insistían en algo innegable: la eucaristía es presencia de un acontecimiento de salvación ofrecido a los hombres; lo decisivo son los nuevos significado y finalidad del pan y del vino después de la consagración; ya no significan sólo el alimento material, sino también el espiritual; no sirven sólo para alimentar físicamente, sino también espiritualmente. Hay que abandonar la interpretación cosista y ontológica de la escolástica, para ir hacia una presencia de relación interpersonal; los términos hoy adecuados para explicar esa presencia son «transignificación» y «transfinalización», mejor que «transubstanciación», ininteligible para nuestra cultura[58].

Tratando de salvaguardar el realismo de la presencia, Pablo VI declara: «Con la transubstanciación, las especies de pan y de vino revisten nuevo significado y tienen nuevo fin; pero ese nuevo fin y ese nuevo significado suponen nueva realidad ontológica; porque hay transubstanciación, hay también transignificación y transfinalización»[59]. Cuando la encíclica dice que la presencia real no queda expresada suficientemente con el término «significación», se refiere a «signo informativo», no a «signo realizativo», que sería más o menos equivalente al «símbolo real de los padres griegos». El lenguaje y las categorías de la encíclica siguen todavía en una metafísica substancialista que hoy no es comprensible. Por ello Pablo VI ve la necesidad de buscar nueva interpretación y nuevo lenguaje, aunque sin traicionar la confesión católica sobre la presencia real. El objetivo de la *Mysterium fidei* fue asegurar

[58] Buena exposición en E. Schillebeeckx, *o. c.*, 150-186.

[59] AAS 57 (1965) 766.

esa fe, más que sugerir nuevos caminos de interpretación. Hoy urge retomar las intuiciones y sugerencias hechas por los autores ya señalados y otros en la década de los sesenta, buscando una presentación más razonable y accesible a la mentalidad actual.

- *Claves para una interpretación renovada*

De entrada se ven no sólo la necesidad, sino también la posibilidad de nuevos modelos para explicar la presencia real de Cristo en la eucaristía. El concilio de Trento dijo que «transubstanciación» es término «muy adecuado» para expresar la fe cristiana; pero el concilio habló en un tiempo y en una cultura determinados que no son los nuestros. Más aún, indirectamente el mismo concilio dejó abierta la posibilidad de cambio: expresamente los padres conciliares descartaron ligar su confesión de fe a una filosofía concreta; buena prueba de ello fue la elección deliberada del binomio «substancia-especies» en vez de «substancia-accidentes» según la filosofía griega. Por otra parte, si el término «transubstanciación» se considera muy adecuado, implícitamente se da por supuesto que no es el único; son posibles otras versiones de la única fe cuyo contenido queda más allá de todas las formulaciones conceptuales y de todo lenguaje. Puede ser indicativo que los cristianos ortodoxos confiesan la presencia real y no emplean el término «transubstanciación». En esa idea, y siempre reconociendo la necesaria normatividad del magisterio para reformular el credo comunitario, caben algunas sugerencias.

- *Lo decisivo en el dogma católico*

Desde sus primeros pasos, *la comunidad cristiana siempre ha celebrado la presencia real* de Cristo en los alimentos de pan y vino: «El cáliz de bendición que bendecimos es la comunión con la sangre de Cristo; y el pan que partimos es la comunión con el cuerpo de Cristo» (1 Cor 10,16). Pero la fe cristiana en esta presencia o relación singular de Cristo con el pan y el vino ha descartado siempre dos extremos: reducción del pan y del vino a signo informativo, y realismo de contacto fisicista. Dejando a un lado tantas sutiles discusiones sobre el cómo de la presencia real suscitadas en la teología escolástica, conviene señalar el núcleo fundamental del «credo» católico:

– Cristo resucitado está presente y activo en su comunidad «hasta el fin del mundo» (Mt 28,20). Como a los discípulos de Emaús, acompaña hoy a los cristianos en su camino, y a ellos *se entrega como alimento* en la comida eucarística. Así los cristianos son «los que comen y beben con Cristo resucitado de entre los muertos» (Hch 10,41).

– El Resucitado es «cuerpo espiritual», no sólo tiene vida, sino que «comunica vida»; es el individuo solidario, capaz de entrar en comunicación con todos (1 Cor 15,44). En la última cena, Jesús quiso entregarse, dar su propia conducta histórica como alimento para que la «re-creen» sus discípulos, y esa voluntad del Señor es suficiente para justificar la presencia real. Su mandato de renovar ese gesto sigue actualizando aquella voluntad de Jesús en la comunidad cristiana de todos los tiempos. En esa fe hay que confesar «la presencia real, viva y operante de Cristo en este sacramento». Pan y vino han cambiado, son nueva realidad: entrega del Resucitado como alimento para su comunidad; y la resurrección de Jesús es la manifestación teológica de lo que fue su vida y su martirio: el paso del Dios de la vida venciendo al mal y a la muerte. Por eso en la eucaristía participamos ya la resurrección del Señor, pero todavía en camino, en el «seguimiento», re-creando en nuestra propia historia la historia de Jesús, aceptando la conflictividad que conlleva el compromiso por la llegada del reino, «anunciando la muerte de Cristo hasta que venga»[60].

– Una presencia no representable ni localizable, pero real y posible, *cuyo artífice es el Espíritu*, recuerdo y presencia de Cristo (Jn 14,26). Por eso en la celebración de la eucaristía no sólo trae las palabras de Jesús en la última cena, sino que también acude una y otra vez al Espíritu. La *anámnesis* o «memorial» es posible sin la *epiclesis* o invocación

[60] «Por ser el acto de Cristo don de su cuerpo y de su sangre, es decir, de sí mismo, la realidad dada bajo los signos de pan y vino es su cuerpo y su sangre» (Les Dombes, & 19; también & 17).

del Espíritu. Cristo resucitado toma la iniciativa y el Espíritu realiza la palabra[61].

– Una presencia que actualiza de modo singular la presencia del Resucitado *en su comunidad que es la Iglesia*. Los sacramentos son profesiones públicas de la fe o vida de la comunidad cristiana que infaliblemente –«ex opere operato»– se pone a favor de los seres humanos. Y en el gesto sacramental de la eucaristía la Iglesia confiesa, realiza esa presencia. La maravilla, el verdadero milagro en sentido bíblico, no es la presencia real eucarística, sino la encarnación históricamente plasmada en el misterio de la Iglesia. Con su orientación, el Vaticano II permite recuperar esta visión agustiniana de la eucaristía, clave fundamental para interpretar bien no sólo la presencia real eucarística, sino también la eficacia de los otros sacramentos[62].

– Después de la consagración, la presencia de Cristo entregando su propia vida *permanece en el pan y en el vino consagrados*. Han pasado a ser nueva realidad que dura mientras sean símbolo de alimento. La Enc. *Mysterium fidei* recuerda cómo ya en los primeros siglos se llevaba la comunión a los enfermos; hasta nuestros días se sigue reservando el pan consagrado en la eucaristía no sólo para viático de los moribundos, sino también para dar la comunión a los enfermos fuera de la misa y, a título más excepcional, para la adoración[63].

- *Necesidad de revisar algunas visiones y prácticas*

Con lo que venimos diciendo, y sin la pretensión de dar juicios negativos absolutos sobre prácticas que sólo pueden ser interpretadas con justicia en una época y contexto cultural, a modo de ejemplo, hay algunos aspectos de las celebraciones eucarísticas que deben ser revisados.

– En la celebración y comunión eucarística, Cristo resucitado nos entrega su propia historia que pasó por el martirio y hoy se manifiesta en la resurrección. La celebración eucarística se relaciona con la última cena, y no de modo exclusivo con la muerte del Señor. No es un funeral, sino comida de fiesta. Entonces, ¿a qué viene el *dolorismo religioso* que con frecuencia ensombrece nuestras celebraciones? Claro que ese dolorismo tiene mucho que ver con la visión negativa que frecuentemente hay del sacrificio. Volveremos al tema cuando hablemos sobre la sacrificialidad de la eucaristía.

– Cristo resucitado se entrega a sí mismo en una comida para alimento. Lamentablemente, desde que el cristianismo pasó a ser religión oficial dentro del imperio romano y las celebraciones se hicieron en las basílicas, se ha ido perdiendo el simbolismo de la comida. Hoy apenas quedan unos manteles de altar donde sólo tiene acceso el presidente de la asamblea litúrgica. Pero Cristo resucitado no se hace presente primariamente para ser adorado, sino «para ser comido». *Es una presencia referencial:* «Tomad y comed». No es un mero «estar presente» de Cristo en el pan y en el vino, sino de un «estar para» construir la Iglesia, cuerpo de Cristo (Pablo), para consumar la nueva alianza (sinópticos), para comunicar la vida sin muerte (Juan). No debemos olvidar «el para qué» de esta presencia. Frecuentemente nos perdemos en el «cómo» de la misma y no en la intencionalidad profunda de Cristo resucitado cuando se ofrece a sí mismo como alimento.

Otras veces confundimos el respeto y justa veneración con el *«tabú religioso» que infunde miedo y terror*. Por ejemplo, en las prohibiciones de que los fieles se acerquen al altar o toquen con sus manos el pan consagrado. Una vez que comulgamos, pasamos a ser más que sagrarios, testigos de Jesucristo; la fidelidad en nuestro testimonio ha de ser nuestra preocupación. Porque Cristo se hace personalmente presente en la eucaristía, la comunidad cristiana puede y debe adorar al pan consagrado; pero originariamente la reserva no tiene por finalidad primera la adoración, sino llevar la comunión a los enfermos o como viático para quienes van morir. En todo caso, cuando los fieles veneren a Cristo pre-

---

[61] «Es el Espíritu invocado sobre la asamblea, sobre el pan y el vino, el que nos hace a Cristo realmente presente, nos lo da y hace que lo dicernamos» (Les Dombes, & 14).

[62] Hay que leer simultáneamente LG 7 –los sacramentos «representan y realizan»–; y SC 7: «Cristo está presente a la Iglesia... sobre todo bajo las especies eucarísticas».

[63] *Euch. Myst.*, 49.

sente, «recuerden que esa presencia deriva del sacrificio y tiende hacia la comunión»[64].

- *Presencia e intervención del Espíritu*

Refiriéndonos a los sacramentos en general, ya hemos hablado de la presencia del Espíritu para explicar su eficacia. Y esta presencia es singular en la celebración de la eucaristía. Según la tradición oriental, la *epiclesis*, invocación del Espíritu, pertenece a la esencia de la celebración; sin ella tampoco hay *anámnesis* o memorial de la vida, muerte y resurrección de Jesús. En la celebración eucarística, el Espíritu es memorial, recuerda y hace presente el acontecimiento de Jesucristo como hizo posible la encarnación del Verbo. Muchos textos de los padres griegos hablan de una acción del Espíritu para que los dones eucarísticos santifiquen a los fieles[65].

La tradición occidental, marcada por la cuestión del «Filioque» –insistiendo en que el Espíritu procede del Hijo, se olvidó un poco de que también el Hijo procede del Espíritu–, e influida sin duda por la explicación fisicista de la presencia real, puso el énfasis casi de modo exclusivo en las palabras de la consagración pronunciadas por el sacerdote que actúa «in persona Christi». Pero a veces se olvidó de que el sujeto principal de la celebración eucarística, como de toda acción litúrgica, es Cristo en forma de comunidad animada por el Espíritu[66]; por tanto, el sacerdote actúa también «in persona Ecclesiae». Fuera de la comunidad espiritual, tampoco tiene sentido la intervención del sacerdote «in persona Christi». El ministro de los sacramentos no es un mago, sino un carisma del Espíritu dado a la comunidad cristiana para representar sacramentalmente la presencia del Resucitado como cabeza de su comunidad.

5. Un sacrificio singular

La Iglesia declara que la eucaristía es un sacrificio «propio y verdadero», pero a la vez confiesa que se trata de «un sacrificio singular»[67]. La muerte violenta de Jesús está en el centro de la fe cristiana: «No quise saber entre vosotros nada, sino a Cristo Jesús, y a él crucificado» (1 Cor 2,2). Esta centralidad de la muerte violenta olvidando a veces que fue consecuencia de una vida comprometida, y algunas expresiones paulinas como «rescate» o «paga» para explicar la finalidad de aquella muerte, han generado una visión sacrificial deformada entre los mismos cristianos. Así lo manifiesta cierta devoción morbosa en torno al sufrimiento, hasta llegar al deseo piadoso de sufrir como si el dolor por sí mismo fuera redentor.

La muerte de Jesús no es un sacrificio religioso más que se dirige a la divinidad para que se muestre benévola y propicia. La práctica histórica del Profeta, que desencadenó la conflictividad hasta el martirio, fue manifestación o epifanía del amor de Dios autocomunicándose previa y gratuitamente a la humanidad. Por eso la vida y la muerte de Jesús discurrieron en el amor que le llevó a la entrega de sí mismo. Discurrieron apasionadas por la llegada del reino y en consecuencia sacrificadas por esa causa. La eucaristía no es más que la representación sacramental o «símbolo real» del sacrificio de Cristo que tuvo lugar en aquella vida y en aquel martirio; por tanto, sólo desde ahí puede ser rectamente interpretada la sacrificialidad de la misa. Pero ¿tienen esa visión los mismos cristianos?

a) Evolución histórica

Ya en las tradiciones evangélicas sobre la última cena se habla de «cuerpo entregado» y «sangre derramada». En el trasfondo de esas tradiciones, el servidor sacrificado para la liberación de muchos

[64] *Euch. Myst.*, 50.

[65] Es bien elocuente san Cirilo de Jerusalén: «Una vez santificados nosotros mismos por los himnos espirituales (el «Trisagio»), suplicamos al Dios filantrópico que envíe el Espíritu Santo sobre los dones aquí depositados para convertir el pan en cuerpo de Cristo y el vino en sangre de Cristo. Porque todo lo que toca el Espíritu Santo se convierte en santificado y transformado» (*Cat.*, V, 7).

[66] Vat. II, SC 7.

[67] DS 1738.

(Is 53,11) es referencia común. No se puede negar la sacrificialidad de la última cena y en consecuencia de la celebración eucarística. Pero ¿en qué modelo debe ser interpretada esta sacrificialidad?

- *De la «fracción del pan», al sacrificio litúrgico*

Las primeras comunidades cristianas celebran la «fracción del pan» en ambiente de comida fraterna donde Cristo resucitado se hace presente como alimento para su comunidad. Pero este memorial tuvo que entrar en los marcos del culto religioso donde el sacrificio tenía un puesto relevante. Así ocurrió cuando el cristianismo arraigó en comunidades helénicas, cuyas celebraciones conocemos por las cartas de Pablo. En su 1 Cor 11,17-37 denuncia la confusión de la celebración eucarística, expresión y medio de fraternidad, con el culto religioso encubridor de divisiones e injusticia. Pero en el s. I la *Didajé* habla ya de una organización o aparato litúrgico en la celebración de la eucaristía y san Justino acentúa ese marco. En el s. III con san Cipriano la interpretación del sacrificio eucarístico desliza peligrosamente hacia un concepto general de sacrificio religioso. El peligro fue mayor cuando la Iglesia, una vez que cesó la persecución, salió de la clandestinidad y se convirtió en religión oficial del imperio romano, celebrando la eucaristía en las grandes basílicas.

- *En la teología medieval*

No deberíamos pasar por alto el modelo patrístico de «símbolo real» para interpretar la sacrificialidad de la eucaristía: por ser representación del sacrificio de Cristo, la celebración eucarística lo actualiza sacramentalmente en nuevas situaciones históricas; se trata por tanto de un solo sacrificio. Pero pronto se perdió esta visión de los padres griegos, y las consecuencias se vieron en la Iglesia y teología medievales.

La sacrificialidad de la eucaristía es admitida sin más en la teología escolástica. Sin embargo, al caer el realismo simbólico de la celebración sacramental, resultaba muy difícil explicar la unidad del sacrificio cristiano y la verdad del sacrificio eucarístico. El peligro de interpretar el sacrificio eucarístico en el marco y dinamismo religiosos se acentuó con las misas-rescate de ayunos y penitencias tarifadas que se imponían por los pecados[68].

- *Las declaraciones de Trento*

Reaccionando contra los abusos en la práctica litúrgica del tiempo medieval, Lutero niega la sacrificialidad de la eucaristía, ya que, según Heb 9,28, Cristo se ofreció a sí mismo una vez por todas. Por otra parte, y atendiendo a la revelación que nos dice cómo Dios nos ama primero y se inclina en favor nuestro aun cuando somos pecadores (Rom 5,8), la eucaristía es acción de gracias por los dones recibidos, pero no sacrificio propiciatorio para poner a Dios de nuestra parte.

También aquí el concilio fue directamente a defender la confesión cristiana: «La misa es un sacrificio no sólo de alabanza y de acción de gracias, ni simple recuerdo del que tuvo lugar en la cruz, sino también propiciatorio; no sólo aprovecha al que lo recibe, debe ser ofrecido por vivos y difuntos; por los pecados, penas, satisfacciones y otras necesidades»[69]. Y el concilio puntualiza que se trata de un sacrificio relativo al de la cruz:

> «Una sola y la misma es la víctima; el que ahora se ofrece por ministerio de los sacerdotes es el que entonces se ofreció a sí mismo en la cruz, siendo sólo distinta la manera de ofrecerse»[70].

Pero da la impresión de que tanto los reformadores como Trento no acudieron al marco del «simbolismo real» en que los padres griegos explicaban la sacrificialidad de la eucaristía, que se deriva por ser representación sacramental del único sacrificio

---

[68] Cf. J. A. Jungmann, *El sacrificio de la misa*, Madrid 1963, 182. Quizá esta práctica de misas-rescate justificó muchas ordenaciones sacerdotales, y explica de algún modo que el sacerdocio se defina por orden a la celebración de la misa, visión ratificada en el concilio de Trento.

[69] DS 1753.

[70] DS 1743.

de Cristo[71]. Y que también redujeron ese sacrificio a la muerte en cruz, dejando fuera del mismo toda la existencia y la práctica histórica del mesías. Por lo demás, la misma declaración del concilio no explicita la novedad singular del sacrificio cristiano; afirma que el sacrificio de la misa fue anunciado ya por sacrificios paganos y sacrificios de la historia bíblica, pero sin que aparezca la ruptura novedosa con los mismos[72]. Prueba de que no se destacó suficientemente la novedad es la confusión en la teología de la Contrarreforma con las distintas teorías para explicar la sacrificialidad de la misa dentro del modelo común de sacrificio religioso[73].

b) Una lectura sacramental

El Nuevo Testamento no emplea el sacrificio en lenguaje litúrgico, sino más bien para designar una historia o práctica existencial en el servicio al proyecto de Dios o fraternidad entre los hermanos[74]. Pero en la tradición católica latina se ha venido dando una interpretación teológicamente muy peligrosa del sacrificio de Cristo. Debido en parte a la doctrina de san Anselmo (s. XI), se ve la muerte de Jesús no tanto como un asesinato perpetrado por los hombres constituidos en poder, sino como exigencia de una divinidad que no podía satisfacer su honor ofendido sin la sangre del Hijo. Una interpretación que choca de golpe con el evangelio: «Tanto amó Dios al mundo que le entregó a su Hijo único para que todo el que crea en él no perezca». «La prueba de que Dios nos ama es que Cristo, siendo todavía nosotros pecadores, murió por nosotros»[75]. Interpretación que saca la muerte de Jesús fuera del proceso histórico y la deja en un ámbito litúrgico bien manipulable por el esquema religioso del sacrificio.

Pienso que el cristianismo también es una religión que tiene su culto litúrgico y sus sacrificios. Pero se puede hablar de «antisacrificialidad» del cristianismo, porque se cambia el espíritu y se rompe el esquema común del sacrificio religioso. Quienes ofrecen sacrificios no son esclavos ante una divinidad celosa de su honor, sino hijos que ofrecen lo que previa y gratuitamente han recibido de Dios. Los sacrificios no se hacen para poner a la divinidad de nuestra parte, sino para expresar históricamente que hemos sido alcanzados y transformados por el espíritu de la divinidad[76].

Desarrollemos esta idea por puntos:

• *Esquema común de sacrificio religioso*

Más o menos confusamente, los seres humanos se perciben existiendo y actuando dentro de una totalidad que los trasciende, y buscan entrar en contacto de algún modo con esa realidad trascendente, ese mundo superior y misterioso. Unas veces pretenden controlarlo (magia), y otras lo aceptan con admiración y respeto (religión). Entre los símbolos más comunes y elocuentes para entrar en relación con ese mundo divino están el sacrificio y

[71] En el can. 3 «Sobre el santo sacrificio de la misa», dentro de la teología medieval, el concilio ve opuestas «conmemoración» y «realidad» (DS 1753).

[72] DS 1742.

[73] Muy buena presentación en D. Salado, *Sacrificialidad y simbolismo*: Escritos del Vedat XI (1981) 409-436.

[74] Refiriéndose a los cristianos, sacrificio es la entrega de la propia vida para secundar la voluntad de Dios en este mundo (Rom 12,1); en una conducta de misericordia y de justicia (2 Cor 9,12), un sacrificio «de buen olor» (Flp 4,18). La carta a los Hebreos habla del sacrificio de Cristo como entrega de sí mismo existencialmente para secundar la voluntad de Dios, o proyecto de Dios en favor de los seres humanos (2,17-18; 5,1-4; 9,12; 10,7).

[75] Jn 3,16; Rom 5,8.

[76] Por eso creo que debe ser matizada la tesis de R. Girard: el sacrificio es un proceso de catarsis por el que un grupo descarga su violencia interior y su responsabilidad en una víctima; en lugar de los sacrificios, el cristianismo trae la práctica de la justicia, de la reconciliación y el perdón; en este sentido, el cristianismo significa «un éxodo de lo sacrificial» *(La violencia y lo sagrado*, Barcelona 1983; *El misterio de nuestro mundo. Claves para una interpretación antropológica*, Salamanca 1985*)*. En la línea profética, Jesús de Nazaret insistió en que los sacrificios rituales no sirven si falta un auténtico amor hacia los demás: «Misercordia quiero y no sacrificio» (Mt 12,7). Pero Jesús mismo en su forma de vivir y de morir manifestó que el verdadero amor se prueba en el sacrificio, la entrega de la propia vida para que se haga realidad en este mundo el proyecto de Dios siempre mayor que quiere la vida en abundancia para todos.

la oración. En el dinamismo sacrificial podemos distinguir tres momentos: salida de sí mismo para el intercambio, expresada en la inmolación de las víctimas; consagración o toma de posesión por parte de la divinidad; participación en la comida de las víctimas ofrecidas para realizar el encuentro pretendido[77].

- *En la revelación bíblica, el Dios verdadero ¿es violento?*

Es evidente la existencia en la historia bíblica de sacrificios con víctimas de animales: el sacrificio de Abel es más agradable a Dios que el de Caín; para solemnizar la alianza, Abrahán sacrifica varios animales; y en el Exodo se dice que los hebreos deben salir de Egipto para ofrecer sacrificios a Yahvé. Pero el Dios de la Biblia ¿se complace en la muerte de la víctima inocente, sea humana o animal?, ¿exige muerte para satisfacer su apetito? Hay que decir no. El «Dios clemente y compasivo, paciente, lleno de amor y fiel», capaz de perdonar e infundir vida en los huesos secos, no puede querer la muerte del inocente ni del pecador[78]. Algunos indicios avalan esta tesis que va calando cada vez más en la historia de la revelación bíblica.

La intervención de Yahvé que sale al paso impidiendo que Abrahán sacrifique a su primogénito siguiendo la costumbre del clan ha sido interpretada como un «no» a los sacrificios humanos. Pero ¿exige Dios la muerte de animales? Según Gn 29,30, la intención del creador es que los animales y el ser humano se alimenten de hierbas; sólo después del diluvio se dice que los seres humanos pueden usar como alimento «todo lo que tiene vida y se mueve sobre la tierra», aunque no pueden disponer arbitrariamente de su vida simbolizada en la sangre (Gn 9,3-4). La legislación sacrificial de Lv 1-7 tiene clara intención de controlar la violencia ritual, reduciendo el poder mágico de la sangre, y dando a entender que la matanza de animales no es una exigencia de Dios, sino más bien concesión a la naturaleza violenta de los seres humanos[79].

Pero los sacerdotes levíticos no evitaron otro peligro que denunciaron los profetas del s. VIII: Dios quiere justicia en favor de los pobres; no tolera los sacrificios con atropellos sociales. Los sacrificios de animales no dispensan a los potentados de hacer justicia[80].

- *Novedad en el sacrificio de Cristo*

Jesús de Nazaret es la humanidad alcanzada de modo único y singular por la cercanía benevolente de Dios. Fue tan sensible a esa cercanía, hizo tan suya la voluntad de Dios, que fue capaz de vivir y morir con amor sin ninguna reserva de concentración egoísta. Su práctica histórica y su martirio fueron la expresión de una vida apasionada y sacrificada por realizar en este mundo el proyecto del Padre. Su sacrificio no es pretensión del hombre por aplacar a una divinidad airada, sino epifanía del amor de Dios que ha calado a fondo y ha transformado el corazón del ser humano. Jesús no muere como un esclavo, sino como el Hijo. Con razón Tomás de Aquino dirá que la muerte de Jesús ante todo y finalmente es obra de la misericordia divina[81].

---

[77] J. van der Leeuw, *Fenomenología de la religión*, Madrid 1976, 257-299; A. Vergote, *Dimensiones antropológicas de la eucaristía*, en *La eucaristía, símbolo y realidad*, Madrid 1973, 34-35.

[78] Ex 34,6-7; Ez 37,1-14; 18,21.

[79] J. Pixley, *¿Exige el Dios verdadero sacrificios cruentos?:* Revista de interpretación bíblica latinoamericana, n. 2, 109-131.

[80] «Quiero amor, no sacrificios, conocimiento de Dios y no holocaustos» (Os 6,6). «Solemnidad litúrgica con injusticia me resultan insoportables» (Is 1,13). «Cuando yo saqué a vuestros padres del país de Egipto, no les hablé ni les mandé nada tocante al holocausto y sacrificio; lo que les mandé fue esto otro: "escuchad mi voz y yo seré vuestro Dios y vosotros seréis mi pueblo"» (Jr 7,22-23).

[81] Anselmo había situado la muerte de Jesús como un sacrificio debido en «justicia conmutativa». Tomás de Aquino deja bien claro que Dios-amor tiene la iniciativa y que la salvación es obra de su amor gratuito. Y da un paso más diciendo que esta misericordia se hace más palpable porque concede a los seres humanos lo que les corresponde por naturaleza: intervenir con libertad en la obra de su salvación; así la muerte de Jesús es también obra de «justicia distributiva». Pero esta justicia tiene lugar y explicación en el dinamismo de la misericordia divina (III, 46, sol 2).

Ya los evangelios percibieron esa novedad «del culto en espíritu y en verdad»; con la vida y la muerte de Jesús, el velo del templo antiguo se rasgó en dos de arriba abajo. La carta a los Hebreos hace notar bien la novedad del sacrificio de Cristo en relación incluso a los sacrificios del Antiguo Testamento: ya no se ofrecen a Dios víctimas de animales, ni mucho menos Dios quiere la muerte del ser humano; el nuevo sacrificio es Cristo «inmolándose a sí mismo» para servir a los hermanos, para realizar la voluntad del Padre: que todos tengan vida; un sacrificio no litúrgico, sino existencial e histórico[82].

- *Proyectar la eucaristía en esa novedad*

Exponiéndonos a esquematizar demasiado, podemos decir que en la teología medieval hay como dos interpretaciones sobre el sacrificio de Cristo. Una que funciona según el esquema religioso: el Verbo se encarna para morir y así reparar en justicia el honor de la divinidad ofendida por el pecado. Según otra interpretación, es Dios mismo quien se inclina gratuitamente a favor nuestro e infunde sus sentimientos en la humanidad que por amor gasta cuanto es y cuanto tiene para que todos tengan vida.

A pesar de que no responde al evangelio, la primera interpretación caló más en la teología de la Contrarreforma y en la piedad popular. Esa prevalencia repercute inevitablemente a la hora de interpretar la sacrificialidad de la eucaristía. Para corregir el extremismo de los reformadores, el concilio de Trento destacó que la eucaristía es «sacrificio de propiciación»; pero su discurso funciona dentro de la teología escolástica que presenta la muerte de Cristo como «un acto de expiación y satisfacción» aislado de su vida histórica, y no como consecuencia de esa vida transformada por la autocomunicación de Dios. Ese acento en la «propiciación», interpretada frecuentemente por la teología en el esquema religioso de sacrificio, explica la caída en el ritualismo y en el dolorismo que muchas veces deforma la celebración de la eucaristía.

- *«Memorial»*

El concilio de Trento emplea las categorías «memoria» y «representación» para explicar la sacrificialidad de la eucaristía. Pero esas categorías pueden ser interpretadas de forma distinta. Mientras que en el modelo patrístico implicaban un realismo, en la teología medieval utilizada por el concilio de Trento no pasan de ser un signo informativo. Por eso en la teología neoescolástica se habló de «memoria» en sentido figurativo –por ejemplo, la separación de las especies de pan y de vino evocan la muerte de Jesús–, que no incluye el realismo de los padres griegos hablando del «símbolo».

La única explicación inteligible sobre la sacrificialidad de la eucaristía es su sacramentalidad, entendiendo el término como presencia real simbólica. El simbolismo no descarta la realidad, sino que la incluye. Siendo la eucaristía «símbolo real» de la última cena, también hace presente al mismo Jesús resucitado que ofrece su vida entregada por amor hasta la muerte para secundar la voluntad o proyecto del Padre. Concretemos un poco más:

– La eucaristía es un sacrificio *relativo* a la última cena, símbolo real de la presencia de Cristo resucitado que se entrega como alimento a sus discípulos en una comida. Esta relatividad explica la unicidad del sacrificio cristiano: el mismo y único sacrificio de Cristo se renueva y actualiza en el transcurso de la historia incorporando en el mismo a la comunidad cristiana: «En la eucaristía, Cristo ha confiado a su esposa la Iglesia el memorial de su

[82] Culto «en espíritu y en verdad» (Jn 4,24). En esta novedad que invalida el culto antiguo debe ser interpretado también el conflicto de Jesús con el templo judío (Mc 11,15-19; 15,38). La voluntad de obediencia motiva la inmolación de sí mismo al servicio de los hermanos, y la manifestación ritual sólo tiene verdad como expresión de una interioridad responsablemente vivida e historizada (Heb 9,12; 10,5-11). Pero incluso esta obediencia no es sólo empeño prometeico del hombre que quiere conquistar el favor de una divinidad airada y alejada, sino fruto del «Espíritu eterno» que es Dios mismo (Heb 9,14). En esta perspectiva deben ser leídas e interpretadas algunas expresiones del Nuevo Testamento presentando la mediación salvadora de Cristo como «rescate, compra, satisfacción o expiación». Explicación tanto de la doctrina de santo Tomás como de esa terminología neotestamentaria, en J. Espeja, *Hemos visto su gloria. Introducción a la Cristología*, Salamanca 1994, 291-301; 246-247.

muerte y resurrección»[83]. Ello explica también que, como el sacrificio de Cristo, la eucaristía sea verdadero y «singular» respecto a los sacrificios religiosos, y a los ritos sacrificiales del Antiguo Testamento.

– Porque el sacrificio de Cristo no se reduce a su martirio, tampoco la eucaristía es memorial sólo de este acontecimiento, sino *de toda la existencia histórica del Hijo* que vive resucitado de entre los muertos. Lo que celebramos en la eucaristía no es la muerte como acto aislado y redentor por sí solo, sino más bien la conducta histórica de Jesús que, transformado y movido por amor, fue capaz de vivir y morir para que los otros tengan vida.

– La eucaristía es sacrificio por ser «símbolo real» de la última cena en la que Jesús entregó a los discípulos su vida apasionada por la causa del reino de Dios, y sacrificada por la realización del proyecto divino a favor de la humanidad. Y la última cena fue una comida. Por eso *la comunión pertenece a la integridad sacrificial de la misa*. Es verdad que un «símbolo real», o «signo realizativo», siempre es entrega incluso cuando no encuentre recepción en el destinatario; el regalo que me hace alguien que me ama es siempre portador de ese amor independientemente de que yo lo acepte. Pero evidentemente el símbolo no alcanza su objetivo sin la recepción. En la celebración eucarística, Cristo resucitado nos entrega su propia vida y su martirio; pero con una intencionalidad: «Tomad, comed y bebed»; sólo en la comunión la oferta encuentra su verdadero sentido. Por analogía con el esquema común de sacrificio religioso, donde la comida o banquete pertenece a la esencia del mismo, algunos autores concluyen que la comunión pertenece a la esencia del sacrificio eucarístico; para evitar confusiones y por la singularidad del sacrificio cristiano que rompe con el esquema común de sacrificio religioso, parece preferible no acudir a este argumento.

– Como el sacrificio de Cristo, *la eucaristía es ya culto nuevo «en espíritu y en verdad»*. En este culto nuevo prevalece la entrega de la propia persona sobre el frío ritualismo. Más que ritos ofrecidos a una divinidad sedienta de sacrificios, el culto nuevo es profesión pública de la fe o entrega de la vida cotidiana para realizar en el mundo el proyecto de Dios. El sacrificio no es una exigencia de la divinidad, sino más bien exigencia de un amor que quiere ser eficaz en la historia. Somos nosotros, y no Dios, quienes tenemos necesidad de sacrificios cuando nos disponemos a vivir en el amor gratuito.

El sacrificio eucarístico siempre será proclamación eficaz de la entrega de Jesús que vivió y murió para realizar en este mundo la voluntad del Padre, y entrega también de todos aquellos que viven alimentados por el espíritu de Jesús. Como la Iglesia todavía está creciendo en el seguimiento de Cristo, la celebración eucarística no sólo es símbolo indicativo de la entrega realizada por Cristo y por su cuerpo eclesial, sino *también símbolo profético e invitación:*

> «Que los cristianos no asistan a este misterio de fe como extraños y mudos espectadores, sino que aprendan a ofrecerse a sí mismos al ofrecer la hostia inmaculada»[84].

6. Para que todos tengan vida: espiritualidad

La existencia y actividad históricas, la muerte y resurrección de Jesús, discurrieron inspiradas por un objetivo: que todos y todas tengan vida en abundancia. Tal es la voluntad del Padre, y la finalidad de la eucaristía[85]. Cuando escribe sobre los efectos de la eucaristía, santo Tomás hace una reflexión muy sugerente: «En este sacramento se representa la pasión de Cristo; luego lo que esa pasión realizó para el mundo, ahora lo realiza este sacramento para cada hombre»[86]. Si abrimos el horizonte situando la muerte de Jesús como consecuencia de una pretensión y una conducta histórica empeñada en la llegada del reino de Dios, debemos concluir:

[83] Vat. II, SC 47.

[84] SC 48.

[85] Jn 10,10. «El pan que yo les daré es mi carne para la vida del mundo» (Jn 6,51). Los relatos de la cena dicen lo mismo con otras expresiones: «para el perdón de los pecados», para establecer «la nueva alianza».

[86] III, 79, 1.

en este sacramento, vida, muerte y resurrección de Jesucristo se ofrecen a la comunidad cristiana para que crezca en función del reino de Dios. Por eso en la eucaristía tiene la fuente de vida, el alimento para responder a su vocación.

El Vaticano II resume y confiesa esta fe católica: la eucaristía es «sacramento de piedad, signo de unidad, vínculo de caridad, banquete pascual en el que se recibe a Cristo como alimento, el alma se llena de gracia y se nos da una prenda de la gloria futura» [87]. Partiendo de esta bien lograda y apretada síntesis, para no divagar vertebramos la exposición en tres apartados.

a) Cristo se da como alimento para la comunidad

Según los evangelios, Jesús de Nazaret es la vida que bíblicamente significa todos los bienes; y esa vida es la que participamos en la comunión eucarística [88]. La teología de Jn 6,57 es una buena noticia y expresa bien la eficacia de la eucaristía: «Igual que me ha enviado el Padre que vive y yo vivo por el Padre, también el que me come vivirá por mí». Los teólogos escolásticos hablan de «gracia capital»: como vid y sarmientos tienen la única savia, todos los bautizados convocados por el Espíritu a formar un solo cuerpo *(Ek-klesia)* participan la única vida de Cristo. La salud de los miembros exige que permanezcan en el cuerpo, todo él animado por la vida de la cabeza [89].

• *Simbolismo y espiritualidad sacramental*

Como símbolos eficaces, los sacramentos cristianos expresan y hacen presente aquello que simbolizan; así, el simbolismo litúrgico es fuente para conocer la espiritualidad de cada sacramento. Y en el simbolismo de la celebración eucarística Cristo se ofrece como alimento para nosotros: «Tomad y comed», «tomad y bebed». Consiguientemente, la comida eucarística tendrá efectos semejantes a los que alimento y bebida tienen para nuestra existencia y crecimiento humanos.

• *Espiritualidad eucarística*

– Pan y vino, comida y bebida eran, en la cultura en que Jesús vivió, medios comunes y necesarios *para mantener la existencia*. El pan es símbolo de aquello sin lo cual no es posible sobrevivir; en el «Padre nuestro» pedimos el pan de cada día como resumen de todos los bienes imprescindibles. Si no comemos el pan o alimento necesario, no podemos mantener la vida que se nos ha dado. Análogamente, si no comemos el pan eucarístico, no podemos mantener la vida recibida en el bautismo.

– La vida es un movimiento que *se va perfeccionando*. Pero los elementos para llevar a cabo este perfeccionamiento vienen de fuera: aire y sol, alimentos y bebida, nos ayudan a crecer poco a poco. La misma ley vale para la vida intelectual: evolucionamos gracias a las ideas y sugerencias que los otros nos transmiten. Y algo similar ocurre en el desarrollo de la vida espiritual. La eucaristía promueve la gracia o encuentro interpersonal con Dios a quien hemos experimentado ya como Padre en nuestro bautismo. Comulgando a Cristo resucitado, nuestra vocación bautismal logra su perfeccionamiento. Por eso la teología tradicional afirmaba que ya el bautismo incluye la eucaristía «in voto».

– El alimento y la bebida sirven también *para reparar fuerzas* superando muchas debilidades. Jesús se ofreció como «pan de vida», no para los que se creían justos y estaban satisfechos de sí mismos, sino para quienes se reconocían pecadores. En la eucaristía tenemos acceso a la nueva alianza en la sangre de Cristo derramada «para el perdón de los pecados». No vale una interpretación jansenista de la comunión eucarística, que únicamente fuera recompensa para los justos y premio para los buenos. Más bien es alimento para quienes avanzamos

[87] SC 47.

[88] En este sacramento, Cristo nos entrega su cuerpo y su sangre «para que vivamos su misma vida» (DS 1638). Dos libros muy sugerentes: J. Galot, *Eucaristía y vida*, Bilbao 1967; A. Paoli, *«Pan y vino». Tierra (del exilio a la comunión)*, Santander 1980.

[89] Alegoría de la vid (Jn 15,1-10). Sobre la «gracia capital» de Cristo, Santo Tomás, III, 7.

todavía en la oscuridad de la fe y en el egoísmo que tanto nos humilla. La comunión de Cristo, como los encuentros de Jesús con sus contemporáneos, es momento de perdón; necesitamos reparar continuamente averías y heridas que paralizan e infectan siempre nuestra humanidad impidiéndole llegar a su perfeccionamiento según el proyecto del creador. Lo dice bien el concilio de Trento: la eucaristía es

> «antídoto que nos libra de las culpas cotidianas y nos preserva de los pecados mortales»[90].

– Alimento y bebida también *agradan, deleitan, satisfacen*. En la mentalidad bíblica, el pan no es simple conglomerado de sustancias nutritivas, sino elemento con una carga simbólica socialmente reconocida, que sirve para expresar convivencia y amistad festivamente. En la historia bíblica, el vino es celebrado como símbolo de bienestar y de alegría. Según la liturgia eucarística, este sacramento nos ofrece «todo deleite». La comunión eucarística es encuentro de amor gratuito, memento en que se celebra la relación interpersonal y comunitaria de los seres humanos con Dios y entre sí; lugar donde aflora de modo relevante la experiencia mística de los cristianos.

b) «Vínculo de caridad»

En el discurso de despedida según el cuarto evangelista, Jesús respira un amor entrañable a Dios y a los hombres. En ese clima tiene lugar el gesto de la última cena y la institución de la eucaristía. Jesús insiste una y otra vez: «Permaneced en mí»[91]. Hay aquí una invitación al seguimiento de Jesús para realizar la voluntad del Padre construyendo la nueva humanidad o reinado de Dios. La permanencia en este seguimiento, la re-creación de su propia conducta en nuestra conducta, se realiza gracias a la eucaristía donde Cristo «quiso dejar a los hombres las riquezas de su amor»[92].

> La eucaristía
> que no es mesa
> acaba siendo
> pura blasfemia.
>
> P. Casaldáliga,
> *Todavía estas palabras*,
> Estella 1989, 95.

Y este don tiene su incidencia en dos vertientes:

- *La eucaristía forja la unidad de la Iglesia*

San Pablo fue muy sensible al significado profundo de la eucaristía en la edificación y crecimiento de la comunidad cristiana: «Aun siendo muchos, un solo pan y un solo cuerpo somos, porque todos participamos de ese único pan» (1 Cor 10,17). En la celebración eucarística, el cuerpo resucitado de Cristo va tomando cuerpo en la comunidad de los creyentes.

El simbolismo litúrgico de la eucaristía ya nos orienta por ahí. El pan está integrado por muchos granos de trigo y el vino es fruto de muchos racimos exprimidos en el mismo lagar. En este simbolismo procede la plegaria eucarística de las primeras comunidades: «Como este pan estaba disperso en los montes y recogido se hizo uno, así sea reunida tu Iglesia desde los confines de la tierra en tu reino»[93]. Fiel a esa tradición, el concilio de Trento confiesa:

> «En la eucaristía Jesucristo dejó el símbolo de la unidad y del amor, en el que quiso que todos los cristianos vivan unidos»[94].

Cada celebración eucarística será lugar obligado de confrontación comunitaria, donde se acepten los

[90] DS 1638. Por eso hay que articular sacramento de la eucaristía y penitencia. Si bien hay un sacramento para celebrar el perdón y ayudar a que los bautizados re-creen su vocación bautismal, en la celebración eucarística también recibimos la vida que nos libra de nuestros pecados y nos fortalece para seguir adelante.

[91] En Jn 15,4-10 salen siete veces términos derivados del verbo «permanecer». En ese marco y con ese objetivo tiene sentido la comunión eucarística: «El que come mi carne y bebe mi sangre, permanece en mí y yo en él» (Jn 6,56).

[92] Conc. de Trento (DS 1638).

[93] *Didajé*, IV, 4.

[94] DS 1635.

legítimos pluralismos, se superen las rupturas comunitarias y prevalezca el amor que allana todos los repechos. Todavía es invitación para nosotros la exigencia de la primera comunidad cristiana:

> «Si al presentar tu ofrenda al altar, te acuerdas de que tu hermano tiene algo que reprocharte, deja tu ofrenda allí delante del altar y vete primero a reconciliarte con tu hermano; luego, vuelves y presentas la ofrenda» (Mt 5,23-24).

- *Reconciliación, solidaridad y justicia*

– La eucaristía es presencia real de la pretensión, conducta y destino de Jesús. Su objetivo polarizador fue el reino de Dios o nueva humanidad donde todos se sienten juntos en la misma mesa. La multiplicación milagrosa de los panes, figura de la eucaristía, tiene lugar cuando los hombres se deciden a compartir lo que son y lo que tienen. Los primeros cristianos entendieron bien que, con su vida, muerte y resurrección, Jesús *había derribado los muros que separaban* a los seres humanos y a los pueblos. Y en esa fe celebraban la eucaristía[95].

> Precioso y admirable banquete, saludable y lleno de toda suavidad. En este sacramento se perdonan los pecados, se aumentan las virtudes, y el alma se promueve con todos los dones espirituales. Se ofrece en la Iglesia por los vivos y los difuntos, para que beneficie a todos lo que para salvación de todos fue instituido.
>
> Santo Tomás, *Opusc*. 57.

– Otra referencia puede ser ilustrativa. La vida y la muerte de Jesús fueron culto «en espíritu y en verdad»: entrega del hombre mismo a la voluntad de Dios o causa del reino que viene a ser la nueva sociedad en que todos nos relacionemos como hermanos. En la eucaristía, los cristianos celebramos este culto nuevo que postula seguir a Jesucristo *en el empeño por transformar la sociedad*. Cada vez que celebra la eucaristía, el cristiano debe actualizar en su propia existencia «el cuerpo que se entrega y la sangre que se derrama por muchos», es decir, «por todos», «por la vida del mundo». Amor cristiano y compromiso por construir una sociedad más justa no son separables en la conducta de Jesús, y mutuamente se postulan en la celebración eucarística.

– Fácilmente manipulamos el amor cristiano separándolo de la justicia interhumana. Con mucha frecuencia traemos 1 Jn 4,7 –«Quien no ama no conoce a Dios porque Dios es amor»–, y pocas veces sacamos 1 Jn 2,29 –«Quien no hace la justicia no conoce a Dios»–. Este detalle denuncia una sutil manipulación ideológica. Porque ¿no es la justicia una traducción histórica del amor en situación de injusticia? Y el amor compasivo ¿no lleva en sí mismo una exigencia de justicia?

> Mis manos, esas manos y Tus manos
> hacemos este gesto, compartida
> la mesa y el destino, como hermanos.
> Las vidas en Tu muerte y en Tu vida.
>
> Unidos en el pan los muchos granos,
> iremos aprendiendo a ser la unida Ciudad de Dios,
> Ciudad de los humanos.
> Comiéndote sabremos ser comida.
>
> El vino de sus venas nos provoca.
> El pan que ellos no tienen nos convoca
> a ser Contigo el pan de cada día.
>
> Llamados por la luz de Tu memoria,
> marchamos hacia el Reino haciendo Historia,
> fraterna y subversiva Eucaristía.
>
> P. Casaldáliga, *Todavía estas palabras*, 80.

Finalmente, el culto «en espíritu y en verdad» incluye la entrega de sí mismo al servicio del reino de Dios rehabilitando a los «echados fuera» porque no tienen, no saben y no pueden. En ese amor eficaz *a favor de los desfavorecidos*, Jesús glorificó al Padre y se jugó la propia vida. Líneas antes hemos

[95] Ef 2,14; Gál 3,28; Jn 11,50; 1 Cor 11,17-27.

transcrito Mt 5,24 que pide reconciliación con el hermano antes de celebrar la eucaristía –«si te acuerdas de que tu hermano tiene algo que reprocharte...»–; ¿y no tendrán algo que reprocharnos tantos millones de mujeres y hombres que mueren de hambre mientras nosotros derrochamos los recursos supérfluamente y encima participamos en las eucaristías?

En las primeras comunidades cristianas tenían suma importancia y gran simbolismo las «colectas» en favor de los pobres. Cuando en la comunidad de Corinto algunos pretendían celebrar la eucaristía mientras discriminaban a los pobres de la comunidad, san Pablo les reprende: «Ya no os reunís para comer la cena del Señor» (1 Cor 10,20). El amor que se verifica en la compasión eficaz con los que socialmente nada cuentan es la entraña del verdadero sacrificio cristiano: «La religión pura e intachable ante Dios Padre es visitar a los huérfanos y a las viudas en su tribulación» (Sant 1,27). Cristo resucitado nos entrega el espíritu de su vida y de su martirio que se inspiraron no en el poder que domina, sino en el amor que sirve.

Ya en el s. II, y sobre todo más tarde, cuando la liturgia entra en las basílicas, desaparece la comida como soporte de la celebración eucarística. Hoy apenas queda rastro en «los manteles del altar, y en la invitación a comulgar: Dichosos los llamados a esta cena». Pero más urgente que recuperar el simbolismo ritual de la comida es descubrir la fuerza de este simbolismo para lograr una celebración verdadera de la eucaristía. No debemos celebrar sin revisar a fondo nuestra posición social y nuestra colaboración activa o pretendidamente neutral ante un sistema consumista y competitivo que causa muertes y miseria en muchos, algunos de los cuales también participan en la «mesa del Señor». En nuestra sociedad agresivamente competitiva e individualista, los cristianos debemos «discernir el cuerpo del Señor» que comulgamos en la eucaristía[96].

[96] J. B. Metz, *Más allá de la religión burguesa*, Salamanca 1982, 44; J. M. Castillo, *Donde no hay justicia no hay eucaristía:* Est.Ecl. 52 (1977) 555-590. Muy denso teológicamente el n. 42 de la Enc. *Sollicitudo rei socialis*.

c) *Seguir a Jesús «hasta que vuelva»*

En la celebración eucarística, Cristo resucitado nos ofrece su propia conducta histórica para que la re-creemos en nueva situación. Por eso cada comunión eucarística significa un paso más en la configuración a Cristo. Pero ese encuentro real todavía tiene lugar en la fe y mientras avanzamos en el tiempo buscando un encuentro sin sombras.

- *Re-crear la conducta del mesías*

Según Jn 14,6, Jesús no es sólo luz y vida, sino también camino (Jn 14,6). Con su existencia y martirio en el amor, trazó el sendero para entrar en diálogo con Dios y participar la vida que nos ofrece gratuitamente. La eucaristía es oferta de vida y de amor para nosotros, pero también llamada para *re-crear la historia de Jesús en nuestra historia*. Y en la conducta histórica de Jesús van inseparablemente unidos tres aspectos: intimidad con el Padre, dedicación a la llegada del reino desde los pobres, y entrega de la propia persona en actitud de servicio humilde. Los tres aspectos se actualizan en la celebración eucarística como invitación ineludible para los cristianos.

Tal vez por miedo a caer en rubricismo vacío, algunos se preguntan para qué celebrar la misa: ¿No es suficiente el encuentro interpersonal amistoso y el compromiso sincero en la transformación del mundo?; cuando más –se dice– la liturgia eucarística servirá como celebración de nuestra vida con sus empeños, tareas y logros. En esta forma de ver las cosas hay un olvido fundamental: como el mismo acontecimiento Jesucristo, la eucaristía es ante todo y finalmente celebración de un amor que gratuitamente se ha revelado en el acontecimiento Jesucristo y que gratuitamente Dios mismo nos entrega. Por eso la vida de Jesús respira sentimientos de alabanza y gratitud al Padre que se inclina con amor hacia los hombres y es sensible al clamor de los más débiles. Al menos para dar gracias a Dios por lo que gratuitamente ha realizado en la vida, martirio y resurrección de Jesús, ya merece la pena celebrar la eucaristía.

Pero este mismo Jesús rechazó un culto que no lleve consigo el servicio humilde a los hombres. Así lo sugiere el cuarto evangelista narrando, en vez de la cena, el lavatorio de pies a los discípulos. Mt 7,21 –«No todo el que dice "Señor, Señor"...»– ratifica la predicación de Jr 7,4:

> «No confiéis en palabras engañosas diciendo: "¡templo de Yahvé!, ¡templo de Yahvé!, ¡templo de Yahvé!"; porque si mejoráis realmente vuestra conducta y obras, si realmente hacéis justicia mutua y no reprimís al forastero, al huérfano y a la viuda, entonces yo me quedaré con vosotros en este lugar».

- *Anhelando todavía un encuentro sin sombras*

A diferencia de lo que ocurre en nuestra vida física, el encuentro interpersonal de gracia en el amor no tiene límite porque el amor nunca muere. La eucaristía mantiene y promueve esa vida y ese amor, siempre abriéndose a una plenitud todavía por venir. Según la plegaria litúrgica, en este sacramento se nos da «la prenda de la gloria futura». Tiene una dimensión profética. Es el alimento de quienes aún caminamos en la oscuridad de la fe y en la tensión de la espera.

La eucaristía renueva sacramentalmente la última cena donde Jesús expresó lo que había intentado en su actividad mesiánica y estaba dispuesto a proseguir incluso arriesgando la propia vida: la llegada del reino de Dios. Pero esta llegada en plenitud sin sombras sigue siendo meta esperada. El mismo Jesús aceptó esa distancia, pero sin desconfiar y apostando con la propia vida: «No beberé del fruto de la vid hasta que llegue el reino». Cuando celebramos la eucaristía, hacemos lo que Jesús hizo en la última cena; pero debemos pensar cuándo y cómo lo hizo. Mientras sufría el fracaso, Jesús mantuvo viva la esperanza confiada. La celebración eucarística debe ser medio para que los cristianos

> «se perfeccionen día a día, por Cristo mediador, en la unión con Dios y entre sí, para que finalmente Dios sea todo en todos» [97].

> Nuestro salvador, en la última cena, la noche que le traicionaban, instituyó el sacrificio eucarístico de su cuerpo y sangre, con el cual iba a perpetuar por los siglos, hasta su vuelta, el sacrificio de la cruz, y confiar así a su Esposa la Iglesia el memorial de su muerte y resurrección, sacramento de piedad, signo de unidad, vínculo de caridad, banquete pascual en el que se recibe como alimento a Cristo, el alma se llena de gracia y se nos da una prenda de la gloria futura.
>
> Vaticano II, SC 47.

Lecturas

J. Betz, *La eucaristía, misterio central*, en MS IV, 2, Madrid 1975, 185-310.

J. L. Espinel, *La eucaristía en el Nuevo Testamento*, Salamanca 1980.

J. Jeremias, *La última cena. Palabras de Jesús*, Madrid 1980.

A. Fermet, *La eucaristía. Teología y praxis de la memoria de Jesús*, Santander 1980.

X. Léon-Dufour, *La fracción del pan. Culto y existencia en el Nuevo Testamento*, Madrid 1983.

M. Gesteira, *La eucaristía, misterio de comunión*, Madrid 1983.

J. Aldazábal, *La eucaristía*, en *La celebración en la Iglesia*, 181-436.

A. Gerken, *Teología de la eucaristía*, Madrid 1991.

[97] SC 48; 1 Cor 11,28.

II

SACRAMENTOS DE CURACIÓN

Las personas humanas somos como proyectos en vías de perfeccionamiento. Cada día vamos realizando nuestra humanización encarnando nuestra libertad en la historia. Esa libertad es ambigua, muchas veces nos deshumaniza y mata nuestra verdad. Por otra parte, la enfermedad física, el desánimo psíquico y la desconfianza cuando las fuerzas nos fallan, son amenazas inherentes a nuestra condición humana.

El creador, que no abandona nunca su obra, también nos acompaña en nuestras dolencias del cuerpo y en nuestros derrumbes psíquicos. Como decían los teólogos medievales, el salvador «se acerca como buen samaritano al herido y le ofrece los sacramentos para su curación» (P. Lombardo, *Sent.*, IV, Prol.).

El Vaticano II ha dicho esto mismo concretando: «Quienes se acercan al sacramento de la penitencia, obtienen de la misericordia de Dios el perdón... Con la unción de enfermos y la oración de los presbíteros, toda la Iglesia encomienda a los enfermos al Señor paciente y glorificado, para que los alivie y los salve...» (LG 11).

5

La penitencia: sacramento del perdón

1. A modo de introducción

Todos los hombres llevamos dentro la posibilidad de error y de horror a la hora de realizar históricamente nuestra libertad. Más y menos intensamente, en todos hay también un sentimiento de culpa si hacemos mal las cosas, y en nuestra intimidad clamamos: «¿Quién me librará de este cuerpo que me lleva a la muerte?». San Pablo vivió esta dura experiencia, pero también experimentó la salvación: «Gracias sean dadas a Dios por Jesucristo nuestro Señor» (Rom 7,21). Dentro de su ambigüedad, nuestra condición humana goza ya del favor divino en Jesucristo, que significa misericordia, perdón, posibilidad de seguir adelante en una existencia para la vida.

a) Como un segundo bautismo

Al sacramento de la penitencia se le ha llamado «bautismo laborioso», «segunda tabla después del naufragio». Hay de fondo una visión muy teológica, porque la penitencia sólo tiene sentido en el dinamismo de la vocación bautismal. Cuando uno se bautiza, pretende seguir a Jesucristo haciendo la voluntad del Padre que quiere la fraternidad entre todos los hombres; el bautismo nos hace hijos de Dios y hermanos de todos. Pero la celebración sacramental es punto de partida para una práctica diaria, y aquí viene la dificultad.

Cuando quiere realizar en la historia su libertad de criatura, el hombre sufre las rupturas y experimenta sus fallos. Dice «no» a la voluntad del creador y a la comunidad entre los hombres. Pero Dios se mantiene fiel al favor y alianza concedidos en el bautismo; y así,

> «quienes se acercan al sacramento de la penitencia obtienen de la misericordia de Dios el perdón de la ofensa hecha a él y al mismo tiempo se reconcilian en la Iglesia, a la que hirieron pecando» [1].

b) Crisis ¿de qué?

Parece innegable que hay grave crisis en la práctica del sacramento de la penitencia. Se dice que los cristianos se confiesan menos que antes, y proporcionalmente se acercan más a la comunión eucarística; incluso algunos sacerdotes tienen reparos en seguir administrando este sacramento tal como se viene haciendo. Hay sin duda interrogantes legítimos: se ha perdido o al menos ha cambiado la conciencia de pecado; en la celebración actual del sacramento se da más relieve al rito de la absolución que al proceso de conversión; se olvidan otras

[1] LG 11.

formas de alcanzar el perdón fuera de la confesión; no se sitúa la facultad de perdonar que tienen los sacerdotes dentro de la comunidad del Espíritu que llamamos Iglesia[2].

Sin duda esta crisis tiene sus causas antropológicas, teológicas y litúrgicas. Han sido analizadas ya con tino y detenimiento[3]. Urge una revisión de formas y de rituales en coherencia con la renovación teológica, teniendo en cuenta la sensibilidad del hombre actual y atendiendo a la situación de cada comunidad cristiana. Tal vez como en ningún otro sacramento, hay que articular aquí normativa litúrgica común y posibilidad creativa según las situaciones.

Pero quizá la crisis deba ser planteada también a nivel de contenidos sobre pecado, culpa, conversión, posibilidad de perdón en la Iglesia. En la experiencia cristiana, la necesidad de continua penitencia y la celebración sacramental del perdón son exigencias ineludibles: hay como un desajuste, una diferencia entre proyecto de seguir a Jesucristo incondicionalmente y realización mezquina en este seguimiento. Ante el peligro de caer en optimismo ingenuo y en pesimismo paralizante, la celebración del perdón es el sacramento que da paz y mantiene viva la vocación cristiana. Por eso, y admitiendo la variedad de factores que han provocado la crisis, ésta puede ser alarmante síntoma en la intensidad de vida cristiana.

c) Cómo procede nuestra exposición

Esta crisis explica el talante y el enfoque de las páginas que siguen. No es cuestión de quedarnos tranquilos en el estado actual de cosas, dejando que todo se desmorone. Tampoco se arregla nada con lamentaciones y anatematismos. El mejor servicio será presentar la fe de la Iglesia en el significado del sacramento y disipar malentendidos. Así la crisis puede ser invitación y ocasión para descubrir el sentido que tiene y las exigencias que conlleva la celebración de este sacramento en la comunidad cristiana.

Nuestro discurso seguirá tres pasos. Si la dificultad para renovar este sacramento no está sólo en las formas, tenemos que ir al fondo. Primero veremos la realidad del pecado. En un segundo apartado estudiaremos la culpa y la conversión. Luego veremos por qué se puede celebrar el perdón en la Iglesia y qué significa esa celebración. Finalmente vendrán algunas cuestiones ya solucionadas, o abiertas todavía en el *Nuevo Ritual*.

2. El «misterio de la iniquidad» según la revelación

Todos los hombres tenemos una experiencia común: «El misterio de la iniquidad ya está actuando» (2 Tes 2,7); lo sufrimos en nuestro interior y lo palpamos en nuestras relaciones humanas. La experiencia humillante no cede, aunque la categoría pecado tenga hoy mala prensa: mientras unos dicen que hoy no existe conciencia de pecado, no faltan quienes reducen la culpabilidad a patologías psicológicas que debemos superar. Aquí nos puede ocurrir como en la enfermedad de cáncer: cuanto más se oculte su realidad, más fácilmente produce la muerte. Hace muchos años san Agustín escribió: «Mi pecado era tanto más incurable cuanto que no me tenía por pecador»[4]. El mayor pecador, según el evangelio, es el ciego que no reconoce su ceguera.

Hay cierta correspondencia entre creación y salvación, entre la experiencia humana, la experiencia religiosa y la experiencia cristiana. Podríamos ir analizando cómo se percibe la realidad del pecado en cada uno de esos ámbitos. Pero alargaría demasiado nuestra exposición, y tampoco importa mucho esa recopilación para nuestro intento de renovar la celebración sacramental de la penitencia. Nos ceñimos a la revelación bíblica y evangélica.

a) Presentación narrativa

En la revelación bíblico-cristiana, el pecado se interpreta como una negativa contra la divinidad; una interpretación común a otras religiones. Pero

[2] La Conferencia Episcopal Española presenta la situación en *Dejaos reconciliar con Dios*. Instrucción Pastoral sobre el sacramento de la penitencia, 15 de abril de 1989, n. 7-20.

[3] J. Burgaleta, *Problemas actuales de la celebración de la penitencia*, Madrid 1986.

[4] *Confes*., l. V, c. 10.

según la percepción que se tenga de Dios, será también la percepción del pecado. En la revelación bíblica y en la revelación cristiana, Dios se manifiesta con rostro singular, que determina también una interpretación peculiar del pecado. Sin embargo, la revelación cristiana supone un decisivo paso adelante sobre la revelación bíblica; así trataremos de verlo en cada punto.

No haremos un elenco exhaustivo sobre todo lo que dice la revelación hablando del pecado; hay buenos diccionarios bíblicos para consulta. Nuestra lectura está hecha ya con miras a una mejor comprensión del sacramento de la penitencia.

• *Proceso en el descubrimiento*

Según la revelación bíblica, primero se toma conciencia del pecado de los opresores en Egipto; Moisés lo desenmascara y actúa en consecuencia. Después el pueblo fue descubriendo que una y otra vez en su propio seno brotaba la opresión con distintas formas: dioses cananeos, monarquía instalada en su seguridad de poder, ricos insensibles al justo clamor de los empobrecidos; el pueblo es «no compasión», «no pueblo de Dios» (Os 1,8). La revelación avanza para concluir: el lugar del pecado no son sólo Egipto e Israel perversos; «el corazón del hombre es lo más retorcido» (Jr 17,9). De ahí se da el último paso: la pecaminosidad de todos, el «pecado de los orígenes» (Gn 3).

Es aleccionador este proceso para evitar extremismos en la interpretación del pecado, bien cayendo en un individualismo interiorista, bien localizando el pecado sólo en las estructuras sociales. Pero aquí nos importa destacar la universalidad del mismo.

• *Todos somos pecadores*

Rom 1 y 2 hace fino análisis psicológico del pecado pagano (1,18-32) y del pecado religioso (2,1-10). Para lo que venimos diciendo viene bien el análisis del pecado de los paganos; consiste, según Pablo, en «aprisionar la verdad con la injusticia» (1,18). Se da por supuesto que todos los hombres, como imagen del creador, perciben su eco; se sienten llamados en el amor y en la justicia, que son la «verdad de Dios» manifiesta en la conciencia de todos; por eso cuando hacen la injusticia, los hombres «son inexcusables» (1,20). Esta universalidad del pecado lógicamente incluye también a los cristianos:

> «Si dijéramos que no tenemos pecado, nos engañaríamos a nosotros mismos» (1 Jn 1,8).

> Existe una experiencia profunda que realiza todo hombre: la experiencia de la ruptura culpable con los otros y con Dios. Se siente dividido y perdido. Anhela la redención y la reconciliación con todas las cosas. El sacramento del retorno (penitencia) articula la experiencia del perdón y el encuentro entre el hijo pródigo y el Padre bondadoso.
>
> L. Boff,
> *Los sacramentos*, 73.

Ya la comunidad apostólica experimentó en sus miembros el fardo del pecado. En el libro de los Hechos se denuncia la indebida propiedad de los bienes (5,1-11) y la pretensión de comprar el Espíritu con dinero (8,9-25). San Pablo refleja más históricamente la dolorosa experiencia: caso de incesto en Corinto (1 Cor 5,1); impuros, avaros y ladrones (1 Cor 5,11); falsos hermanos que se introducen para quitarnos la libertad lograda en Cristo (Gál 2,4); los que se glorían de sí mismos (2 Cor 10,2); falsos apóstoles (2 Cor 11,13).

El pecado como traspiés, tropiezo, desviación de lo que Dios mismo interiormente sugiere, es posibilidad de todos los hombres. Criaturas llamadas a ser más de lo que somos, con anhelos profundos de justicia y con deseos egoístas de seguridad, fácilmente frustramos nuestra vocación. El pecado no es una necesidad del hombre salido de manos de su creador con defecto de fábrica (Gn 1,31); no es la naturaleza humana la que está contaminada; el pecado sobreviene cuando los hombres ejercen su libertad en la historia. La buena noticia de la revelación y de la experiencia cristiana no es la inexistencia del pecado, sino que *Dios nos ama, nos acep-*

ta y perdona en Jesucristo. Desde la misericordia que a todos nos envuelve, descubrimos la malicia del pecado que nos maltrata, y podemos luchar contra el mismo.

• *En clima de alianza*

La percepción del pecado y la reacción ante su realidad tienen características especiales tanto en la revelación bíblica como en la revelación evangélica, que se sitúan en régimen de alianza. Pero en este régimen hay dos etapas.

En el *Antiguo Testamento*, Yahvé se acerca a su pueblo, firma con él un pacto de amistad y se mantiene fiel a su compromiso de amor. Por eso el pecado no es sólo transgresión contra lo mandado por una divinidad alejada e implacable. Se ve más bien como falta de correspondencia, desamor e infidelidad contra Dios, contra el prójimo, también incluido en la alianza, y contra el mismo pecador, que se aparta de su verdadera vocación[5].

Esta visión del pecado como infidelidad contra el amor en el dinamismo de la alianza cambia ya la percepción del pecado y la motivación del dolor por el mismo. Como imperativo básico están la elección y el amor gratuitos de Yahvé que postulan correspondencia. Es el dinamismo en que se movía la fiesta de la expiación: el pueblo deseaba y celebraba la reconciliación, movido por el amor que Dios le había manifestado en el pacto de alianza (Lv 16).

Pero hay *nueva alianza*: en Jesucristo, Dios mismo ha hecho suyo el corazón del hombre y lo ha transformado con su Espíritu; ha llegado el tiempo nuevo y definitivo que anunciaron los profetas. El Espíritu se ha dado en el bautismo, y así los cristianos «permanecen en Cristo» (Jn 15,5), son configurados a él (Rom 6,5), han recibido el germen de la verdadera libertad (Gál 5,1). En esta nueva experiencia, el pecado es un «no» a secundar las llamadas del Espíritu, a «permanecer en Cristo» (1 Jn 6,5), a considerarse introducidos en la nueva vida del Resucitado (Rom 6,4). El pecador cristiano rechaza el favor que Dios le ha concedido en el bautismo, vuelve a la esclavitud antigua[6].

• *Criterio de juicio*

En ese clima de alianza, también el criterio para descubrir y enjuiciar los pecados tiene su peculiaridad.

En el *Antiguo Testamento, el criterio es la ley*, considerada como don gratuito de Dios para el bien de su pueblo; los salmos cantan y celebran esa dádiva. La ley era medio para discernir cuándo había y cuándo no había pecado; pero la ley externa corre peligro de ser ideologizada por intereses bastardos, y entonces lo legal ya no coincide con lo justo. Ni siquiera el cumplimiento exacto de los preceptos y ritos religiosos garantiza sin más la rectitud ética de sus asiduos cumplidores. Incluso puede ocurrir que los poderosos manipulen los ritos religiosos para mantener sus posiciones privilegiadas. Así parece que ocurrió en la historia bíblica, y los profetas denunciaron el engaño.

En el Nuevo Testamento, el criterio es la gracia. No es fácil precisar la relación de Jesús con las leyes religiosas de los judíos. No es un anárquico, pues acepta leyes como la de pagar el impuesto al templo de Jerusalén, pero cuestiona y deroga las leyes cuando encubren o amparan la marginación o explotación de la persona humana. Las mismas leyes sagradas del sábado y de las ofrendas cultuales ceden cuando su cumplimiento impide un servicio debido al pobre[7].

Así, en los evangelios hay un desglose muy significativo del término «pecadores». Por una parte, se refiere a los hombres cerrados y esclavizados en su egoísmo. Pero el término también es sinónimo de los socialmente «pobres»: en una sociedad teocrática como la judía, los potentados se adueñaban de las leyes y ritos religiosos para mantener sus posiciones de privilegio, y declaraban religiosamente

[5] «Contra ti, contra ti solo he pecado> (Sal 50,6; Gn 13,20; Ex 23,33; 2 Sm 12,13). El pecado hiere también al prójimo (Gn 42,22; Nm 5,6-7) y va contra el mismo que lo comete (Hab 2,10).

[6] Rom 6,6.16; 14,23. Sobre la libertad cristiana, Gál 3 y 5.

[7] En esta idea van los c. 2 y 3 de Mc. También Mc 7,8-13, y la parábola del buen samaritano (Lc 10,29-37).

impuros a los pobres, que así ya no tenían acceso al bienestar social; eran al mismo tiempo los económicamente «pobres» y legalmente «pecadores»[8].

Para Jesús, lo que cuenta y es decisivo para enjuiciar la moralidad es «ser misericordiosos como el Padre» (Lc 6,36); lo dio a entender en sus parábolas del hijo pródigo, deudor perdonado que no fue capaz de perdonar, y del buen samaritano. Sólo la gracia, participación de ese mismo Dios que es misericordia, garantiza la moralidad de la conducta humana.

Ya llegó la ley nueva interiorizada en el corazón del hombre; primero en Cristo, después en los demás. Lo importante será permanecer en el espíritu de Cristo como los sarmientos permanecen unidos en la vid (Juan), vivir en coherencia con la vocación bautismal de configuración a Cristo (Pablo). Sólo desde la gracia se puede medir adecuadamente la «des-gracia» del pecado.

- *Dimensión comunitaria*

En el fondo de toda la revelación bíblica sobre el pecado está la visión del hombre como «imagen de Dios» (Gn 1,27). Todo su progreso y éxito radican en que sean para vivir conforme a su verdad. Cuando pretende ser Dios saltándose por alto la distancia y dependencia de la imagen respecto a la divinidad, se hace esclavo del pecado. Pero coincide que ese olvido se hace realidad cuando el hombre pretende ser absoluto dominando y utilizando al prójimo, que también es imagen de Dios. Por eso el pecado es al mismo tiempo rechazo de Dios y rechazo de la convivencia pacífica con los demás.

Esa dimensión comunitaria del pecado se ve ya en el relato bíblico de la primera caída: la prevaricación del hombre repercute para mal de toda la humanidad. El primer pecado histórico que cuenta la Biblia, el fratricidio de Caín, es al mismo tiempo ruptura con Dios y con el proyecto de convivencia trazado por el creador. Cuando los hombres pueden ser dioses, se hace realidad lamentable el símbolo de Babel, donde no es posible la inteligencia y diálogo entre los hombres.

> El pecado es también una contravención que viola la comunidad santa de los redimidos, la Iglesia... ¿No sería conveniente que nosotros -menos olvidadizos- al recibir el sacramento de la penitencia procurásemos sentir la verdad de que hemos pecado también contra la Iglesia, que nos acercamos a la gracia de la Iglesia contra la que hemos pecado y que también tiene algo que perdonarnos?
>
> K. Rahner,
> *Verdades olvidadas*
> *sobre el sacramento de la Penitencia*,
> en ET II, 1959, 142 y 145.

La repercusión del pecado de un miembro en la comunidad se hace más palpable dentro de la novedad evangélica. La Iglesia, y proporcionalmente toda la humanidad, forman como un solo cuerpo animado por el único Espíritu del Resucitado. No puede sufrir un miembro del cuerpo sin que de algún modo todos los demás sufran también. El pecado de uno marca sin remedio a toda la comunidad[9]. En el Nuevo Testamento se ha explicitado y se comprende más profundamente la visión del hombre como imagen del creador. Dios y hombre son inseparables; la ofensa contra la imagen que mata las relaciones comunitarias es también ofensa contra el mismo Dios:

> «Todo el que no ama la justicia no es de Dios, ni tampoco el que no ama a su hermano» (1 Jn 3,10); «si alguno dice amo a Dios y aborrece a su hermano, es un mentiroso» (1 Jn 4,19).

- *Distinción de los pecados*

La revelación bíblica distingue «pecados de inadvertencia» y «pecados graves o crímenes» como

[8] Es el contexto para interpretar la debilidad de Jesús con pobres y pecadores (Mc 2,15; Lc 15,1-2).

[9] 1 Cor 12,12-26 De ahí la excomunión del pecador que desfigura y corrompe con su pecado a toda la comunidad (1 Cor 5,1-12). Esa preocupación explica el rigorismo de los primeros siglos en la concesión de la penitencia.

asesinato de Abel, adulterio de David, idolatría o ciertas abominaciones sexuales [10]. En el Nuevo Testamento se habla de «pecados que son de muerte» y «pecados que no son de muerte» (1 Jn 5,16-17). Estos serían aquellos «en que todos caemos muchas veces» (Sant 3,2). Los sinópticos denuncian el «pecado contra el Espíritu», muy similar a la ceguera del que vuelve los ojos para no ver, del que para mantener sus seguridades egoístas manipula y se opone a la verdadera divinidad [11].

[10] Pecados cometidos sin suficiente advertencia (Nm 12,11; 15,22.27); para su perdón había un ritual (Lv 4,2,22); grandes crímenes hechos con plena conciencia (Nm 15,30; Ex 32,21.30-32; Lv 18,6).

[11] Es el pecado contra el Espíritu (Mt 12,31; Heb 6,4-6). Significa «ofuscarse en vanos razonamientos», «jactarse de sabios» (Rom 1,21-22). Son los ciegos que por su culpa se condenan a no ver (Jn 9,39).

• *Pecado personal y pecado social*

Ya hemos sugerido cómo, en el descubrimiento del pecado, la revelación bíblica va del pecado que deforma las relaciones y organización sociales al pecado que brota del corazón en cada persona. Esta malicia que anida en nuestra intimidad deforma el ejercicio de nuestra libertad en la historia y corrompe las estructuras sociales.

Las denuncias más fuertes de Jesús van contra los pecados que infeccionan las estructuras económicas, jurídicas y religiosas volviéndolas en contra del hombre. Potentados egoístas, leguleyos inmisericordes y ritualistas dogmáticos quedan desautorizados como causantes de la miseria y exclusión de los más desvalidos. Con lenguaje de Rom 1,18, son unos mentirosos porque «matan la verdad con la injusticia». Jn 9 puede resultar muy elocuente: un ciego de nacimiento quiere ver, ser él mismo; pero hay otros ciegos por su orgullo y ambición que no se lo permiten; les interesa que aquel pobre ciego siga alienado y para ello manipulan la religión proponiéndose como únicos intérpretes y mediadores de la divinidad.

El pecado personal tiene su repercusión negativa en las estructuras. Deforma y deshumaniza las organizaciones económicas, jurídicas y religiosas: «Del corazón del hombre salen las intenciones malas» (Mc 7,21). En los hombres hay un impulso egoísta de la carne cuyas obras son idolatrías, odios, discordias, y otras acciones semejantes que distancian y matan a los humanos (Gál 5,19).

Pero el egoísmo clava sus garras en las estructuras y organizaciones donde hay pecado también que maltrata y mata. San Juan habla del «pecado del mundo» que no acepta la vida (Jn 1,10); sometido al mal y obediente al maligno; a ese mundo pertenecen los hijos del diablo, que es homicida desde el principio (Jn 8,44). Es el mundo de las tinieblas que no acepta la verdad y mantiene ciegos a los hombres. Los escritos apostólicos nos presentan esa encarnizada lucha entre el mundo de las tinieblas y el mundo de la luz, símbolo de Cristo cuyo reinado no es como los de este mundo perverso[12].

b) Qué es el pecado

Según lo que venimos diciendo, ya se ven algunos rasgos del pecado.

- *Contra la verdad de Dios*

Gn 3,6 habla de la primera caída: el hombre pretende ser como Dios, no le acepta como señor único y absoluto. Una negativa contra la verdad de Dios. 2 Sm 11 cuenta el adulterio de David: este hombre se cree dueño absoluto por ser rey, y funciona con esa lógica. La misma que tienen los fariseos cuando se oponen a la curación de un ciego de nacimiento: «Nosotros sabemos... ¿es que tú nos vas a dar lecciones?» (Jn 29,34). Son los mismos que, según Rom 2,1-6, para mantener su seguridad manipulan y absolutizan las leyes sin dejar espacio a «la bondad, paciencia y generosidad de Dios».

- *Contra la verdad del hombre*

El hombre no es más que imagen de Dios; dependencia y referencia son determinantes de su condición creatural. Su pretensión de ser Dios es una mentira que se vuelve contra él mismo (Jn 8,44) Esa pretensión es la causa de la dominación inhumana sobre los demás, que también son imágenes de Dios y cuyos derechos humanos tienen algo de divino. Jesús dejó bien sentado que amor al verdadero Dios, que desea «misericordia y no sacrificios», y amor al hombre son inseparables; no es posible vivir como imagen de Dios sin aceptar esa misma condición en todas las personas humanas (Lc 10,25-37).

Esta buena noticia de Jesús caló en los primeros cristianos. El pecado es una injusticia, un desprecio contra el hermano (1 Jn 3,10). Un asesinato de la verdad que, como eco del creador, está impresa en todos los hombres; en vez de reconocer y glorificar a Dios presente y activo en todas sus criaturas, los hombres, jactándose de sabios, se ofuscan en vanos razonamientos, cambian la verdad por la mentira, y sucumben a la injusticia, codicia, perversidad, homicidio (Rom 1,18.31).

- *Contra la comunidad*

Según Gn 3,19, antes de la caída el hombre vive reconciliado con todos los vivientes y con toda la creación, incluido el trabajo de dominar y promover la tierra; pero el pecado hace agresivas las relaciones entre la pareja humana, entre los hombres y la creación, e incluso con el trabajo, que se interpreta como castigo. Por el egoísmo y por la pretensión absolutista del hombre, se implanta en la sociedad y en la historia un dinamismo babélico en que no es posible un diálogo en el amor y en el respeto mutuos. Rom 8,20-23 recuerda cómo la creación quiere ser liberada de su esclavitud a que se ve

---

[12] Jn 18,34-37. La lucha entre luz y tinieblas como símbolos de la vida y de la muerte en Jn 1,5.8.9; 8,12; 9,1-40.

sometida por la libertad esclavizada o pecado de los hombres.

En esa idea se comprende que, cuando Jesús vence las tentaciones, es el verdadero Adán, el hombre nuevo, reconciliado con toda la creación y servido por los ángeles (Mc 1,13).

c) Acotaciones teológicas

Estos datos de la revelación ya nos permiten evitar algunas interpretaciones reduccionistas o chatas del pecado, siempre reconociendo que sufrimos el «misterio de la iniquidad», pero que ni siquiera intelectualmente podemos controlarlo.

• *Aproximaciones parciales*

Me refiero a categorías o expresiones frecuentes en el lenguaje sobre el pecado: *mancha, transgresión, ofensa a Dios*. Todas ellas son legítimas y necesarias para traducir esa común y compleja experiencia del pecado, pero también tienen sus riesgos si no se interpretan rectamente [13].

Mancha expresa bien la sensación de suciedad o alteración que dejan en nosotros ciertos pensamientos, palabras, acciones u omisiones. Pero la expresión tiene también sus peligros: – dar a la mancha el significado de contaminación física, distinguiendo lugares santos y lugares profanos, objetos puros e impuros; – dar a la expresión un significado ético, pero no evangélico; según Mc 7,18, lo que hace impuro al hombre no es lo que viene de fuera, sino las intenciones malas que salen de su corazón.

Transgresión es hacer lo contrario al deber que se me impone como una ley. También aquí hay una verdad: el pecado es un «no» al deber, rompe algo mandado, sea cual sea la interpretación teológica que se dé a este mandato [14]. Pero este lenguaje debe ser precisado. En el evangelio, deber y ley no se identifican con unos preceptos que desde fuera miden los pasos y la bondad o malicia del hombre; la motivación de este deber y de esta ley es el amor impreso en el corazón, que lleva más allá de los meros cumplimientos. Además, el término «transgresión» puede ser ideologizado para mantener el orden establecido, incluso cuando se trate de un sistema injusto e inhumano. Fácilmente también puede dar pie para el casuísmo en moral y para un cumplimiento farisaico inspirado sólo en la recompensa; la parábola del fariseo y del publicano que suben al templo para orar puede ser aquí buen correctivo [15].

Ofensa a Dios. Según la revelación, el pecado es negativa contra el señorío absoluto de Dios y contra su proyecto de fraternidad en el mundo. Tiene una dimensión teologal decisiva. En este sentido, la definición de pecado como ofensa a Dios es válida y debe ser mantenida.

Pero también la expresión ha de ser matizada, porque la motivación y talante de la ofensa se medirán en parte por la condición y actitud de aquel a quien se ofende. El Dios revelado en la Biblia, y sobre todo en Jesucristo, es «señor del cielo y de la tierra» (Mt 11,25), y en este sentido la ofensa reviste gravedad singular. Pero sabemos también que es Padre, amor inclinado gratuitamente en favor nuestro; su honor y su gloria exigen que todos los hombres tengan vida en abundancia. La ofensa que se le inflige pasa por la ofensa contra la humanidad del pecador y de su prójimo maltratado [16].

---

[13] Buena exposición en J. González Faus, *Proyecto de hermano. Visión creyente del hombre*, Santander 1987, 224-226; A. Peteiro, *Pecado y hombre actual*, Estella 1972; Varios, *El misterio del pecado y del perdón*, Santander 1972; M. Vidal, *Cómo hablar del pecado hoy. Hacia una moral crítica del pecado*, Madrid 1975.

[14] San Agustín define el pecado: «Todo hecho, dicho o deseo contra la ley eterna de Dios» (*Contra Faust.*, l. XXII, c. 27: PL 42, 418). Según san Ambrosio, pecado es «prevaricación contra la ley divina y desobediencia a los preceptos celestiales» (*De parad.*, 8: PL 14, 229). La misma idea en santo Tomás (I-II, 71, 6).

[15] Sobre las posibles deformaciones: J. Pohier, *¿Es unidimensional el cristianismo?*: Concilium 65 (1971) 188-189; B. Häring, *Pecado y secularización*, Madrid 1974; M. Vidal, *Cómo hablar del pecado hoy*, 59-84.

[16] Santo Tomás lo dice así: «No ofendemos a Dios sino en cuanto actuamos contra nuestro propio bien» (*Contra Gent.*, III, 122).

• *Adquisiciones permanentes*

Superados los reduccionismos o deformaciones posibles, siguen teniendo su valor las categorías mancha, transgresión, ofensa contra Dios, para determinar la realidad del pecado. En él hay algo sucio; según la tradición del s. IV, por el pecado se oxida la imagen que ha impreso en el hombre su creador. Hay también una transgresión de la alianza nueva, de la ley que ya es la gracia o amor de Dios en el corazón del hombre. No cabe duda tampoco de que los pecados ofenden al creador porque atentan contra su verdad y su gloria, contra su señorío absoluto y contra la vida de sus criaturas. Pero ahora, y resumiendo la doctrina revelada, destacamos algunos matices.

– El pecado es una *realidad permanente*. Pero hay otro artículo de fe no menos importante y que nos libra de caer en el pesimismo: el pecado no se identifica con la condición humana finita; no se peca por necesidad de naturaleza, sino por una libertad situada en la historia. Es una verdad bien destacada en la revelación, y ratificada por el concilio de Trento [17].

– El pecado siempre conlleva una *ofensa contra Dios*. Si admitimos con Rom 1,18-20 que el eco del creador es percibido por todos los hombres, y en el pecado se mata esa verdad con la injusticia, no hay más remedio que admitir una dimensión teologal en todo pecado, independientemente de que los hombres explícitamente crean o no crean en Dios [18].

– El pecado tiene una *repercusión negativa en la vida de comunidad*. Genera envidias, antagonismo, divisiones que rompen la convivencia. El verbo *hatâ*, que los LXX traducen por el *hamartano* griego, significa desviarse del camino marcado, renunciar a una meta. El proyecto de Dios según la revelación es hacer de los hombres un pueblo que sea verdadera comunidad de hermanos; y en esa idea, Jesús de Nazaret afirma que lo único importante es «perder la vida» por este evangelio (Mc 8,35). Siendo la Iglesia un solo cuerpo animado por el único Espíritu, todo pecado, que es un «no» a la vocación bautismal, marca también a toda la Iglesia.

– Se puede y se debe hacer la *distinción de pecados*, pero también aquí cabe puntualizar un poco.

El pecado se fragua en la intimidad libre de las personas, cuya libertad y responsabilidad no son medibles sin más desde fuera; ya decían los moralistas clásicos que no hay pecados, sino pecadores; pero necesitamos referencias objetivas que sugieran pautas de comportamiento. En la revelación y en las primeras comunidades cristianas se veían algunos delitos como especialmente graves, pero la medida de esta gravedad dependerá en parte de cada época, cultura y situación social.

A lo largo de la historia, se han dado en la moral católica distintas clasificaciones de los pecados. La más importante que ha tenido vigencia entre nosotros es la distinción entre *pecados mortales y pecados veniales*. Trayendo la doctrina de santo Tomás, Juan Pablo II escribe:

> «El pecado es un desorden cometido por el hombre contra el principio vital (que es Dios); cuando el alma comete una acción desordenada que llega hasta la separación del fin último -Dios, a quien está unida por la caridad- hay pecado mortal; cada vez que la acción desordenada permanece en los límites de la separación de Dios, el pecado es venial» [19].

Se puede caer en un objetivismo inaceptable, porque la configuración del pecado es distinto en cada caso, pero también debemos evitar el subjetivismo. Ultimamente, algunos hacen una división tripartita: pecados mortales, graves, y leves o veniales. Los «graves» por razón de la materia serían fruto de la fragilidad, pero no harían perder

[17] Distinción entre concupiscencia y pecado (DS 1515, 1554-1555).

[18] Quizá la falta de respeto a la dignidad de todos los hombres, que tanto sufrimos hoy, sea consecuencia lógica de haber perdido la sensibilidad al eco de Dios. Ya en 1690, Alejandro VIII rechazó el llamado «pecado filosófico» que no sería ofensa contra Dios (DS 2291); y recientemente Juan Pablo II ha escrito: «Es vano esperar que tenga consistencia un sentido del pecado respecto al hombre y a los valores humanos si falta el sentido de la ofensa cometida contra Dios, o sea, el verdadero sentido del pecado» (Exhort. Apost. *Reconciliación y penitencia*, 2 de diciembre de 1984, n. 19).

[19] II-II, 72, 5; Exhort. *Reconciliación y penitencia*, n. 17.

la opción y actitud fundamentales. Se comprende la distinción en una moral donde no sólo cuenten los actos u omisiones, sino sobre todo las actitudes[20].

– Recuperar las *dimensiones sociales del pecado personal.*

Con frecuencia, el juicio moral sobre el pecado ha venido marcado por el individualismo. En los últimos años se ha descubierto cómo el pecado clava sus garras en las estructuras sociales generando luego y desde ahí la muerte para los hombres[21]. Pero es importante que, a la hora de la responsabilidad, no caigamos en el anonimato y el desentendimiento personal. Según la revelación, las estructuras de pecado acaban descubriendo que el mal se encuentra en la intimidad del corazón que cada uno llevamos dentro. Las decisiones, acciones y omisiones personales tienen siempre una repercusión comunitaria y social. Nadie se libra de su responsabilidad en la justicia o injusticia que marcan las relaciones entre los hombres.

3. Culpabilidad, conversión y penitencia

Cuando hacemos conscientemente algo malo, brota en nosotros el sentimiento de culpa y, espontáneamente, si queremos rectificar el camino, cambiamos de dirección, nos convertimos. Este dinamismo experimentado en nuestro funcionamiento habitual vale también cuando la culpa se plantea en el ámbito religioso que, con la inspiración evangélica, cambia de signo.

[20] Esta división, de la que hoy hablan B. Häring, M. Vidal y otros, ya fue propuesta por algunos teólogos del s. XVI, y por moralistas de los siglos XVIII y XIX. Para información, M. Sánchez, *Por una división tripartita del pecado*: Studium 10 (1970) 347-356.

[21] Los Documentos de Medellín (1968) hablan de «estructuras opresivas» (Introd., 6), «estructuras injustas» (*Justicia*, 2). Diez años más tarde, la Conferencia de Puebla hace la misma denuncia: al pecar, el hombre imprime en las estructuras sociales «su huella destructora» (n. 281). Juan Pablo II habla de «pecado social» (Exhort. *Reconciliación y penitencia*, n. 16) v «estructuras de pecado» (Enc. *Sollicitudo rei socialis*, 30 de diciembre de 1987, n. 36).

a) Culpa y culpabilidad

Sólo para situarnos en este amplio y complejo tema, señalaremos algunos marcos fácilmente comprensibles y siempre buscando una interpretación adecuada de la conversión y de la penitencia

• *Libertad en finitud*[22]

Los seres humanos gozamos de libertad, y sufrimos al mismo tiempo límites ineludibles en el ejercicio de la misma. Libertad significa dominio de la situación, autoposesión de uno mismo, capacidad de hacer lo que se quiere. Pero conscientes de que tenemos esa vocación, experimentamos la finitud en el tiempo y en el espacio; en nuestras posibilidades de amor y de ser amados; dentro de nosotros mismos hay alienaciones que nos impiden plasmar lo que deseamos y nos fuerzan a realizar lo que no queremos.

Llamados a ser más de lo que somos, nuestros anhelos chocan con nuestra finitud. Como no podemos disponer totalmente de la realidad y de sus mecanismos, nuestra libertad es imperfecta, todavía en proceso, esperando una perfección o liberación total. Marcada por el «no ser» o finitud, nuestra libertad es inacabada, in-satis-fecha respecto a su plenitud. Lleva en sí misma el anhelo de ser liberada.

Porque somos seres abiertos a la trascendencia, pero al mismo tiempo ubicados en los límites del mundo, vivimos siempre la tensión entre nuestro presente y nuestro porvenir, entre lo que ya poseemos y lo que aún nos falta, entre la finitud y la infinitud. Es como una «deuda ontológica», no estamos a la altura de lo que presentimos, nos falta siempre algo para completar nuestro ser.

[22] C. Castilla del Pino, *La culpa*, Madrid 1979; P. Ricoeur, *Finitud y culpabilidad*, Madrid 1969; *Culpa, ética y religión*: Concilium 56 (1970); J. Cordero, *Psicoanálisis y cúlpabilidad*, Estella 1976; J. Rovira Belloso, *El pecado: «¿quién me librará de este cuerpo mortal?»*: Iglesia Viva 124 (1986) 305-323; A. Torres Queiruga, *Contingencia, culpa y pecado*: Iglesia Viva, 325-347.

• *Por qué somos así*

Cuando tomamos conciencia de esta contradicción, espontáneamente nos preguntamos: ¿por qué viendo y aprobando lo mejor, en la práctica elijo y hago lo peor?, ¿por qué no hago el bien que quiero y hago en cambio lo que no quiero? El enigma ontológico se vive como interrogante subjetivo y ético: ¿quién tiene la culpa de esta situación?, ¿cómo puedo ser libre y ejercer mi responsabilidad en estas limitaciones?

El interrogante se agudiza más por la sensibilidad que hoy tenemos ante las estructuras de injusticia y de pecado, creadas y mantenidas por la ideología y mecanismos de dominación que dividen y pervierten a los seres humanos y a los pueblos del mundo. Cada día se hace más ineludible la cuestión: ¿a qué sujeto deben atribuirse la culpa y responsabilidad en esta injusticia estructural?

De distintas formas, religiones y filósofos de todos los tiempos se han enfrentado con esos interrogantes que plantea nuestra libertad en finitud, y han dado variadas respuestas. En los primeros capítulos del Génesis se deja bien sentado: 1) que, aun con la tensión propia del ser humano –«humus», de la tierra y, al mismo tiempo, imagen del creador–, hombre y mujer están «muy bien» hechos (Gn 1,31); 2) los seres humanos llegarán a la plena libertad si se aceptan como son: criaturas referidas y dependientes; si no pretenden ser «como Dios», si tienen como criterio y juicio último de sus actos la voluntad del creador. Eso significa la prohibición de no comer del «árbol de la ciencia del bien y del mal» (Gn 2,16).

También los filósofos han dado distintas interpretaciones del enigma ontológico que todos llevamos dentro, en orden a buscar una posición ética. Por citar algunos, Kant, Heidegger, Sartre y, más cercanos a nosotros, Kafka, Camus o Kundera. Sin embargo, con frecuencia los filósofos acuden a Dios antes de tiempo culpándole de una tensión que pertenece a la condición del ser humano. Interpretan y lógicamente rechazan a la divinidad como culpabilizadora y juez implacable del hombre que no comprende los motivos de su condenación (*El proceso,* Kafka) ni el sentido de su existencia sumergida en una caducidad y en las fuerzas del mal que se le imponen sin remedio (*La insoportable levedad del ser*, Kundera). Cabe la reacción de protesta contra nuestra singularidad de seres libres dentro de la creación; pero, una vez aceptada esta singularidad, es inevitable la contradicción de una libertad finita. Nuestra insatisfacción ontológica y la consiguiente preocupación ética nos son naturales o anejas a nuestra condición de seres humanos.

• *Confrontación con la divinidad*

Hay una situación de hecho con la que podemos o no estar conformes, pero la insatisfacción, como la culpabilidad o el sufrimiento, pertenecen a la estructura misma de la condición humana. La situación nos es dada y no causada por la fe ni por la teología; existe aunque Dios no entre en escena. La reflexión teológica tratará de ofrecer una interpretación para que los hombres puedan avanzar hacia la liberación o perfección de su libertad.

Cuando se vive la contradicción de nuestra libertad finita delante de Dios, el sentimiento de culpa es la consecuencia inmediata del pecado: nuestra incoherencia ética no va contra un orden neutro, sino contra un orden querido y buscado por alguien a quien llamamos Dios. Y aquí es donde parece decisiva la imagen que se tenga de la divinidad.

Si nos situamos ante una divinidad celosa de su honor, que se cifra en el mantenimiento de un orden cósmico previamente programado y establecido, la culpabilidad se hace angustia bien justificada por el miedo al castigo. La divinidad viene a ser apática e insensible ante los sufrimientos del ser humano; contraria y rival de la libertad.

Pero si vemos a la divinidad como amor, padre inclinado gratuita e incondicionalmente a favor de la humanidad, su honor se cifra en que todos los hombres y todas las mujeres tengan vida y libertad en abundancia. Y así nos vemos libres de la culpabilidad angustiosa: Dios nunca quiere nuestro mal; y nos preocupamos cada día más por la vida y la libertad de todos. Dios no está reprimiendo nuestra libertad, sino promoviéndola y apoyándola. Como «gratuidad absoluta» que vemos en el padre del hijo pródigo y que nos desconcierta. En Jesucristo se ha manifestado «la gracia salvadora de Dios para todos los hombres» (Tit 2,11).

Ante las limitaciones de la vida y ante las incoherencias en nuestra conducta, tenemos la sensación de ser culpables y corremos el peligro de angustiarnos hasta la desesperación, pero «en caso de que nos condene nuestra conciencia, Dios es mayor que nuestra conciencia» (1 Jn 3,20); es amor gratuito que nos libera poco a poco de la finitud y de la angustia. El creador acompaña siempre a su criatura, no la deja sola en medio del camino y promueve hacia la plenitud el proyecto del ser humano en libertad histórica.

b) Conversión o penitencia

La culpabilidad y la responsabilidad de los pecados pueden llevar al deseo de conversión, a la rectificación de mentalidad y de conducta (*metanoia*, penitencia). Después de varios siglos en que se ha corrido el peligro de una práctica de conversión privada e individualista, hoy se resalta la necesidad de cambios estructurales. Pero ya sabemos que las mismas estructuras injustas tienen su raíz en el corazón y prácticas egoístas de las personas. Por eso centramos el tema: ¿es posible y necesaria la conversión personal?, ¿cuál es la novedad cristiana de la misma?

- *Algunas matizaciones*

Hay que articular nuevo modo de ver las cosas, arrepentimiento por el pecado cometido y prácticas penitenciales costosas. Hay conversiones que parecen decisivas e inalterables; pensemos, por ejemplo, en san Pablo y en san Agustín. En la mayoría de los casos, sin embargo, la conversión o penitencia supone un largo proceso con sus altibajos; y es natural, dada la condición histórica del hombre. La misma historicidad lleva consigo que cada etapa de la existencia humana postule su peculiar conversión o penitencia.

También podemos decir algo sobre las mediaciones para la penitencia. Esa mediación ¿es el recuerdo histórico de la cruz donde ya queda vencido el pecado y se nos manifiesta de forma interpelante y singular el amor?, ¿o es más bien el encuentro con el oprimido en quien Cristo se hace presente pidiéndonos salir de nuestra concentración egoísta? En otras palabras, la nueva práctica penitencial, ¿se describe como un cambio *en la sola fe o también con obras nuevas*? No es que sean dos alternativas disociables, pero los acentos aquí pueden marcar el talante de la existencia cristiana.

Cabe también plantear el tema *en un ámbito pastoral*: ¿Cómo despertar y orientar la conversión en los hombres actuales? ¿Insistiendo en el pecado como una ofensa contra la santidad del omnipoten-

te, o más bien destacando la inhumanidad a que lleva una conducta del hombre que pretende ser igual a Dios?

Con estas matizaciones, ya podemos estudiar en qué consiste la conversión o penitencia cristiana.

• *Una exigencia en la revelación*

La conversión como un cambio de mentalidad y de orientación viene determinada por la nueva meta u objetivo que se persiga. Si se ve únicamente como empeño y esfuerzo del hombre por aplacar a la divinidad ofendida, será bien distinta de una conversión como respuesta gozosa y en el amor a un Dios que previamente se ha inclinado y ha transformado el corazón del hombre. En esta segunda idea va madurando la revelación, donde podemos distinguir como tres fases.

– *En el Antiguo Testamento*

El verbo hebreo *suhb* sale muchas veces en la Biblia y significa «volverse», convertirse al Dios de la vida. La llamada de conversión es continua en los profetas: «Dios no quiere la muerte del pecador, sino que se convierta y viva» (Ez 18,32). Esta llamada profética tiene distintos acentos según épocas y situaciones. Los profetas preexílicos insisten sobre dos polos: uno negativo, rechazo de la idolatría; y otro positivo, volverse a Yahvé reconociéndole como Dios de la alianza y practicando la justicia. Is 1,10-19 es buena muestra: urge pasar de una existencia manchada en sangre de crímenes (1,15-16) a una vida «que busca lo justo» (1,17). La conversión no es sólo un sentimiento pesaroso del pasado, sino un proceso de cambio en la práctica de vida que ha de ir marcada por obras contrarias al pecado.

Especialmente Jeremías y Ezequiel desean «un corazón nuevo y un espíritu nuevo que será obra del hombre» (Ez 18,31), pero antes y finalmente un don de Dios:

> «Os daré un corazón nuevo, infundiré en vosotros un espíritu nuevo, quitaré de vuestra carne el corazón de piedra y os daré un corazón de carne, pondré mi ley en vuestro interior» (Ez 36,27; Jr 31,33).

Los profetas postexílicos siguen esa misma línea, como vemos en el Libro de la Consolación: para nada sirven los ayunos si se mantiene la injusticia (Is 58,1-11). Pero también se abren nuevos campos de atención. El interés de los profetas Ageo y Zacarías, a la vuelta del destierro babilónico, se concentra en la restauración del templo. En esa misma preocupación está la denuncia de Malaquías contra los sacerdotes que presentan en los sacrificios reses defectuosas (1,8) y contra el pueblo que no paga los diezmos para mantener el culto (3,9). Así, la conversión tiene una modalidad más ritualista y jurídica.

– *La predicación del Bautista*

Esta figura de talante apocalíptico recobra y renueva el mensaje de conversión, tan vivo en los profetas preexílicos y un poco diluido en la vuelta del destierro. Is 1,10 llamó a los judíos hipócritas de su tiempo «regidores de Sodoma y pueblo de Gomorra». Enfrentándose con la misma hipocresía en sus contemporáneos, el Bautista los califica «raza de víboras» (Mt 7,3). No es suficiente que se arrepientan de sus fechorías, sino que han de dar «frutos de conversión» (Mt 3,8), que son las obras de justicia: «El que tenga dos túnicas, que las reparta con el que no tiene; el que tenga para comer, que haga lo mismo» (Lc 3,11). En estas obras de conversión se verifica el cambio real de vida.

Hay sin embargo notable diferencia en la predicación del Bautista respecto a los profetas de Israel. Según éstos, la conversión es necesaria porque al Dios de la alianza le resultan intolerables la idolatría y la injusticia. El Bautista, en cambio, fundamenta la necesidad de conversión en vistas al «reino de Dios que se acerca» (Mt 3,2). Así administra el bautismo para emprender ese camino de conversión o penitencia (Mt 3,11; Mc 1,4).

– *La novedad de Jesucristo*

Para situar el tema, conviene hacer dos observaciones. No es fácil separar la postura de Jesús respecto a la conversión y la práctica de las comunidades cristianas en las que se escribieron los evangelios. Por otra parte, todo el mensaje de los evangelios se puede resumir como imperativo a la conversión. Por eso nos fijamos sólo en algunos aspectos.

1) En la línea del Bautista

También desde el principio, Jesús hace una llamada urgente a la conversión (Mc 1,15). Y esa llamada permanece a lo largo de su actividad mesiánica: hay que tener vestido de fiesta para sentarse a la mesa del reino; hay que permanecer en vela como las vírgenes prudentes (Mt 22,11 y 25,1).

Como los profetas y el Bautista, Jesús también denuncia con agresividad la hipocresía en los dirigentes del pueblo, a quienes llama «sepulcros blanqueados» (Mt 23,27), «serpientes y raza de víboras» (Mt 23,33); también anuncia castigos para quienes no se conviertan (Lc 6,24-26).

Finalmente, Jesús, como los profetas y el Bautista, sufrió el rechazo. A pesar de los signos realizados, el pueblo no se convirtió a la voluntad de Dios, sino que se volvió contra Jesús y le dio muerte.

2) La salvación se hace realidad

En Jesús de Nazaret, Dios mismo se ha inclinado definitivamente a favor de la humanidad. Ha transformado nuestro «corazón de piedra» en «corazón de carne». Se hizo realidad la alianza nueva, el Espíritu es infundido y de algún modo da nueva personalidad al ser humano (Ez 36,27). Es la novedad celebrada en los evangelios:

> «El espíritu del Señor está sobre mí porque me ha ungido para proclamar la liberación a los cautivos, para dar libertad a los oprimidos y proclamar un año de gracia del Señor» (Lc 4,18-19).

Esta novedad significa un cambio cualitativo en la conversión.

 # Dios amor

Hay en el fondo nueva experiencia de Dios, que se autocomunica en el Hijo por amor, que viene a buscar lo perdido; su verdad definitiva es el amor gratuito, cercano y benevolente. La conversión evangélica es obra de este amor y sólo brota en presencia del Padre cuyo amor nos capacita para sentirnos pecadores. Según la parábola del hijo pródigo, Dios corre hacia nosotros antes de que nosotros demos el primer paso hacia él, «estando todavía lejos» (Lc 15,19). La mirada benevolente del Padre impulsa nuestra marcha, nos acompaña y absuelve ya en el camino, y nos mueve a celebrar el perdón. La conversión cristiana brota del amor y discurre no en clima de temor, sino de confianza.

Necesitamos asimilar esta novedad evangélica en la misma vida y muerte de Jesús. Estas frecuentemente se interpretan como un sacrificio religioso para satisfacer el honor de Dios, amo enfadado porque los hombres con nuestras faltas rompemos un orden establecido; así, la muerte de Jesús sería un acto de justicia para reparar ese honor ofendido. Pero esa interpretación no responde a la buena nueva: Dios nos ama no porque seamos buenos, sino porque él es amor gratuito, Padre; nos ama siendo incluso nosotros pecadores. Vida y muerte de Jesús son ante todo manifestación o epifanía del amor de Dios que caló y transformó de tal modo aquel hombre que fue capaz de vivir y morir totalmente libre y por amor. Es también el dinamismo de la conversión cristiana.

 # Dios del reino

Jesús no hace teorías abstractas, filosóficas o teológicas, sobre Dios. Más bien vive y manifiesta en su práctica la cercanía benevolente y activa de Dios en la instauración del reino, pidiendo la colaboración responsable de hombres y mujeres. Esta novedad tiene sus implicaciones:

1. La conversión cristiana no se queda en el pasado, ni la penitencia donde se verifica esa conversión se reduce a una descarga de crímenes cometidos. Es sobre todo una nueva forma de pensar y de vivir, un cambio de actitudes mirando al futuro.

2. En esta nueva forma de vivir hay dos aspectos o dimensiones inseparables: la fe o confianza y las obras. Cuando Jesús proclama bienaventurados a los pobres, les pide fe o confianza no en las riquezas, sino en el Padre que interviene ya con amor

para instaurar la nueva humanidad donde todas las dominaciones caerán y los humillados encontrarán su dignidad como personas humanas. La conversión es regresar al hogar paterno, hacerse como niños en los brazos de Dios.

Pero Jesús también pide obras, un compromiso eficaz e históricamente verificable para la llegada del reino; manifestaciones éticas y práxicas. Hay que abandonar la injusticia (Zaqueo), las falsas seguridades (joven rico), la vanidad y autosuficiencia (saduceos y fariseos). Y hay que realizar las «buenas obras» que, como los milagros del evangelio, abran porvenir a quienes socialmente no tienen futuro: dar de comer al hambriento, acoger al forastero, vestir al desnudo, visitar al enfermo y al encarcelado (Mt 25,35).

Y todavía un paso más. Hambrientos, desnudos y cautivos están dentro de una organización social, desfigurada en sus mismas estructuras por el egoísmo. Ayudar eficazmente a los que socialmente nada cuentan implica conflicto y lucha contra esas fuerzas del mal que deshumanizan y dividen a la sociedad humana. Jesús proclamó la llegada del reino luchando y venciendo a los «diá-bolos» que alienan y tiran por los suelos a las personas (Mt 12,28). La conversión cristiana no puede olvidar esta dimensión social.

3. Ya mirando a la situación actual de nuestra comunidad cristiana, y para denunciar dos extremos que por lo demás nunca se dan químicamente puros, podemos distinguir: Unos miran la conversión y la penitencia sólo como arreglo del pasado, perdiendo de vista que lo decisivo en las mismas es la vida nueva emprendida. Otros pueden urgir la necesidad del compromiso en la lucha contra las estructuras injustas, olvidando que esa lucha supone y es fruto de la conversión personal. Tal vez los dos extremos se podrían y deberían articular en esa vida nueva que motiva y da sentido a la conversión cristiana.

Es una conversión al Dios verdadero, que se demuestra en las actividades por la llegada del reino. Significa no sólo un nuevo modo de pensar, sino también un nuevo modo de vivir, no individualista, sino solidariamente. Y el dinamismo de solidaridad no sólo debe animar las relaciones interpersonales, sino también inspirar nuestra conducta en la organización social.

– *Agradecimiento y gozo*

Si la conversión cristiana es primera y finalmente obra de Dios, la cooperación libre y responsable del hombre ya se vive dentro de un amor que nos precede y acompaña; en la sensación de ser aceptados y perdonados. Por eso la conversión evangélica es agradecimiento por el don ya recibido. Así lo vemos en el episodio de la mujer pecadora (Lc 7,36-49). A la mesa con Jesús está un fariseo que no entra en comunión, no se deja alcanzar por el amor y se concentra en su autosuficiencia. Pero se acerca una pobre mujer que ha sentido ese amor y entra en comunidad con Jesús; experimenta el perdón y así lo manifiesta en su agradecimiento:

> «Su amor agradecido muestra que ha experimentado el perdón».

La conversión es efecto del gozo experimentado por la intervención gratuita y benevolente de Dios. Según Mc 1,14-15, ante la buena nueva de que ya llega el reino, brota espontáneamente la conversión, la salida del egoísmo para servir a la causa. Ese reino es como el tesoro escondido que, una vez descubierto, justifica la venta de todo lo que se tiene para comprar el campo donde se encuentra el tesoro; el desprendimiento, la conversión, se hace «por la alegría que le da», motivado y apasionado por la nueva realidad descubierta (Mt 13,44).

3) En el seguimiento de Jesús

Jesús de Nazaret es modelo para la «conversión cristiana» no porque él mismo fuera pecador como nosotros, sino porque recorrió un camino en la confianza y en el compromiso por la llegada del reino. Vivió en la intimidad del Padre y confió hasta en su martirio injusto; según Heb 12,2, es el primogénito de los creyentes. En su preocupación por secundar la voluntad del Padre y en su compromiso histórico por la llegada del reino hubo dos etapas fácilmente percibidas en los evangelios: durante la primera etapa de su actividad mesiánica, pone al servicio del reino sus gestos, sus facultades y sus palabras, todo lo que tiene y puede; después de la llamada «crisis de Galilea», cuando ve próxima su muerte, cambia de táctica, no habla mucho, apenas hace milagros y entrega la propia vida por la llegada del reino. En su historia se dio un proceso de conversión.

Cuenta Mc 8,34-35 que, ya viviendo la amenaza de la cruz, Jesús se dirigió «a los discípulos y a la multitud» ofreciéndoles el camino de la conversión cristiana: «Si alguno quiere venir en pos de mí, niéguese a sí mismo, tome su cruz y sígame; porque quien quiera salvar su vida, la perderá; pero quien pierda su vida por mí y por el evangelio, la salvará». La existencia y la muerte de Jesús estuvieron animadas por la causa del reino de Dios; ese amor fue capaz de soportar incomprensiones y sufrimientos en un proceso que terminó con su martirio, la cruz. La conversión cristiana está motivada por ese mismo apasionamiento que el Espíritu –gracia– infunde en nosotros; pero conlleva también un proceso donde cada uno encontrará incomprensiones y sacrificios, «su cruz», que soportará en la gratitud y en el gozo de que también así llega la nueva humanidad.

La conversión no se hace de una vez para siempre; es obra de todos y de cada día, en un proceso de confianza y desprendimiento. Un proceso largo a través de toda la vida. Puede haber una opción fundamental, una decisión frontal y permanente que define y determina la personalidad. Pero esta opción se va encarnando en la historicidad. Incluye no sólo la entrega de las facultades al servicio del evangelio, anuncio de la humanidad fraterna y solidaria, sino también la entrega de la propia vida. Y esto no sólo como proceso global de maduración, sino en cada momento de nuestra existencia. La conversión cristiana es un proceso de maduración siempre inacabado y deficiente mientras caminamos por la historia y que debe ser actualizado en cada momento.

Esta naturaleza procesual de la conversión es importante para una celebración adecuada de la penitencia sacramental.

4. La celebración sacramental

Los hombres nos sentimos culpables, pero al mismo tiempo creemos que es posible el perdón. Las distintas religiones tienen sus ritos para la reconciliación. También hay ritual del perdón o expiación en el Antiguo Testamento. Con Jesucristo, la misericordia de Dios en favor de los hombres se manifiesta de modo definitivo. Esa misericordia se actualiza en la Iglesia.

a) En la revelación bíblica

Hay una convicción fundamental: Dios no quiere la muerte del pecador y ofrece su perdón al hombre; los pecados pueden ser «perdonados», «borrados», «purificados», «quitados», «cubiertos»[23]. Pero los hombres deben acoger ese perdón manifestando con obras su cambio de vida. Jonás caminó un día entero pregonando: «Dentro de 40 días, Nínive será arrasada; los ninivitas creyeron, proclamaron un ayuno y se vistieron de sayal pequeños y grandes» (Jon 3,5). También los profetas pedirán un cambio de conducta: dejar las obras malas de injusticia y actuar con misericordia en favor de los más pobres: «Quiero lealtad y no sacrificios, conocimiento de Dios y no holocaustos» (Os 6,6); conocer a Yahvé, según Jr 22,15-16, es «hacer justicia y derecho juzgando la causa del humillado y del pobre».

También el Bautista ofrece perdón a quienes emprendan ese camino de penitencia y den fruto de buenas obras.

La dimensión solidaria que ya hemos visto en el pecado también se da en el perdón. La fiesta de la expiación en la historia bíblica era celebración comunitaria del mismo. «Cargar con los pecados» es la forma para expresar la responsabilidad de las acciones u omisiones pecaminosas. Sobre todo cuando se destaca la responsabilidad de las personas en sus propios actos, se dice que cada uno llevará, cargará o soportará las consecuencias de sus crímenes[24]. En esa idea, el salmista se dirige a Yahvé: «Ve mi aflicción y mi pesar, quita todos mis pecados» (Sal 25,21). El servidor del que habla Isaías carga con

[23] Ex 33,32; Nm 14,19; Is 6,7. Los salmos cantan el perdón de Dios (Sal 32,5; 78,38; 51,10-14). Yahvé «es el Dios de los perdones, clemente y entrañable» (Neh 9,17).

[24] Segun Ez 18,20, «el que peque es quien morirá, el hijo no cargará con la culpa de su padre, ni el padre con la culpa de su hijo».

los pecados del pueblo; y esa figura está ya en el trasfondo de los relatos evangélicos sobre el bautismo de Jesús.

b) En el Nuevo Testamento

En la revelación neotestamentaria podemos distinguir dos artículos en la confesión de fe: Cristo es oferta de perdón para todos los hombres; la Iglesia es el sacramento de Cristo que sigue proclamando y ofreciendo ese perdón.

• *Jesucristo, manifestación de la misericordia*

El acontecimiento Jesucristo entraña un cambio cualitativo y novedad única en la oferta de perdón. Según la fe cristiana, «en Cristo estaba Dios reconciliando al mundo consigo» (2 Cor 5,19). En esa fe, san Pedro entiende que

> «Dios tiene paciencia, pues no quiere que ninguno perezca, sino que todos hagan penitencia» (2 Pe 3,9).

Los evangelios nos entregan la conducta y predicación de Jesús que respira y rezuma sentimientos de misericordia. En intimidad singular con Dios, Padre, amor gratuito y misericordioso, Jesús manifestó ese mismo talante con sus gestos y sus palabras. La frase «movido a compasión», que aparece con frecuencia en los relatos evangélicos, denota bien ese clima. Sólo ahí pudieron encontrar su terreno propicio parábolas como la del hijo pródigo, de la oveja perdida, o del deudor perdonado y sin entrañas de misericordia para perdonar.

Según los evangelios, rara vez Jesús perdona expresamente pecados[25], pero toda su existencia y actividades infunden confianza y perdón. Cuando dice a los enfermos que Dios quiere su salud y que su enfermedad no es fruto del pecado; cuando asegura que para Dios sí cuentan los que socialmente nada cuentan, Jesús comunica su experiencia del Padre que siempre acompaña y cuida de los hombres, incluso cuando se ven alcanzados por el mal.

[25] Mc 2,1-12: Lc 5,17-26: Mt 9,1-8.

En ese amor del Padre no hay límites para el perdón; setenta veces siete quiere decir: hay que perdonar siempre[26].

Jesús no sólo anunció la llegada del perdón para todos los hombres. En su propia conducta y trayectoria históricas realizó y presentó la nueva humanidad totalmente reconciliada. En él «no hay pecado» es la proclamación gozosa de la revelación evangélica[27]. Jesucristo es el momento central y clave de la historia en que Dios hace suya la humanidad cambiando totalmente «su corazón de piedra» por «un corazón de carne». Los primeros cristianos confesaron este acontecimiento de gracia: Jesús es hombre igual a nosotros en todo menos en el pecado; siempre fue libre; vivió y murió con amor y en el amor (Heb 4,15).

Y todavía se da un paso más. En la vida, muerte y resurrección de Jesús, la misericordia de Dios envuelve y se hace cargo de toda la humanidad. Se abren nuevas puertas, nuevo camino de salvación y de perdón que nunca se cerrará. La conducta libre y amante de Jesús hasta entregar la propia vida –«sangre derramada»– «nos purifica de nuestros pecados» (1 Jn 1,7). En esa entrega Dios mismo sale fiador de la humanidad y se adquiere un pueblo nuevo[28]. Las primeras comunidades cristianas vieron en la vida y muerte de Jesús la obra del servidor capaz de hacerse cargo y cargar con los crímenes de todos; el «cordero de Dios que quita el pecado del mundo» (Jn 1,29).

En Jesucristo, Dios mismo nos ofrece otra forma de vivir, no en concentración egoísta y en mentira, sino en convivencia solidaria y en verdad. Así lo confiesa Pedro en su discurso de pentecostés: la vida, muerte y resurrección son oferta de misericordia y perdón para todos los hombres, «también para los de lejos» (Hch 2,38-39). Y en esa misma convicción escribe Pablo:

[26] Según Gn 4,24, Lamec, invadido por la soberbia, dice que vengará cualquier injuria setenta veces siete. En ese trasfondo debe ser leído Mt 18,22.

[27] 1 Jn 3,5; Heb 4,15; Jn 8,46.

[28] Es el sentido bíblico que tienen algunas expresiones de san Pablo cuando habla de la muerte de Cristo, como «rescate por todos» (Rom 3,24), «compra» (1 Cor 6,39); cf. J. Espeja, *Jesucristo, palabra de libertad*, Salamanca 1979, 75-77.

«Jesucristo se entregó por nosotros a fin de rescatarnos de toda iniquidad y purificar para sí un pueblo que fuese suyo, fervoroso en buenas obras» (Tit 2,13).

- *«Nos confió el ministerio de la reconciliación»*

Porque Jesucristo significa una nueva vida reconciliada, todo el que permanece en él y se deja llevar por su Espíritu ya no peca (1 Jn 3,4). San Pablo dice de otro modo: donde abundó el pecado, sobreabunda la gracia; el régimen de la fe o gracia que transforma nuestro corazón desde dentro deroga el régimen de la ley que se nos impone y dirige desde fuera[29]. Lc 7,36-50 puede ser buena muestra de la novedad: el fariseo sentado a la mesa con Jesús «no permanece en él», no vive los sentimientos del mesías; en cambio, la mujer pecadora según la ley ha percibido en Jesús ese amor de misericordia, ha entrado en sintonía con él, se ha dejado alcanzar por esa gracia.

Pero la comunidad cristiana, que confiesa la llegada definitiva del perdón, cree que Dios realiza en ella y por ella esa oferta de misericordia, hecha realidad para todos en Jesucristo:

> «Todo proviene de Dios que nos reconcilió consigo por Cristo y nos confió el ministerio de la reconciliación» (2 Cor 5,18).

– *La Iglesia imparte el perdón*

En pentecostés, la comunidad cristiana se siente alcanzada y transformada por el Espíritu del Resucitado que vive y continúa su obra de reconciliación en la Iglesia, proclamación visible de la salvación, de la misericordia y del perdón. Por otra parte, pronto la misma comunidad sufre en su propio seno la dura experiencia del pecado; sus miembros pecadores rechazan prácticamente y empañan la vocación bautismal de toda la Iglesia. De ahí el interrogante pastoral: ¿cómo proceder con estos bautizados pecadores?

La comunidad debe sentir tristeza y hacer duelo ante la incoherencia del bautizado (1 Cor 1,5). El pecador debe ser excluido, «excomulgado» de la comunidad (1 Cor 5,4; 2 Tes 3,6). Pero esa comunidad ha de seguir acompañando al pecador: «No le miréis como enemigo, sino amonestadle como hermanos» (2 Tes 3,15); la excomunión pretende ser una llamada para que el pecador se convierta (2 Tes 3,14). Finalmente, si el pecador se arrepiente y se corrige, la comunidad le concede perdón (2 Cor 1,5-11). La Iglesia puede ofrecer perdón, haciendo realidad la buena noticia[30].

También la carta de Santiago recomienda que los cristianos vayan en busca del hermano descarriado, y así lograrán su propia salvación (5,19-20). Para ello sugiere la confesión mutua y la oración de la comunidad para el perdón de los pecados (5,16; 4,15).

En las Cartas Pastorales hay ya como una cierta institucionalización. El pecador queda excluido de la comunidad «después de una y otra amonestación» (Tit 3,10); también aquí la excomunión tiene intencionalidad correctiva (1 Tim 1,20). Al presbítero corresponde amonestar a los pecadores delante de todos, «para que los demás cobren temor» (1 Tim 5,20; 2 Tim 2,25).

El proceso para la excomunión está más detallado en Mt 18,15-17:

> «Si tu hermano llega a pecar, vete y repréndele, a solas tú con él; si te escucha, habrás ganado a tu hermano. Si no te escucha, toma todavía contigo uno o dos, para que todo el asunto quede zanjado por la palabra de dos o tres testigos. Si no les hace caso a ellos, díselo a la comunidad, y si ni a la comunidad hace caso, considéralo ya como al gentil o al publicano».

Estas referencias permiten concluir aproximativamente. La Iglesia tiene conciencia de poder impartir la misericordia o perdón de Dios. La celebración del perdón tenía como dos formas. Una, ordinaria, mediante la corrección fraterna, oración y confesión de los pecados al hermano. Otra forma solemne y para pecados especialmente graves, que incluía un proceso: el pecador queda excluido de la

[29] Por ejemplo Rom 5,12-21: Gál 3-5.

[30] 1 Jn 5,16. Según 2 Pe 3,9, «Dios tiene paciencia, pues no quiere que ninguno perezca, sino que todos hagan penitencia».

comunidad y, si se arrepiente con muestras de penitencia, es admitido a la reconciliación y al perdón.

– *«Con el poder de Jesús, nuestro Señor»*

La comunidad cristiana excomulga y concede el perdón por ser el cuerpo espiritual de Cristo en la historia. Pero la Iglesia es signo eficaz de la misericordia no sólo en la penitencia. Este sacramento tiene su sentido en continuidad con el bautismo y en su conexión con la eucaristía, que son también ofertas eficaces de perdón.

1. El bautismo en el Espíritu se celebra para la reconciliación (Hch 2,38; Mc 16,16). Y la eucaristía es «la sangre de la alianza que se derrama por muchos (por todos) *para el perdón de los pecados*» (Mt 26,27-28). La frase subrayada no pertenece a la tradición sobre la cena del Señor, ya que no la trae Marcos inspirado en esa misma tradición. Expresa más bien la convicción de Mateo, y eso nos da pie para una breve reflexión.

Sabemos que la última cena, y después la eucaristía, son gestos simbólicos en que se actualizan la vida, martirio y resurrección de Cristo. Luego la capacidad de perdonar que tiene la Iglesia, y cuya fuente es la celebración eucarística, no radica tanto en una institución y concesión jurídicas de Jesús, sino en la realidad de su vida y de su misterio que continúan y se actualizan en la Iglesia. Por otra parte, la eucaristía es «la sangre de la alianza» que Dios pacta con su pueblo; luego el Señor concede su perdón en y a través de la comunidad que acoge y celebra el memorial de la última cena. Se comprende así que Jesús nos ha dejado no un mecanismo concreto para perdonar pecados, sino la *Iglesia como mediación histórica del perdón*.

2. Esta mediación de la comunidad cristiana en el perdón se puede ver en la 1 Cor, donde san Pablo pide que la comunidad excomulgue a un incestuoso «con el poder de Jesús, nuestro Señor» (5,4). Esa dimensión comunitaria del perdón se ve también en Mt 18,15-18: habla de la corrección fraterna y de la comunidad como lugar de discernimiento y de juicio; y termina diciendo: «Todo lo que atéis en la tierra, quedará atado en el cielo; y todo lo que desatéis en la tierra, quedará desatado en el cielo». Esta presencia e intervención activa de la comunidad en el perdón se fundamenta en lo que a continuación recuerda Mt 18,20: «Donde están dos o tres reunidos en mi nombre, allí estoy yo en medio de ellos». Es aquí muy oportuna la reflexión de san Agustín:

> «La remisión de los pecados, como quiera que no se da sino en el Espíritu Santo, sólo puede darse en la Iglesia que tiene el Espíritu Santo» [31].

– *Carisma de Pedro y de los discípulos*

Sólo dentro de la comunidad cristiana, como sacramento de salvación y de perdón, puede ser rectamente interpretado el carisma o ministerio para la reconciliación sacramental.

1. El carisma o ministerio de Pedro está reflejado en Mt 16,16-19. La versión de Mt no coincide con las versiones de Mc y Lc, y da gran relieve a la figura de Pedro, que tiene una función comunitaria –ser piedra que fundamenta la comunidad eclesial– por su confesión de fe en Jesucristo como Hijo de Dios. Mientras la Iglesia permanezca en esa confesión, los conflictos y la persecución –«las puertas del Hades»– no podrán con ella.

En este contexto, a Pedro se le dan «las llaves del reino de los cielos», así como «el poder de atar y desatar». Según Mt 23,13, los escribas y fariseos hipócritas cierran a los hombres el «reino de los cielos», no les dejan entrar en la nueva comunidad mesiánica. Pedro, en cambio, tiene poder de «atar y desatar», de manifestar quiénes pertenecen a la comunidad cristiana y quiénes quedan excluidos. Esa comunidad es el lugar de la salvación y del perdón.

2. Similar enfoque eclesiológico tiene el carisma o ministerio de los discípulos según Mt 18,18. Todo este capítulo está dedicado a las relaciones de amor y de perdón en la comunidad cristiana. En ese clima se plantea la cuestión: si dentro de la comunidad se da el pecado, ¿cómo se perdona?

[31] *Serm*. 71, 20, 33: PL 38, 463.

Se recomienda actitud general de misericordia en favor de los pecadores, perdonando las ofensas «hasta setenta veces siete» (18,22); saliendo de la propia seguridad como el buen pastor para buscar a la oveja perdida (18,12), y no siendo como el hombre «sin entrañas» que, habiendo sido él mismo perdonado, no es capaz de perdonar (18,23). Queda bien formulada la normativa de la comunidad:

> «Si tu hermano llega a pecar, vete y repréndele, a solas tú con él; si te escucha, habrás ganado a tu hermano. Si no te escucha, toma todavía contigo uno o dos, para que todo el asunto quede zanjado por la palabra de dos o tres testigos. Si no les hace caso a ellos, díselo a la comunidad; y si ni a la comunidad hace caso, considéralo ya como al gentil y al publicano» (18,15-17).

En ese contexto eclesiológico debe ser interpretado el poder o ministerio que sigue a continuación: «Yo os aseguro que todo lo que atéis en la tierra, quedará atado en el cielo, y todo lo que desatéis en la tierra, quedará desatado en el cielo» (18,18). El perdón de los pecados se logra participando en la vida de la comunidad; y la alternativa que se plantea es seguir dentro de esta comunidad o quedar excluido de la misma.

En el mantenimiento y dinamismo de la comunidad cristiana, Pedro y los apóstoles tienen una peculiar función porque son los primeros testigos a quienes se ha revelado el Hijo. Los responsables hipócritas en el pueblo judío cerraban a los hombres «la entrada en el reino de los cielos o comunidad de salvación». Pedro y los apóstoles, primeros testigos en la nueva comunidad de gracia, prestan el ministerio de admitir o no en la misma [32].

- *A modo de resumen*

1. La primera comunidad cristiana vive la experiencia de salvación definitiva en Jesucristo. Esta salvación es ya una existencia nueva en el Espíritu que nos hace hijos de Dios animados por la fe o confianza, y nos compromete a realizar «obras buenas» re-creando la conducta de Jesús. Pero en la contradicción de nuestra libertad finita y en las incoherencias prácticas de cada día, la salvación se hace liberación y perdón.

2. La gran novedad es que Dios ha dado a los seres humanos la posibilidad de cooperar a la salvación y al perdón. Jesucristo es el lugar histórico y concreto de ese poder «que Dios ha dado a los hombres» (Mt 9,8); toda su existencia y todas sus actividades son manifestación y oferta de gracia y de misericordia.

3. Cristo sigue activo en y con la comunidad cristiana, sacramento de salvación y de perdón. Según participen el espíritu de esa comunidad o rompan con ella, mujeres y hombres avanzarán en la salvación siendo perdonados, o permanecerán al margen de la salvación y perdón ofrecidos.

La comunidad cristiana presta su servicio de salvación y de perdón en el bautismo y en la eucaristía, actualización sacramental del acontecimiento de Jesucristo; pero también hay otros cauces, como son la oración, la confesión mutua de los pecados, la corrección fraterna, y la exclusión de la comunidad. Esta se deja representar por los apóstoles, testigos de la fe. Así, el carisma o ministerio apostólico sólo tiene sentido dentro de la comunidad cristiana que vive, celebra y ofrece la salvación y perdón concedidos en Jesucristo.

4. Sobre el sacramento de la penitencia en la práctica de las primeras comunidades cristianas, hay que distinguir:

– En el NT sólo aparecen como ritos sacramentales de perdón institucionalizados y comúnmente celebrados el bautismo y la eucaristía. Pero no hay un rito común para conceder el perdón fuera de esos dos sacramentos. Había sin embargo distintas prácticas y modos de lograr la conversión y dar el perdón. La excomunión y la reintegración en la comunidad, que se profundizará más tarde en la práctica de la Iglesia, es quizá el procedimiento más notable y de más significado para recuperar la dimensión comunitaria de la penitencia.

– Ya mirando al sacramento de la penitencia tal como hoy lo celebramos, hay en las primeras comu-

[32] En esa misma idea, Lc 22,32; Jn 21,16-17. Es la perspectiva eclesial y comunitaria en que debe ser leído Jn 20,22-23: «Recibid el Espíritu Santo; a quienes perdonéis los pecados, les serán perdonados; a quienes se los retengáis, les serán retenidos».

nidades aspectos que se deben mantener. Distinguían pecados cotidianos, pecados más graves, y pecado «de muerte», o «contra el Espíritu», que se refiere a una instalación en la propia ceguera y en la concentración egoísta. En nuestra moral y en la práctica de la penitencia nos hemos quedado con los actos pecaminosos normales o graves, pero quizá hemos olvidado las actitudes profundas donde se dan la instalación y el egoísmo globales que matan la novedad evangélica del amor.

– En cuanto al ministro, una referencia puede ser la práctica de la excomunión en las comunidades paulinas, que pronuncian Pablo o los presbíteros. En cualquier forma que se organice más tarde este ministerio, según la práctica donde Mt escribe, siempre deberá ser ambientado e interpretado dentro de la comunidad cristiana, toda ella sacramento de la salvación y del perdón.

5. La conciencia de que ya se nos ha concedido gratuitamente el perdón en Jesucristo, la convicción de que la oferta sigue actual en la comunidad cristiana, la necesidad de conversión cada día y la posibilidad de alcanzar siempre perdón, serán referencias e imperativos fundamentales en que se irá concretando el rito sacramental de la penitencia.

c) Distintas formas en la historia de la Iglesia

Dentro del núcleo central de la fe caben distintas concreciones prácticas de la misma según tiempos, situaciones y culturas. El conocimiento de las distintas formas en que se ha organizado la reconciliación dentro de la Iglesia puede ampliar nuestros puntos de vista y proporcionarnos elementos valiosos de juicio en el momento actual.

- *Penitencia pública y canónica*

– La penitencia de los bautizados «no es asunto sólo privado; en ella tiene que ver la comunidad». Sólo a modo de ejemplo, son elocuentes dos documentos.

A finales del s. I, la *Didajé* recomienda: «Reunidos el día del Señor, partid el pan y dad gracias, después de haber confesado vuestros pecados, para que sea vuestro sacrificio puro; todo el que tenga alguna disensión con su compañero, que no se reúna con vosotros hasta que se haya reconciliado, para que no se contamine vuestro sacrificio»[33]. No se dice a quién o quiénes hay que hacer la confesión, ni tampoco sobre la forma de hacerla. Posiblemente se trate de una confesión en la liturgia eucarística delante de la comunidad.

Años más tarde, hacia el 150, *El pastor* de Hermas distingue entre la remisión de los pecados en el bautismo, que no se puede reiterar, y la penitencia para los pecadores después de su bautismo. Esta penitencia se llama *exomologesis*: reconocimiento y confesión del pecado, y obras de penitencia que el pecador ha de hacer públicamente. Pero *El pastor* de Hermas es rigorista: la penitencia después del bautismo sólo puede hacerse una vez[34].

– *La penitencia pública* se organiza pronto. En los primeros años del s. III, ya la describe Tertuliano. La penitencia segunda después del bautismo –*exomologesis*– es necesaria cuando se cometen delitos graves: apostasía, adulterio y homicidio voluntario. El penitente debe confesar a Dios su pecado y satisfacer humildemente con actos internos y externos: vestido penitencial, ayunos y otras manifestaciones de dolor. Para los pecados leves, hay que hacer penitencia privada[35].

Poco a poco se va organizando la penitencia pública: quienes se reconocían culpables en delitos graves, se confesaban al obispo, y éste, imponiéndoles las manos, oraba por el pecador y mandaba que le inscribieran en el «orden de los penitentes», echándole simbólicamente fuera de la Iglesia («excomunión»). Durante ese tiempo de penitencia, los pecadores, privados de la participación en la eucaristía, manifestaban interna y externamente su conversión, mientras la comunidad cristiana los acompañaba con oraciones. Cumplida la penitencia, tenía lugar la reconciliación: en la festividad del jueves santo, mientras ora la asamblea litúrgica, el obispo impone las manos al penitente, que de

[33] XIV, 1-2.

[34] Vis. II, II, 4-5; Vis. III, V, 5.

[35] *De poenit.*, VII, 10.

nuevo se integra en la comunidad cristiana y participa en la eucaristía[36].

– La práctica de la penitencia pública nos brinda ocasión para tres reflexiones.

1. *Hay dos convicciones importantes*: que la reconciliación o perdón se realiza en el proceso penitencial del pecador; y que la Iglesia o comunidad cristiana es el lugar y la mediación del perdón.

2. *Significado del rigorismo*. El talante rigorista que se da en *El pastor* de Hermas y en Tertuliano viene a ser común en oriente y en occidente: no conviene que los bautizados minusvaloren la penitencia. El rigorismo se impuso cuando llegaron las persecuciones, y los cristianos debían estar dispuestos incluso a morir por su fe. En el 251, el concilio de Cartago, presidido por san Cipriano, dictó normas muy duras sobre la reconciliación de los bautizados que apostataban por miedo al martirio. Más tarde, cuando la Iglesia gozó ya del favor imperial, el rigorismo era necesario por otro capítulo: pedían el bautismo grandes masas, y se corría peligro de que la «segunda penitencia» se convirtiera en rutina sin eficacia.

Pero al mismo tiempo, la verdadera fe reaccionó contra el rigorismo fanatista y antievangélico de Montano y Novaciano. La tradición de Atanasio, Ambrosio y Agustín defendió que la Iglesia tiene poder para perdonar todos los pecados.

3. *¿Era la penitencia pública un sacramento?* La definición de sacramento en sentido técnico para designar los siete ritos sacramentales no aparece hasta la Edad Media. En estos primeros siglos no hay definición de sacramento propiamente dicho. Pero si decimos que sacramento es un rito simbólico en acción, que actualiza y ofrece a los hombres la gracia, es indudable que hay en la penitencia pública una verdadera celebración sacramental del perdón.

Más todavía, en esa práctica de la penitencia pública se puso de relieve algo importante para renovar hoy este sacramento: *necesidad del proceso penitencial con actos internos y externos del pecador; presencia e intervención de toda la comunidad cristiana en este proceso*. Dos aspectos que pueden servir de correctivo para una práctica donde la «penitencia del pecador» cuenta muy poco, y que frecuentemente se hace como un arreglo privado de cuentas con Dios, sin ninguna repercusión comunitaria.

• *Penitencia privada y tarifada*

En los primeros siglos, además de la penitencia pública por los delitos más graves, se recomendaba la penitencia privada por los pecados leves; pero esta penitencia privada no tenía regulación canónica. Por otra parte, el rigorismo de la penitencia pública y la exclusión de la eucaristía durante el tiempo de penitencia dejaban un poco desamparados a los fieles.

Antes del s. V hay ya indicios de la penitencia privada en oriente por influjo de los monjes, que pronto pasó a occidente. En la práctica monacal se hacía la confesión al padre espiritual, que imponía la penitencia; una vez cumplida ésta, el penitente era reconciliado en privado. Se quita el aspecto mortificante de la penitencia pública, y esta nueva forma de penitencia privada puede reiterarse no sólo por los pecados graves, sino también por las faltas cotidianas. Así desaparece el «orden de los penitentes», y la presencia del obispo queda sustituida por la de un presbítero[37].

A pesar de las reticencias por parte de algunos concilios, en la mitad del s. VII la práctica de la penitencia privada se había impuesto. En el s. VIII, no sólo se permite, sino que se manda, y desaparece la penitencia pública. La masificación del cristianismo, agrandada por la conversión de los pueblos bárbaros, exigía multiplicar la concesión del perdón. Para facilitar la tarea, salieron los «libros penitenciales» que, junto a la lista de pecados, traían la penitencia correspondiente.

A pesar de que el concilio de París en el 829 mandó quemar esos libros, la práctica siguió su

[36] C. Vogel, *El pecador y la penitencia en la Iglesia antigua*, Barcelona 1968, 43-63.

[37] E. Aliaga *Penitencia*, en *La celebración en la Iglesia*, 464-469.

camino. En ella, todavía la imposición y cumplimiento de la penitencia precedían y eran requisito para la absolución; los pecadores debían confesar sus delitos para recibir la penitencia tarifada. Pero se había perdido el proceso penitencial público, tan decisivo en los primeros siglos.

- *Personalización y reflexión teológica*

Del s. X al XV hay dos preocupaciones: superar la penitencia tarifada insistiendo en la responsabilidad personal, distinta según los casos, y elaborar la teología de este sacramento; quedan sin embargo algunas cuestiones que siguen pendientes.

– La Edad Media supuso ya un paso en la *personalización del hombre*. La persona humana en sus decisiones y actos libres se va reconociendo cada vez más. En el binomio pecado-penitencia según la tarifa correspondiente se introduce un elemento nuevo: conciencia y responsabilidad de la persona que comete el pecado. Así, a partir del s. XII, es importante la acusación para conocer las circunstancias del pecado y valorar la responsabilidad del pecador. Esta acusación logra tal relevancia, que el término *exomologesis*, que antiguamente designaba todo el proceso penitencial, vino a ser lo mismo que «confesión de los pecados». De ahí a llamar a la penitencia «sacramento de la confesión» sólo hay un paso. Por otra parte, la absolución se concede nada más hecha la confesión de los pecados, y la satisfacción o penitencia propiamente dicha queda fuera del proceso sacramental.

El nuevo esquema es así: «pecado-confesión-absolución-satisfacción». Ha desaparecido definitivamente la penitencia externa y pública, siendo sustituida por la interna y privada. Queda en la sombra la reconciliación con la Iglesia y se destaca la reconciliación directa del pecador con Dios. La penitencia ya no culmina en la reintegración comunitaria, sino que se centra en el dolor, que alcanza su efecto en la absolución. Lo decisivo son el arrepentimiento y el perdón; no la penitencia y reconciliación con la Iglesia.

– En esta etapa hubo una muy significativa «reflexión teológica» sobre el dinamismo del perdón y sobre la sacramentalidad de la penitencia.

El interrogante para los teólogos no es quién reconcilia con la Iglesia, sino quién perdona los pecados. A primera vista, la respuesta es sencilla: sólo Dios perdona el pecado, supuesto el arrepentimiento del pecador; pero ¿cuál es el papel de la Iglesia en este proceso? Y se responde: la Iglesia participa mediante el sacerdote que escucha los pecados, impone satisfacción y absuelve; pero la Iglesia no da el perdón. A principios del s. XIII, una confesión responde a esta visión:

> «Creemos que Dios concede el perdón a los pecadores verdaderamente arrepentidos y que se confiesan oralmente y satisfacen de obra según las Escrituras» [38].

En el s. XII se define qué es un sacramento propiamente dicho y se acota el número septenario. La penitencia, que fue vista en los siglos precedentes como parte de la disciplina eclesiástica para restaurar el compromiso bautismal roto por el pecado, se enumera entre los siete ritos sacramentales. Siguiendo el esquema de la filosofía aristotélica, el signo sacramental consta de un elemento material –por ejemplo agua y ablución en el bautismo– y por otro elemento formal, las palabras que se dicen al aplicar la materia. Como en el sacramento de la penitencia no hay elementos materiales propiamente dichos, se dijo que los actos del penitente son «como la materia» («cuasi materia») de la penitencia [39].

– *Se discuten algunas cuestiones*, que son significativas en el nuevo enfoque de la penitencia y han tenido sus repercusiones en los siglos posteriores. Dos parecen más notables.

1. *¿Qué valor tiene la absolución?* Para unos, el factor único y decisivo para conseguir perdón es el arrepentimiento personal. Para otros, el arrepenti-

[38] Profesión de fe propuesta a los valdenses por Inocencio III en 1208 (DS 794).

[39] En 1439, el concilio de Florencia, en el Decr. *Pro Armenis*, hace suya la doctrina de santo Tomás: «El cuarto sacramento es la penitencia; su cuasi-materia son los actos del penitente: contrición de corazón que incluye dolor por el pecado cometido, con el propósito de no pecar más; confesión de boca en que el pecador confiesa íntegramente todos sus pecados al confesor, y la satisfacción por los pecados según el juicio del sacerdote... La forma de este sacramento son las palabras de la absolución» (DS 1323).

miento perdona, pero condicionado a la absolución. Según las posiciones, se habla de absolución declaratoria, que sólo reconoce el perdón ya concedido, o de absolución indicativa, que concede ese perdón. Se ve que hay dos verdades en juego. Según la tradición de los primeros siglos, el arrepentimiento, manifestado en obras de penitencia, ya es medio de perdón. Pero siendo un sacramento de la nueva ley, el rito de la absolución también debe ser oferta de gracia que perdona.

2. *¿Y cuando sólo hay atrición?* La teología medieval distinguió entre contrición perfecta e imperfecta o atrición. La primera brota del amor gratuito que por sí mismo ya reconcilia. La atrición está motivada por el temor al castigo y el miedo a no conseguir la felicidad.

Como en la atrición caben muchos grados y gamas, puede ocurrir que el pecador sólo se arrepienta por miedo a la pena; si, por otra parte, sólo el verdadero amor puede reconciliar, *¿cómo pasa el pecador de la atrición a la contrición?* Aquí se perdían los teólogos en distinciones y opiniones que todavía barajó la neoescolástica en la primera mitad del s. XX. Estas disquisiciones se planteaban sobre un terreno en que no estaba suficientemente viva la experiencia cristiana de Dios como cercanía benevolente para los hombres, y de la conversión como fruto de haber recibido la buena noticia del reino.

– *Para una valoración* de esta etapa, podemos distinguir aspectos positivos y también sombras no clarificadas.

Entre los aspectos positivos destaca: el hombre pecador es responsable de sus actos; debe reconocer sus crímenes y hacerse cargo de los mismos. A la vez resalta otra verdad: en el sacramento de la penitencia, el perdón se nos concede gratuitamente; así lo manifiesta la absolución.

Pero esta época tampoco está exenta de ambigüedades. Ya la antigua celebración canónica de la penitencia pública insistía mucho en el arrepentimiento, que debía estar verificado en una práctica penitencial externa; pero en la Edad Media se pretende asegurar ese arrepentimiento con la confesión verbal de los pecados. En otras palabras, se privatiza el proceso de la conversión o penitencia propiamente dicha. La misma presencia del sacerdote queda dislocada y no alcanza su verdadero significado como ministerio de la comunidad cristiana que proclama y oferta el perdón.

d) La doctrina del concilio de Trento

En el esquema de la teología medieval se destacó la importancia del arrepentimiento y de la absolución, pero tal vez se dio por supuesta y no se puso suficientemente de relieve la novedad de la conversión o penitencia cristiana. En ésta, la iniciativa es de Dios que por su Espíritu actúa en nosotros suscitando el deseo de convertirnos. El punto de partida en el proceso del perdón es el encuentro apasionante con Cristo, testigo de Dios-amor. El rito sacramental promueve una fe o una vida en gracia que ya existen por intervención gratuita de Dios en favor nuestro.

• *Desviación en los reformadores*

Admitiendo la evolución y peculiaridad de cada uno respecto al sacramento de la penitencia, en general los reformadores destacaron la gratuidad de Dios de tal modo que llegaron a negar tanto el valor del arrepentimiento personal como la mediación de la Iglesia en el perdón de los pecados. Sin duda, la práctica deformada en el sacramento de la penitencia y en la concesión de indulgencias durante los siglos XIV y XV era denunciable y exigía revisión, pero en esa denuncia se negaron artículos fundamentales para la fe católica.

– Lutero viene a identificar pecado y concupiscencia que siempre nos acompaña y continuamente nos humilla. Pecador por naturaleza, el hombre no puede ser transformado por dentro, aunque sí puede ser perdonado, pues Dios olvida nuestros crímenes en atención a Jesucristo. No hay otro arrepentimiento que la confianza total en la misericordia divina.

– Los reformadores cuestionan que la Iglesia visible sea proclamación y presencia infalible de gracia y de perdón para los hombres. Consiguientemente, no se le reconoce ningún poder de juicio y de absolución sobre los pecados.

– El único sacramento de perdón es el bautismo, y la penitencia no es más que una disciplina para renovar la vocación bautismal. No es necesaria la confesión detallada de pecados, que muchas veces genera agobio y tortura en los penitentes.

– Contra una reducción excesiva de la Iglesia en la jerarquía, los reformadores acentuaron que toda la Iglesia es pueblo de Dios y comunidad sacerdotal. Pero al mismo tiempo negaron otra verdad importante: que los ministerios ordenados son también carismas o dones del Espíritu a la comunidad cristiana.

• *Confesión católica*

El concilio de Trento reaccionó contra los extremismos de la reforma confesando artículos importantes de la fe tradicional.

En el *Decreto sobre la justificación* se distingue pecado, de concupiscencia: a pesar de las torcidas tendencias que anidan en el hombre, la libertad permanece y podemos seguir un camino del bien o un camino del mal.

La Iglesia visible es comunidad de salvación, y ha recibido el poder de perdonar en aquellas palabras del salvador:

> «Recibid el Espíritu Santo: a quienes perdonéis los pecados, les serán perdonados; y a quienes se los retuviereis, les serán retenidos» (Jn 20,22).

La penitencia es verdadero sacramento distinto del bautismo; «segunda tabla después del naufragio», según la expresión tradicional.

Es necesaria «por derecho divino» la confesión sacramental de todos y cada uno de los pecados mortales con las circunstancias que cambian la especie.

La absolución dada por el sacerdote es un acto judicial que concede el perdón [40].

[40] Sobre la justificación (DS 814-816). Sobre la penitencia y el poder de perdonar (DS 1703), distinción del bautismo (DS 1701-1702), confesión íntegra (DS 1707), absolución (DS 1709). Cf. D. Borobio, *El modelo tridentino de confesión de los pecados en su contexto histórico*: Concilium 210 (1987) 215-235.

• *Valores y limitaciones*

Para no caer en el anacronismo, pensemos que las declaraciones de Trento son coyunturales contra unas desviaciones muy concretas que niegan artículos importantes de la fe tradicional. Pero esas mismas declaraciones se hacen dentro de una mentalidad marcada por la teología escolástica y con una preocupación pastoral que más o menos tienen todos los concilios.

Trento ha resaltado bien algunas verdades fundamentales: el pecado tiene su causa en la libertad humana mal ejercida; la Iglesia visible es proclamación histórica de salvación y perdón; el pecador es responsable de sus delitos, debe arrepentirse con seriedad y debe manifestar ese arrepentimiento; los ministerios ordenados son carismas del Espíritu en servicio de la comunidad.

Pero esas declaraciones se hacen dentro de un esquema y con silencios que, tal vez por falta de un debido discernimiento en la teología posterior al concilio, han dado lugar a reduccionismos o falsas interpretaciones.

– La declaración conciliar *se mueve en un esquema*: los cristianos pecan mortalmente después del bautismo; para remediar esa caída, Cristo instituyó el sacramento de la penitencia, donde se hace realidad el juicio de Dios sobre los pecados mortales; para dar ese juicio, el sacerdote debe conocer el pecado y sus circunstancias; y así da la absolución que perdona.

En el esquema, dos aspectos quedan fuera del proceso. Antes de acercarse a confesar, el penitente ha iniciado ya un camino de salvación, cuya iniciativa es de Dios; la integridad de la confesión no es tanto requisito para que los sacerdotes den un juicio adecuado, cuanto exigencia del pecador que ha experimentado ya el amor y el perdón de Dios. Por otra parte, ha desaparecido la dimensión comunitaria o eclesial del pecado y del perdón. Tampoco otras prácticas penitenciales que propiamente no pertenecen a la celebración del sacramento y que han tenido gran importancia en la tradición de la Iglesia son acogidas en la declaración conciliar.

– En la doctrina de Trento *quedan sin clarificar muchas cuestiones*. Por ejemplo, en qué consiste el pecado mortal, cómo se relacionan la contrición y la atrición, qué se entiende por «derecho divino» cuando se habla de la confesión íntegra. Estos silencios, justificables dentro de una época, ante unas desviaciones puntuales y sin la pretensión de zanjar cuestiones discutibles entre los teólogos, han dado pie para deformaciones y reduccionismos lamentables en la práctica de este sacramento durante los últimos siglos. Se ha mantenido sin más la declaración de Trento y con frecuencia se ha caído en un legalismo y una práctica mecanicista de la confesión que nada tiene que ver con el sacramento cristiano cuya verdad defendió el concilio tridentino.

5. Para una renovación

En la celebración de la penitencia hemos distinguido ya entre núcleo esencial que permanece, y formas cambiantes en la práctica histórica. En cuanto al núcleo esencial, hay épocas que acentúan unos aspectos con peligro de olvidar otros. Pero en concreción histórica, cada tiempo y cultura tienen sus exigencias peculiares. En los últimos años se han recuperado aspectos fundamentales de este sacramento, que se habían perdido; y hay otras condiciones del hombre actual que deben ser tenidas en cuenta para emprender la renovación necesaria.

a) Perspectivas abiertas en el Vaticano II

Las declaraciones que sobre este sacramento ha tenido el Magisterio en los últimos cuatro siglos reafirman la enseñanza de Trento frente a protestantes, jansenistas y modernistas[41]. Pero el Vaticano II supone un cambio cualitativo.

Este concilio, en primer lugar, da una visión completa del dinamismo sacramental: los sacramentos no sólo alimentan y robustecen la fe, sino que también suponen la fe, y se celebran para la edificación del cuerpo místico que es la Iglesia[42].

También se dan pasos importantes en el conocimiento de la Iglesia: es la comunidad del Espíritu; presencia de Cristo e instrumento de redención universal[43]. Por otra parte,

> «incluye en su propio seno a pecadores y, siendo al mismo tiempo santa y necesitada de purificación, *avanza continuamente por la senda de la penitencia y de la renovación*»[44].

Según estos principios doctrinales, *cambian el dinamismo y el esquema* de la penitencia.

Dios toma la iniciativa llamando a la conversión, y en cuanto los hombres responden a esa llamada, ya se está concediendo el perdón; el proceso penitencial, tan decisivo en los primeros siglos, debe ser recuperado

> «de acuerdo con las posibilidades de nuestro tiempo, de las diversas regiones y de la situación de los fieles»[45].

En la edificación del cuerpo místico, a la que todos los sacramentos se ordenan, la penitencia reconcilia con la Iglesia, cuya vocación y santidad son vulneradas en el pecado. Toda la Iglesia necesita purificación en la penitencia. Y al mismo tiempo, esta Iglesia, movida por el Espíritu, es instrumento y oferta infalible de reconciliación.

Ha cambiado el esquema de Trento. Entre pecador y Dios está el misterio de la comunidad cristiana en proceso de purificación y con el poder de perdonar. Así, el sacerdote que absuelve no es alguien aislado, sino un miembro de la comunidad cristiana, en la que ha recibido un ministerio. Más que su función judicial, se acentúa su solicitud para escu-

[41] Las proposiciones de M. Bayo influido por los reformadores son rechazadas por la Iglesia en 1567 (DS 1957, 1958 y 1959). En 1690, Alejandro VII condena proposiciones jansenistas (DS 1314-1321). Más tarde, en 1713, parecidas ideas de P. Quesnel son denunciadas por Clemente XI (DS 2460-2462). Pío X desautoriza afirmaciones de los modernistas que hablaban de la penitencia como invento eclesiástico sin fundamento en el evangelio (DS 3443, 3446-3447). Como una novedad, Pío XII en la Enc. *Mystici corporis* (1943) recomienda la confesión frecuente también de pecados veniales (DS 3818).

[42] SC 59.

[43] La Iglesia es comunidad del Espíritu (LG 4), presencia de Cristo (SC 7), instrumento de redención universal (LG 9).

[44] LG 8.

[45] SC 110.

char a los penitentes, fomentar en ellos la conversión y reconciliarlos con la Iglesia[46].

b) *El Nuevo Ritual*

El Vaticano II manda que se revisen «el rito y las fórmulas de la penitencia, de manera que expresen más claramente la naturaleza y efecto del sacramento»[47].

Cuando es aprobado el *Nuevo Ritual*, 2 de diciembre de 1973, han pasado diez años de postconcilio, donde viene reinando el desconcierto sobre la práctica de la confesión. La dimensión eclesial y comunitaria puesta de relieve por el concilio dio pie a una práctica de absoluciones en forma colectiva, no siempre ortodoxa. La Congregación para la Doctrina de la Fe sacó un documento en 1972 determinando casos y situaciones[48]. Por otra parte, no sólo debido a la secularización cada vez más fuerte, sino también a deformaciones rubricistas y rutinarias en la práctica de este sacramento, decae la tradicional confesión frecuente[49].

El planteamiento del Nuevo Ritual supone un cambio notable. Ya en el punto de partida, toda la Iglesia necesita purificación, que puede realizarse:

- de forma sacramental en
  - el bautismo
  - la eucaristía
  - la penitencia, que a su vez es:
    - ➔ individual
    - ➔ colectiva
- por cauces extrasacramentales: celebraciones penitenciales, proclamación de la palabra, oración, etc.

Este planteamiento sitúa la eucaristía en el centro del organismo sacramental y recupera una serie de prácticas penitenciales cultivadas en la tradición eclesial, y que se habían diluido con la exclusividad de la absolución sacramental. No es que el *Ritual* descubra doctrinas nuevas, pero sí dimensiones y prácticas olvidadas. Sin detenernos mucho, señalemos algunos aspectos que aporta y algunos interrogantes que deja sin resolver[50].

- *Avances más destacables*

Necesidad de verdadera conversión cristiana. Desaparece la llamada contrición imperfecta o atrición. *La verdad de la penitencia radica en la contrición* entendida como «cambio de todo el hombre: de su manera de pensar, juzgar y actuar, impulsado por la santidad y el amor de Dios»[51]. La celebración de la penitencia cristiana exige un apasionante, serio y profundo compromiso del hombre. Se recupera el significado evangélico de la conversión.

Se matiza la función judicial. La confesión de los pecados no se ordena tanto a dar una información exhaustiva de los pecados para que los conozca el sacerdote, sino para mostrar el alcance y profundidad del arrepentimiento. En otras palabras, no debe ser tanto una exigencia canónica cuanto una exigencia del penitente, pues «la acusación se hace a la luz de la misericordia divina»; «como una expresión personal y concreta de conversión»[52]. Lo importante no es que el sacerdote se informe bien, sino que los penitentes se responsabilicen con espíritu evangélico. La absolución no recae sobre la declaración de pecados, sino sobre el compromiso adquirido por el penitente.

Un proceso de conversión. Tal como el *Ritual* plantea la celebración de la penitencia, esa celebra-

---

[46] El Vaticano II pide a los párrocos que celebren el sacramento de la penitencia de modo que «fomente la vida cristiana» (CD 30). El CIC, can. 978, se refiere al «ministro de la misericordia divina». Según el *Ritual*, n. 10 c, el ministro de la penitencia realiza «una función paternal revelando el corazón del Padre a los hombres y reproduciendo la imagen de Cristo pastor».

[47] SC 72.

[48] *Normas Pastorales para la absolución sacramental general*, 19 de junio de 1972: AAS 64 (1972) 510-514. Son prácticamente las mismas normas dadas el 25 de enero de 1944 por la Penitenciaría Apostólica (DS 3834-3835).

[49] En 1975, Pablo VI denunciaba: «Hay lamentablemente quien tiene en muy poca estima la confesión frecuente»: AAS 67 (1975) 312.

[50] Entre los comentarios al *Nuevo Ritual* destaca el de G. González, *Sobre el Ritual de la penitencia*: Ciencia Tomista 102 (1975) 149-160.

[51] *Ritual*, n. 6 a.

[52] *Ritual*, n.6 b y n. 64.

ción implica un proceso. En la vida no se adquiere una postura de cambio de la noche a la mañana; se necesita una maduración de convicciones y de prácticas. La absolución será como la cúspide de un proceso que sin embargo sigue en la satisfacción; así ésta recobra el significado teológico que tuvo en los primeros siglos[53].

Esta perspectiva debe cambiar también un poco el planteamiento de la frecuencia en recibir la absolución. Lo que sí ha de ser frecuente y continua es la penitencia de cada día; también hay que recuperar y actualizar una serie de prácticas penitenciales que tenemos olvidadas o que hacemos por rúbrica dentro de la liturgia. Si la absolución es la cumbre de un proceso de conversión, hay que asegurar bien la verdad y madurez en el mismo.

Singularidad de la celebración. Con frecuencia, «muchos fieles valoran la confesión individual como una ocasión de diálogo con el sacerdote, para consultas, diálogo pastoral, dirección espiritual, etc.; estos aspectos tienen su importancia y hay que tenerlos en cuenta, pero a la vez habrá que mantenerlos en su propio nivel y no confundirlos con la celebración misma del sacramento»[54]. No se debe confundir la celebración de la penitencia con otros ministerios afines, como la orientación moral o la llamada dirección espiritual.

• *Interrogantes abiertos*

Si admitimos que la conversión es un proceso que puede durar tiempo, en seguida uno se pregunta: *¿es necesario privarse de la participación en la eucaristía* cuando el proceso penitencial ha comenzado, pero no alcanza todavía madurez suficiente para su culminación en la absolución sacramental? Una respuesta válida exige profundización teológica en las relaciones entre penitencia y eucaristía; aunque, en la visión que venimos dando sobre la penitencia, la respuesta tendría que ser negativa, tiene ahí su palabra que decir el discernimiento pastoral.

El *Nuevo Ritual* recuerda la obligación de confesar los *pecados graves*, y se apoya en la declaración de Trento que habla de los pecados mortales; ¿quiere identificar los dos calificativos «mortales y veniales»?[55]. Ultimamente, los teólogos moralistas distinguen pecados mortales, graves y veniales; el Ritual ¿no acepta sin más esa distinción? Habría que clarificar más este punto.

Finalmente, la *absolución colectiva*. El *Ritual* distingue tres formas de celebrar este sacramento: a) reconciliación de un solo penitente: previa la confesión y aceptación de la penitencia, el sacer-

[53] Según el *Ritual*, la satisfacción debe ser «signo de una renovación de vida y comienzo de una nueva etapa» (n. 65).

[54] *Ritual*, n. 69.

[55] *Ritual*, n. 7a y n. 45. En Trento (DS 1707-1708).

dote imparte la absolución; b) reconciliación de varios penitentes que se confiesan y son absueltos individualmente; c) reconciliación de muchos penitentes donde la confesión es general y la absolución se da conjuntamente a todos. Las formas a) y b) mantienen el esquema clásico: absolución individual tras confesión individual. La forma innovadora es la c), donde la absolución se imparte sin confesión individual previa.

Tanto el *Ritual* como la normativa más reciente del Magisterio reservan esta forma c) para casos de carácter excepcional[56]. Se comprende que hay dos imperativos de fondo que la celebración debe asegurar: arrepentimiento sincero del penitente y dimensión comunitaria del perdón; ninguno de los dos debe llevar consigo merma del otro. Pero si los elementos esenciales del sacramento se realizan ordinariamente en el ámbito estrictamente individual, ¿hay en la práctica verdadero reconocimiento del talante comunitario? Es un tema todavía pendiente, donde será necesario fino discernimiento pastoral[57].

> Una celebración comunitaria del sacramento de la penitencia puede servir para poner de relieve el significado de la «comunión de los santos» como peregrinación y conversión: mediante la negación de sí mismos y la penitencia, todos los hijos e hijas de la Iglesia se preparan para soportar la carga de los pecados y sostienen el esfuerzo de corazón de todos los demás.
>
> B. Häring, *Shalom, paz. El sacramento de la reconciliación*, Barcelona 1970, 34.

c) Adaptación a nuestro tiempo

Sólo a modo de breves sugerencias, hay algunos puntos de interés.

– Que los hombres identifiquen dónde está su mal o pecado.

El hombre moderno o posmoderno vive desajustes y desencantos consigo mismo, pero no acaba de precisar dónde radica su pecado, porque se ha diluido la presencia de Dios. Tal vez habría que despertar o fomentar en él dos vetas a las cuales puede ser sensible:

– la utopía de un porvenir nuevo, que denuncia el pecado de instalación;

– la dimensión social del pecado.

Uno de los mayores defectos en la celebración de la penitencia ha sido separar el sacramento de la vida. Sin duda en ello ha tenido gran parte la visión de una divinidad celosa de su honor; pero también ha influido la *reducción del pecado a un acto u omisión*. En realidad, lo fundamental y lo que se manifiesta en los actos u omisiones son *las actitudes*. Ellas son las que vertebran nuestra vida, que debe ser revisada y promovida en el sacramento de la penitencia.

– Esta conexión entre vida y sacramento puede ser fomentada con nueva forma de diálogo entre penitente y confesor. El hombre actual desea ser considerado como persona y establecer relaciones interpersonales. Manteniendo la práctica del confesonario clásico para las personas que lo deseen, habrá que crear otros espacios donde el diálogo interpersonal y espontáneo sea más fácil.

[56] Esta fórmula c) era ya admitida en 1944 para casos en peligro de muerte. Las *Normas Pastorales para la absolución sacramental general*, dadas en 1972, mantienen las mismas condiciones puestas en 1944 por la Penitenciaría Apostólica: peligro inminente de muerte sin que haya suficiente número de sacerdotes para oír confesiones; si se da una grave necesidad: no hay sacerdotes suficientes y los fieles se ven obligados a privarse por mucho tiempo de la gracia sacramental y de la comunión eucarística; en tales casos queda la obligación de confesar los pecados individualmente antes de recibir nueva absolución general. Es la normativa que, con algunas modificaciones, sigue también el *Nuevo Ritual* (n. 33-34), cuya disciplina queda fijada en CIC, can. 961-963. Véase también *Reconciliación y penitencia*, n. 33. La Conferencia Episcopal Española hace suya esta disciplina en *Criterios acordados para la absolución sacramental colectiva a tenor del can. 961,2:* 18 de diciembre, 1988; en la Instruc. Pastoral *Dejaos reconciliar con Dios*, n. 62-63.

[57] Para un planteamiento más detallado del problema, y ya con sugerencias para la renovación, A. Hortelano, *Reconciliación penitencial*: Moralia 25 (1985,1) 63-82; D. Fernández, *Dios ama y perdona sin condiciones*, Bilbao 1989.

– Teniendo en cuenta las orientaciones del Vaticano II, que responden bien a la verdadera tradición cristiana, dos aspectos parecen relevantes:

1. Destacar *la dimensión comunitaria en dos vertientes*. No sólo intraeclesialmente, haciendo ver cómo la Iglesia es comunidad viva animada por el Espíritu y oferta de perdón en la historia, sino también en solidaridad con todos los hombres. Precisamente porque los pecados estructurales tienen su raíz en el egoísmo personal, la instalación, progreso insolidario y falsa seguridad de unos producen el desamor y la muerte en otros. No sólo hay que arrepentirse de los pecados, sino también hacerse cargo y responsabilizarse de las consecuencias nefastas de los mismos para los demás. Ello supone que tomemos conciencia otra vez sobre los pecados de omisión. El cristiano es bueno sólo en la medida en que se compromete en la construcción del reino de Dios o fraternidad humana.

2. Hacer lo posible para que los cristianos vivan con profundidad su vocación bautismal *y en continuo proceso de conversión o penitencia*. Sólo en ese clima puede ser renovada la celebración de este sacramento.

Lecturas

K. Rahner, *Verdades olvidadas sobre el sacramento de la penitencia*, en ET II, Madrid 1961, 141-180.

F. J. Heggen, *La penitencia, acontecimiento de salvación*, Salamanca 1969.

Varios, *Para renovar la penitencia y la confesión*, Madrid 1969.

B. Häring, *Shalom, paz. El sacramento de la reconciliación*, Barcelona 1970.

P. Anciaux-R. Blomme, *El encuentro con Dios en la confesión*, Santander 1971.

Varios, *Conversión y reconciliación*, Madrid 1973.

J. Ramos Regidor, *El sacramento de la penitencia. Reflexión teológica a la luz de la Biblia, la historia y la pastoral*, Salamanca 1985.

D. Borobio, *Reconciliación penitencial. Tratado actual sobre el sacramento de la penitencia*, Bilbao 1988.

6

La unción de los enfermos

La enfermedad o falta de firmeza es una situación que más o menos sufrimos todos los hombres. Cristo, que como buen samaritano se acerca y nos ofrece su ayuda en los sacramentos, tampoco nos abandona cuando la salud nos falla y el desvalimiento nos da miedo. En estas situaciones tiene su sentido la unción de los enfermos.

No será fácil renovar la práctica de este sacramento. A pesar de las valiosas orientaciones pastorales del Vaticano II y del *Nuevo Ritual*, la mayoría de los cristianos, cuando no han perdido la sensibilidad religiosa, todavía interpretan este sacramento como la «extrema unción», un rito para los moribundos. Sin embargo, la enfermedad, el dolor y el sufrimiento siguen maltratando a los hombres, nuestra tierra está plagada de cruces, y el lamento de Job se oye cada día.

Por ello es urgente que la unción de los enfermos recupere su puesto y su papel como una oferta de gracia. Con este objetivo tienen sentido el enfoque y aspectos destacados en las notas que siguen. No pretenden hacer síntesis apretada de todo lo que se ha dicho sobre el tema, sino ambientar este sacramento en la tradición bíblico-cristiana para descubrir su significado permanente y ver cómo se puede actualizar hoy. Después de presentar la fe o experiencia de la Iglesia, veremos cómo se va definiendo la sacramentalidad de la unción, para finalmente sugerir algunas pistas de celebración renovada.

1. Experiencia de la Iglesia

La comunidad cristiana es parte de la humanidad, y lógicamente participa de los condicionamientos de la misma, pero a la vez tiene una fe o experiencia singular que se alimenta en la revelación.

a) Enfermedad y debilitamiento

– En todo tiempo, los hombres se han enfrentado y han tratado de vencer la enfermedad y el ocaso de vida que significa la muerte. Nuestra época, obsesionada por el bienestar y goces inmediatos, margina y olvida en los grandes y anónimos centros asistenciales a enfermos y ancianos. En lo posible, se oculta o trivializa el dolor que sigue crucificando a los hombres, y la debilidad de mortales que a todos nos alcanza. Pero enfermedad y agotamiento, que terminan con nuestra presencia física en el mundo, siguen ahí como *amenaza de muerte para nuestro amor sincero y nuestro compromiso desinteresado en el mundo*. Es el enemigo común para todos los humanos, sean cuales sean su condición social y sus creencias.

> A veces la enfermedad se instala en nosotros y nos ata a su reino... El cristiano enfermo es invitado a pasar al plano superior de las conexiones sobrenaturales del cuerpo místico y de la comunión de los santos, esto desde luego sin desdeñar las múltiples inserciones naturales, reales o sólo en esperanza en la comunidad de los vivos... La enfermedad sigue siendo un camino difícil de santificación. Los evangelios no nos dan pie para creer que Jesús siguió este camino..., pero curó a centenares de afligidos, anunciando de esta forma la restauración final de todas las cosas... Jesús lo asumió todo en su bienaventurada pasión inseparable de la resurrección.
>
> Y. Congar,
> *A mis hermanos*,
> Salamanca 1969, 165, 173, 178, 179.

También pertenece a la común experiencia humana que *alma y cuerpo son elementos necesarios e íntimamente unidos en la persona humana*. Esta no es alma prisionera de un cuerpo, sino espíritu encarnado y carne animada por espíritu que libremente razona. Algunos filósofos griegos y los teólogos escolásticos hablaron de «unión sustancial» entre alma y cuerpo; y la terapia moderna ratifica desde otro ángulo esa unidad. No hay dolencias físicas que no afecten de algún modo al espíritu, y las aflicciones del alma también tienen sus repercusiones somáticas. En este supuesto, se comprende el singular impacto de la enfermedad en el hombre y la hondura de la soledad ante la muerte.

– No es sólo el dolor corporal y la carencia de vigor para seguir trabajando y transformando la realidad del mundo. Ese dolor y ese vacío generan la sensación de inutilidad, la depresión psicológica, el sinsentido de la existencia: «Perezca el día en que nací. ¿Por qué no me cerró las puertas del vientre donde estaba, ni ocultó a mis ojos el dolor?» (Job 3,1.10). Si no la desesperación, cuando llegan la enfermedad y el abandono, la inseguridad, el miedo y la desconfianza nos invaden.

Aunque la enfermedad y la muerte responden a nuestra condición de carne, en su pensamiento y anhelos *el hombre es capaz de lo universal e imperecedero*. Por eso no ve sentido a esos látigos implacables. Tal vez por ello, las religiones y también la Biblia interpretan estos acontecimientos dolorosos como castigos por el pecado. Desde nuestra fe, los cristianos damos nuevo sentido a la enfermedad y a la muerte; pero nuestro escándalo ante estas situaciones resulta más profundo todavía porque creemos en un Dios que quiere para todos los hombres «vida en abundancia». La dura experiencia humana y nuestra experiencia de fe chocan en nosotros bajo una sensación de silencio respetuoso y de confianza silenciosa mientras caminamos todavía en la oscuridad.

b) Interpretación desde la fe

A pesar de todo, la Iglesia vive una convicción: el dueño de la vida es compañero del hombre y nunca nos abandona. En Jesús de Nazaret se ha revelado como liberador y médico de todos. El poder que Jesús manifestó curando enfermos y poniendo en pie a los abatidos por el peso de la marginación sigue activo en su comunidad que es la Iglesia.

– *En la revelación bíblica*, la enfermedad y la muerte irremediable fueron un serio problema, porque no eran compatibles con la experiencia fundamental: el «protector de Abrahán, Isaac y Jacob», el amigo de los hombres, ¿cómo puede abandonarlos en la enfermedad y en la muerte? El libro de Job, en el s. V, es el momento más álgido en este interrogante.

Pero la fe o experiencia bíblica es firme: de Dios depende la vida y la muerte[1]; es el médico que cura[2]. El origen de la enfermedad tiene que venir de otra parte: deficiencia física o moral del hombre; del Altísimo sólo viene la curación «como dádiva que se recibe del rey»[3]; Yahvé sin embargo permite la enfermedad para probar la entereza y perseverancia del hombre (Job 2,9).

– *En la revelación neotestamentaria*, la enfermedad sigue siendo un mal no reconciliable con el

[1] Dt 32,39; 1 Sm 2,6.

[2] Is 30,26; Ez 34,16; Os 14,4.

[3] Eclo 38,2; Ex 15,26. Por eso los enfermos acuden a sacerdotes y profetas, representantes de Dios (Lv 13,49; Mt 8,4).

Dios que desea la vida para todos. El padre del hijo pródigo no tiene sentimientos de venganza ni puede querer el sufrimiento de los hombres; según el evangelio, la enfermedad no es castigo impuesto por los pecados (Jn 9,3). Pero los primeros cristianos dieron un paso más: vivieron el encuentro con el Resucitado, y desde ahí confesaron que *Dios estaba con Jesús en su fracaso y en su martirio*.

Enfermedad y dolor son enigma también para los cristianos, pero creemos que, a pesar de todo y en todas las circunstancias, Dios está junto, con y dentro de nosotros para que podamos vencer al mal con el bien (Rom 12,21), para que purifiquemos nuestras pretensiones de falsa seguridad, para que pensemos en los otros y así cumplamos

> «lo que falta a las tribulaciones de Cristo en favor de su cuerpo que es la Iglesia» (Col 1,24).

– La enfermedad en sí misma, como el abandono y la marginación, son siempre un mal. Jesús luchó contra ese mal expulsando demonios y curando enfermedades: «Recorría toda Galilea enseñando en sus sinagogas, proclamando la buena nueva del reino y curando toda enfermedad y toda dolencia en el pueblo»[4]. Jesús realizó estas curaciones con distintos gestos; la imposición de las manos es frecuente, pero lo decisivo es «su acercamiento al sufrimiento humano» para liberarnos de sus garras[5]. Lo decisivo para nosotros no es que Jesús fuera un taumaturgo prodigioso para despertar admiración. Admitiendo que realizó curaciones tenidas como milagrosas por sus contemporáneos, tampoco es intención de los evangelios insistir en la miraculosidad de las mismas; lo decisivo de su conducta es que «pasó haciendo el bien y curando» (Hch 10,38).

Posiblemente, la experiencia singular de Jesús y el anuncio de Dios como amor gratuito, Padre que quiere la vida para todos y que no envía la enfermedad en castigo por el pecado, transmitió tal confianza que muchos enfermos, liberados del fanatismo religioso que unía enfermedad y pecado, recuperaron sus energías aminoradas o atenazadas por el miedo. Jesús debió transmitir una confianza sin límites, y así lo dejan entender los evangelios. Eso puede sugerir la frase «tu fe te ha curado» que frecuentemente nos repiten[6].

En algunos casos, la curación de la enfermedad conlleva el perdón de los pecados (Mc 2,9). El detalle puede ser significativo. Curaciones, milagros y perdón son signos de una novedad evangélica: llega ya el reinado de Dios, ese mundo nuevo donde los hombres podrán vivir en libertad y liberados de todas sus alienaciones.

– Convencido de que ya llega el reino esperado, Jesús reúne a sus discípulos y los envía por los pueblos de Palestina para que anuncien la buena noticia, «curando enfermos» (Mt 10,8). En el cumplimiento de la misión, los discípulos «expulsaban a muchos demonios, y ungían con aceite a muchos enfermos y los curaban» (Mc 6,13). Jesús mismo había garantizado a sus seguidores: «Impondrán las manos a los enfermos y se curarán» (Mc 16,18). Imposición de manos es, en la mentalidad bíblica, el gesto simbólico para transmitir el Espíritu o fuerza de Dios que cura y salva.

En ese contexto, y como verificación de la promesa hecha por Jesús, hay que leer las curaciones milagrosas de los enfermos que cuenta la historia de la primera comunidad cristiana[7]. Parece que había incluso un carisma de curación[8].

2. Celebración en la comunidad cristiana

a) Una referencia común

La carta de Sant 5,14-15 recomienda una práctica para curar:

> «¿Está enfermo alguno de vosotros? Llame a los presbíteros de la Iglesia, que oren sobre él y le unjan

[4] Mt 4,23; F. Lage, *Jesús ante la enfermedad*: Communio (1983) 405-416.

[5] Imponiendo las manos (Mt 8,3), tocando a los enfermos (Mc 7,32; 8,23; 9,6), ungiéndolos (Mc 6,13). Sobre el acercamiento de Jesús al dolor humano tiene bellas frases Juan Pablo II, Enc. *Salvifici Doloris* (11.12.84), n. 16-18.

[6] Mc 5,34; 10,52; Mt 9,28-29; Lc 17-19.

[7] Hch 3,1-26; 5,15; 9,12.17.34.

[8] 1 Cor 12,7-9; 28-30.

con aceite en el nombre del Señor, y la oración de la fe salvará al enfermo».

El autor de esta carta escribe en continuidad con la tradición judía y en sintonía con la doctrina evangélica. La perícopa sobre la unción de los enfermos cae dentro de una serie de normas disciplinares (v. 12-20). Los términos «salvar», «perdonados» nos sitúan en un contexto religioso. El gesto debe ser interpretado según la fe revelada: Dios cura nuestras dolencias, y así lo manifestó Jesús curando a los agobiados por la enfermedad.

Según Hch 21,18, la comunidad cristiana de Jerusalén estaba dirigida por Santiago y un colegio de presbíteros. En ese contexto, la carta dice: si hay algún miembro de la comunidad que, por estar enfermo, no puede participar en la asamblea litúrgica, llame a los presbíteros responsables de la comunidad. Estos visitarán al enfermo, orarán por él y le ungirán con aceite. Posiblemente, oración y unción vayan unidas en un solo rito.

Se hacen dos puntualizaciones: – «En el nombre del Señor», esto es, del Resucitado que ha vencido a la muerte. – «La oración de la fe salvará al enfermo»; se ve que no hay aquí acción mágica ninguna; «la oración de la fe» sería la vida de la comunidad cristiana que se manifiesta, actualiza y oferta en favor del enfermo.

El discurso de la carta procede así. La fuerza del Espíritu, en el que Jesús sanaba enfermos, permanece activa en la comunidad cristiana que ofrece la salud por el ministerio de los presbíteros. Pero las curaciones físicas que Jesús realizó eran signo de una liberación más integral y honda; no sólo de la enfermedad corporal, sino también del egoísmo y del pecado. En esta misma perspectiva, la unción tiene también una eficacia moral:

> «Si el enfermo hubiera cometido pecados, le serán perdonados» [9].

Según la visión antropológica de la Biblia en que discurre la carta, cuerpo y alma son inseparables; el hombre no es alma en un cuerpo, sino alma y cuerpo a la vez; curación física y curación espiritual van íntimamente unidas. Tal vez esta visión pudo dar pie para ver incluso la enfermedad como castigo por deficiencias morales. Por eso la curación física y la sanación espiritual son como dos aspectos indisociables en el objetivo único de la unción acompañada de oraciones. En este sentido, habrá que dar toda su amplitud a la expresión «y el Señor hará que el enfermo se levante» de su enfermedad física y de su postración moral (Sant 5,15).

b) Elaboración histórica

- *Testimonios de los primeros siglos*

Hasta el s. IV, apenas tenemos alusiones al rito de la unción de enfermos. Pero ya en estos primeros siglos existe la bendición del aceite con finalidad curativa, aunque no se refiere sólo y expresamente a la unción de pacientes [10]. Orígenes, Juan Crisóstomo y otros representantes de la tradición oriental remiten a Sant 5,14-15, pero en la patrística occidental las referencias son más tardías. El primer texto con cierta oficialidad es del año 416, en una carta de Inocencio I. Comentando dicho pasaje de Santiago, escribe:

> «Lo cual no hay duda de que se refiere a los fieles enfermos; pueden ser ungidos con el santo óleo del crisma que, preparado por el obispo, pueden usar no sólo los sacerdotes, sino también todos los cristianos

---

[9] En esta misma carta, Santiago distingue pecados «que generan la muerte» (5,15) y pecados «en que todos caemos muchas veces» (3,2).

[10] Ya en el s. II parece que san Ireneo hace alguna alusión. En el s. III, la *Tradición Apostólica* recomienda la visita y atención a los enfermos. Una preocupación pastoral que tendrán los obispos de los primeros siglos, como por ejemplo san Atanasio y san Agustín . Un autor del s. IV, llamado Afrates, escribe: «El óleo es el símbolo del sacramento de vida que perfecciona a los cristianos, a los sacerdotes y a los reyes; ilumina las tinieblas, unge a los enfermos y reintroduce a los penitentes» (*Demonstr.*, 23, 3). Por esas fechas, también el *Eucologio de Serapión* nos ofrece una fórmula de bendición que pide al mismo tiempo la curación corporal y espiritual. Otra fórmula elocuente de bendición traen las *Constituciones Egipciacas* siguiendo la oración de la *Tradición Apostólica* para bendecir el óleo: «Así como santificando este aceite das salud a los que lo usan y perciben, y así ungiste a los reyes, sacerdotes y profetas, de la misma manera este aceite conforte a los que lo gusten y dé salud a los que lo usen» (cf. D. Borobio, *Unción de enfermos*, en *La celebración en la Iglesia*, II. *Sacramentos*, 662-663).

para ungirse a sí mismos y a los suyos cuando lo necesiten»[11].

> Te invocamos a ti que tienes todo poder y virtud, Salvador de todos los hombres, Padre de nuestro Señor y Salvador Jesucristo: envía desde los cielos sobre este óleo la fuerza del Unigénito para sanar, a fin de que quienes sean ungidos con el mismo o lo tomen sean liberados de toda angustia y de toda enfermedad.
>
> *Eucologio de Serapión* (s. IV).

En los siglos V-VII hay algunas precisiones. Se cuenta de santos obispos que bendecían el aceite con que ellos mismos u otros ungían a los enfermos y los curaban[12]. Tratando de que los cristianos no acudan a «charlatanes, fuentes, árboles y diabólicas filacterias mediante augures y adivinos», san Cesáreo de Arlés (503-543) recomienda la unción:

> «Cada vez que sobrevenga una enfermedad, el enfermo reciba el cuerpo y la sangre de Cristo; pida con humildad y con fe a los presbíteros el óleo bendecido y unja con él su cuerpo para que se cumpla en él lo que está escrito (Sant 5,14-15); el que en la enfermedad recurre a la Iglesia, podrá obtener la salud del cuerpo y el perdón de los pecados»[13].

Del s. V es la fórmula romana *Emitte*, que luego pasó a los sacramentarios gelasiano y gregoriano:

> «Te rogamos, Señor, que envíes desde los cielos el Espíritu Santo Paráclito a este aceite, que te has dignado producir del árbol verde para alivio de la mente y del cuerpo; y que tu santa bendición sea para todo el que sea ungido, lo tome o lo toque protección del cuerpo, del alma y del espíritu, para eliminar todos los dolores, toda flaqueza, toda enfermedad de la mente y del cuerpo»[14].

[11] DS 216.

[12] San Severo, *Vida de San Martín*, c. XVI: PL 20, 169; *Diálogo*, III, II: PL 20, 213; *Vida de San Cesáreo, obispo*, lib 1, c. IV: PL 67, 1016-1017.

[13] *Serm*. 265, 3: PL 89, 2238.

[14] L. C. Mohlberg, *Liber sacramentorum Romanae Ecclesiae ordinis anni circuli*, Roma 1968, n. 382.

En la segunda mitad del s. VII y primera del s. VIII, Beda el Venerable destaca la relación entre enfermedad y pecado, insistiendo en que, antes de recibir la unción, los enfermos deben celebrar la penitencia; más que al gesto de la unción, que pueden hacerla presbíteros o fieles, da relieve a la bendición del óleo por el obispo.

- *Sacramentalidad de la unción*

– *Desde el s. IX* se celebra litúrgicamente la unción de los enfermos, y se cree que realiza la curación física y la sanación espiritual, supuesta ya la penitencia. Comienza la proliferación de rituales, y la consiguiente ritualización, que a veces era sobrecargada; los fieles de a pie desconocen todos esos ritos que son administrados por los sacerdotes sin apenas participación del pueblo cristiano. La unción de los enfermos se une de forma normal con el viático, y a partir del s. XI viene a ser complemento de la penitencia sacramental última. De ahí a ver la unción como sacramento «de los moribundos» se pasa enseguida[15].

Con todas las aportaciones válidas que supuso la reforma carolingia, en esta etapa (s. IX-XI), sin embargo, se dieron cambios notables que marcarán la práctica y la reflexión teológica de toda la Edad Media. La bendición del óleo por el obispo, que tanta relevancia tuvo en el s. V, quedó desplazada por la aplicación del mismo al enfermo. Se acentúan cada vez más los efectos espirituales –fortaleza de ánimo, perdón del pecado y sus consecuencias– dejando en la sombra el efecto corporal sanativo[16].

– En el s. XII, Pedro Lombardo hace la *reflexión teológica sistemática*. La unción de los enfermos es uno de los siete sacramentos; se debe llamar «extrema unción», como «último remedio» para los moribundos. Aunque también puede ser curativo físicamente, la eficacia primaria es el perdón de los pecados[17]. Este autor y sus interpretaciones fueron referencia común para los teólogos medievales. Santo Tomás, cuya doctrina sobre los sacramentos

[15] D. Borobio, *o. c.*, 666-667.

[16] *O. c.*, 668.

[17] *Sent.*, IV, d. 23.

en la *Suma Teológica* supuso una gran novedad respecto a Pedro Lombardo, murió dejando sin redactar la parte donde iría incluida la reflexión sobre la unción de los enfermos [18].

De acuerdo con esta teología, en 1439 el concilio de Florencia declara:

> «El quinto sacramento es la extrema unción, cuya materia es el aceite de oliva bendecida por el obispo. Este sacramento no se debe administrar más que al enfermo de muerte... Su forma es: "por esta santa unción y por su piadosa misericordia, el Señor te perdone el mal que cometiste con la vista..."» [19].

– Según los Reformadores del s. XVI, la sacramentalidad de la unción de enfermos no tiene ninguna fundamentación bíblica; Mc 6,7 y Sant 5,14-15 corresponden a curaciones carismáticas que desaparecieron con las primeras comunidades cristianas. El concilio de Trento salió al paso confesando:

> «Esta unción de los enfermos fue instituida por Cristo Nuestro Señor; así lo insinúa Mc 6,13. El apóstol Santiago, hermano del Señor, lo recomendó y promulgó para los fieles» [20].

Este capítulo de la sacramentalidad es prioritario en la preocupación del concilio, pero en sus declaraciones hay un avance sobre la teología medieval que merece ser destacado. En cuanto al efecto de la unción, afirma que la gracia del Espíritu Santo se concede al enfermo como ayuda: 1) aliviando y fortaleciendo el alma del paciente; aquí está el objetivo primario de este sacramento; 2) si es necesario, perdona el pecado y sus secuelas; 3) también condicionalmente, si conviene a la salud del alma, este sacramento da la salud corporal [21]. Es asimismo notable la precisión sobre el sujeto de la unción: se debe administrar a los enfermos, especialmente a los amenazados de muerte próxima [22].

---

[18] A. P. Lombardo siguen san Alberto Magno, san Buenaventura y santo Tomás, quien hace notar cómo el efecto principal de este sacramento no es perdonar los pecados, sino recuperar la debilidad no sólo espiritual, sino también corporal (*Contr. Gent.*, IV, 73; III, 65, 1).

[19] DS 1324.

[20] DS 1695.

[21] DS 1696.

[22] DS 1698.

Da la impresión de que Trento evita el reduccionismo tanto al ámbito corporal como al espiritual que había tenido lugar en épocas precedentes. Sobre todo se dice, y claramente, que esta unción no es el sacramento de los moribundos. Siguiendo esta línea de apertura, en 1556 el *Catecismo Romano* afirma: «Está fuera de duda que contribuye notablemente a que el sacramento confiera mayor abundancia de gracia el hecho de que el enfermo conserve aún todas las fuerzas del corazón y la mente, manteniendo conscientes la fe y una buena voluntad». A pesar de todo, la práctica litúrgica no entró por esta demanda, y conforme a esa práctica funcionó por muchos años la norma disciplinar de la Iglesia[23].

3. Para una renovación

En los últimos siglos no prosperó la teología ni se renovó la celebración de este sacramento, que ha seguido siendo para los moribundos; era como el último arreglo de cuentas, una vez perdonados los pecados graves en confesión y recibido el viático.

Pero en los años 50 se fomenta el conocimiento de la tradición, y la reflexión teológica prospera en dos líneas y con dos énfasis. Unos destacan la dimensión escatológica del sacramento: respecto a la unción bautismal, es como «la última unción» para superar la lucha final y entrar en el mundo del Resucitado. Otros destacan el objetivo de la unción como fortalecimiento del enfermo para que se mantenga firme y viva con valentía los dolores de la enfermedad; el sacramento tiene un valor terapéutico para la totalidad del hombre[24].

[23] A pesar de que el *Catecismo Romano* (1566), que gozó de la oficialidad y se apoyó en el concilio de Trento, manda que se administre la unción al enfermo «cuando se hallan en él sanas la inteligencia y la sensibilidad» (P. II, c. 6, n. 9). Y en lo mismo insistía el CIC de 1917: «Ha de procurarse con todo esmero y diligencia que los enfermos reciban este sacramento cuando están en la plenitud de sus facultades» (can. 944).

[24] La tendencia más escatológica es la alemana (M. Schmaus, J. Scheeben, K. Rahner); la tendencia más existencial es la francesa (B. Botte, J. Robilliard, J. Ch. Didier).

a) Aportaciones del Vaticano II

Asumiendo el fruto de la reflexión teológica, el concilio, sin dar una doctrina completa ni dirimir cuestiones discutidas, da pistas importantes para una celebración renovada[25].

– Hay, en primer lugar, afirmaciones sobre artículos importantes.

La unción de enfermos es un sacramento propiamente dicho: «Con esa unción y la oración de los presbíteros, toda la Iglesia encomienda los enfermos al Señor»[26]; un acontecimiento de salvación en el que toda la comunidad empeña, actualiza y ofrece su vida de gracia.

> El sacramento de la unción de enfermos tiene una serie de objetivos: conseguir hablar de la enfermedad y de la muerte con serenidad; vivir juntos la prueba y la realidad humana de la separación inminente, especialmente la libertad que hace posible perdonarse y hasta reconciliarse; abordar con la mayor paz posible todo lo que en una existencia queda inconcluso a causa de la muerte; vivir juntos en la esperanza el término de una vida recordando la muerte de Jesús.
>
> G. Fourez, *Sacramentos y vida del hombre. Celebrar las tensiones y los gozos de la existencia,* Santander 1983, 180.

Es un sacramento «para quienes están en peligro de muerte por enfermedad o por vejez»[27]. Luego no para los moribundos ni para los que sufren una enfermedad leve. Consiguientemente, mejor que «extrema unción», ese sacramento debe ser llamado «unción de los enfermos»[28].

Siguiendo la tradición verdadera y evocando el proceso de la iniciación cristiana, el servicio sacramental a los enfermos incluiría como tres

[25] Sobre todo SC 73-75; LG 11.

[26] LG 11.

[27] SC 73.

[28] SC 73.

pasos del único dinamismo: penitencia-unción-viático [29].

– También es importante la finalidad o eficacia de la celebración sacramental. En apretada síntesis, el Vaticano II lo dice así: este sacramento se celebra «para que el Señor paciente y glorificado alivie y salve a los enfermos; y para que éstos se asocien voluntariamente a la pasión y muerte de Cristo y así contribuyan al bien del pueblo de Dios» [30]. «El Señor paciente y glorificado», que fácilmente recuerda la expresión «en nombre del Señor» (Sant 5,14), es la fuente de salvación y de alivio. La presencia de Cristo resucitado es la oferta de la Iglesia que celebra el sacramento; pero el enfermo debe acoger y hacer suya esa oferta, asociándose libremente y por la fe al dinamismo pascual de Cristo.

No se trata de curaciones mágicas, sino de una profunda experiencia creyente que da seguridad y confianza, que salva de la soledad y la desesperación, que reanima psíquica y físicamente al enfermo. Esa integración voluntaria del propio sufrimiento en la muerte y resurrección de Jesús contribuye a la edificación de la comunidad creyente. Con la dimensión cristológica se acentúa igualmente la dimensión eclesiológica.

b) Espiritualidad del sacramento según el Nuevo Ritual

El Vaticano II pide que se revise y adapte el rito de la unción, y a esa demanda respondió el *Nuevo Ritual* para la unción de enfermos. Promulgado el 13 de noviembre de 1972, supone una verdadera renovación en muchos capítulos: concreta la enseñanza y orientaciones del concilio, aplica los principios de la reforma litúrgica, sitúa este sacramento en la pastoral general de los enfermos y en el nuevo contexto socio-cultural. Pero creo que lo más peculiar del *Ritual,* avalado por la Const. *Sagrada unción de los enfermos* que lo introduce, es la teología y espiritualidad del sacramento que inspira la reforma y las adaptaciones [31].

[29] SC 74.

[30] LG 11.

[31] El concilio pide que se adapte el rito (SC 74 y 75). Sobre el contenido del *Ritual,* D. Borobio, *o. c.,* 676-679.

En dicha constitución, Pablo VI reafirma la sacramentalidad de la unción de enfermos apoyado en los testimonios clásicos de la Escritura, en la tradición viva y en el magisterio de la Iglesia. Al mismo tiempo introduce cambios importantes y teológicamente significativos: 1) nueva fórmula sacramental: «Por esta santa unción y por su bondadosa misericordia, te ayude el Señor con la gracia del Espíritu Santo, para que, libre de tus pecados, te conceda la salvación y te conforme en tu enfermedad»; 2) en cuanto al material para la unción, como el aceite de oliva escasea en muchas regiones, se permite otro tipo de aceite, «con tal de que sea obtenido de plantas, por parecerse más al aceite de oliva»; 3) se simplifica también el número de unciones: en caso de necesidad, una es suficiente, pronunciando íntegramente la forma sacramental; 4) el sacramento puede ser celebrado de nuevo si el enfermo, una vez recuperado, recae, o en momentos más agudos de peligro durante la misma enfermedad [32].

Los sacramentos «causan significando». Son símbolos que actualizan la gracia, el encuentro entre Dios y el hombre con una modalidad peculiar según condicionamientos y situaciones humanas. Al simbolismo de los sacramentos responde la celebración litúrgica, que será el lugar teológico para conocer la espiritualidad. Descubriremos el objetivo y significado que tiene la unción de enfermos leyendo despacio el *Nuevo Ritual*.

• *Supuestos fundamentales*

– El Dios de la fe cristiana es dueño de la vida y quiere que todos los hombres tengan vida en abundancia. Por eso la plegaria de la unción se dirige a la Trinidad:

> «Padre, que por nosotros y por nuestra salvación enviaste a tu Hijo al mundo; Hijo Unigénito, que te has rebajado haciéndote hombre como nosotros para curar nuestras enfermedades; Espíritu Santo Consolador, que con tu poder fortaleces la debilidad de nuestro cuerpo».

– Ese Dios de la vida ha manifestado su amor e inclinación a favor nuestro en Jesucristo: «Por

[32] AAS 65 (1973) 5-9.

nuestra salvación enviaste a tu Hijo al mundo»; «has querido sanar nuestras dolencias por medio de tu Hijo, que nos abrió la puerta de la vida». Convencida de esta inclinación gratuita de Dios en Jesucristo, la Iglesia ruega: «Mira, Señor, con amor a este enfermo», «que sienta en su cuerpo y en su alma tu divina protección»; y volviéndose al enfermo: «Que el Espíritu Santo te ilumine», «que el Señor haga brillar su rostro sobre ti». Sólo avalada por la «bondadosa misericordia» de Dios, la Iglesia realiza la unción santa.

– La unción de los enfermos es un acto de toda la comunidad creyente: «Oración de nuestra fe». La Iglesia orante confiesa lo que cree y vive. En las letanías prescritas por el *Ritual*, toda la comunidad cristiana invoca «la misericordia de Dios en favor de nuestros enfermos».

- *Salud espiritual y salud corporal*

Según el *Ritual*, salud del espíritu y salud del cuerpo son efecto de la unción. Así se pide para el enfermo: «Que se sienta confortado en su enfermedad y aliviado en su sufrimiento». Y evocando la virtud natural del aceite: «Tú que has hecho que el leño verde del olivo produzca aceite abundante para vigor de nuestro cuerpo, enriquece con tu bendición este óleo, para que, cuantos sean ungidos con él, sientan en cuerpo y en alma tu divina protección y experimenten alivio en sus enfermedades y en sus dolores». En la cultura donde tuvo lugar la revelación bíblica y el cristianismo dio sus primeros pasos, el aceite de oliva y la unción eran símbolos de alimento, fortaleza y curación de la enfermedad[33].

Concretando un poco más, son señalables tres rasgos:

– Fortalecimiento del espíritu. Eso significan la unción e imposición de las manos. La unción «reconforta y consuela»; «levanta el ánimo del enfermo y puede superar todos sus males»; «alivia sus angustias». Fuerza y alivio que radican y se apoyan en la confianza cristiana:

[33] Ver Jr 8,22: 46,11; Is 1,6; Am 6,6; Ez 16,9.

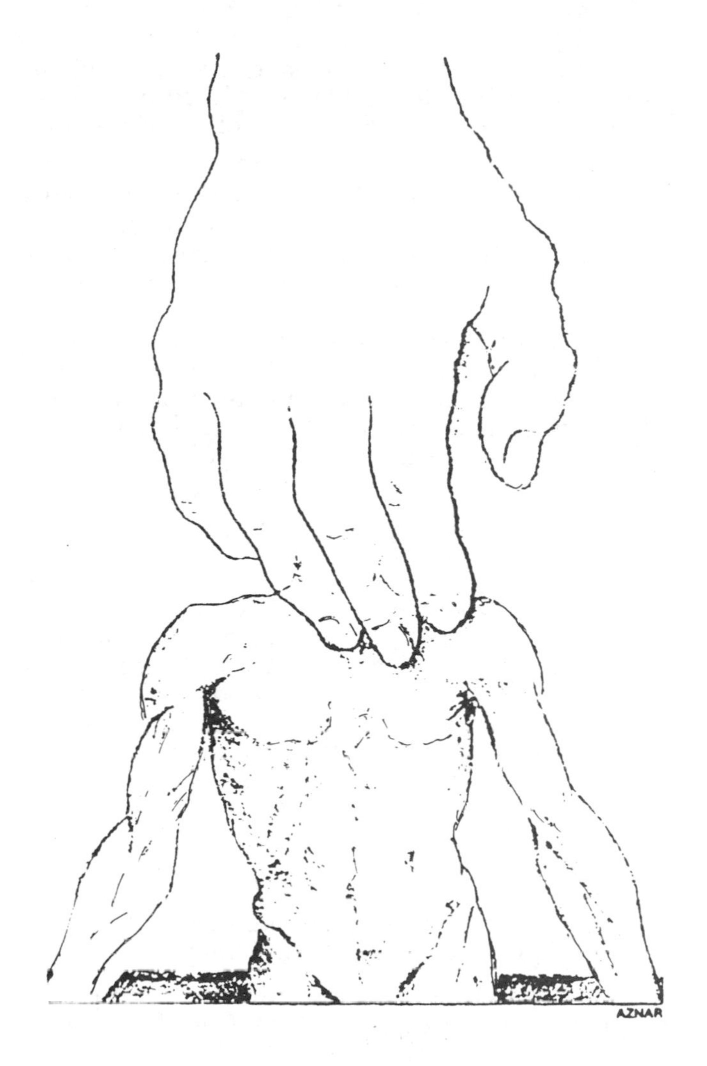

«Aviva, Señor, en él la esperanza de salvación que conforte su cuerpo y su alma»; «permanezca en la fe y en la esperanza, dé a todos ejemplo de paciencia, y así manifieste el consuelo de tu amor».

– Esa confianza puede hacer que el enfermo recobre su vigor al sentirse amado y aceptado por Dios: «Para que, libre de tus pecados, el Señor te conceda la salvación y te conforte en la enfermedad». Y la Iglesia pide por el enfermo:

«Que obtenga el perdón de los pecados y sienta la fortaleza del amor de Dios».

– En este clima tiene su espacio y es posible la curación psico-somática. Este sacramento «da vida y salud», «mitiga los dolores», «alivia las angustias», «da nuevas fuerzas al cuerpo».

Como se ve, son muchos los matices en el simbolismo y espiritualidad que incluye la unción de los enfermos. Sólo pueden ser debidamente articulados sobre doble base: – hay una rica experiencia de fe que vive y celebra la comunidad cristiana; palabras y gestos rituales no son más que manifestaciones aproximativas de esa fe; – unidad corpóreo-espiritual de la persona humana; la salvación del enfermo tiene significado de totalidad espiritual, psíquica y física.

c) Mirando a la práctica

La práctica de este sacramento ha venido siendo muy deformada y su renovación no será fácil; pero ésta es urgente porque la enfermedad y el desvalimiento pertenecen a la condición humana. Indico primero unos puntos de carácter doctrinal, para después sugerir algunas orientaciones pastorales.

• *Convicciones de fe*

Este sacramento logra su significado teológico en una fe que discurre sucesivamente:

– Los cristianos creemos en el Dios de la vida; no quiere la muerte ni la enfermedad de los hombres. La vida, conjunto de todos los bienes que nos dan felicidad, es el anhelo profundo y la esperanza de la revelación bíblica. Cuando se haga realidad el proyecto del creador, «ya no habrá muerte ni llanto, ni gritos ni fatigas» (Ap 21,4).

– Jesús es portador del tiempo nuevo «curando enfermos». En la mentalidad de su época se creía que la enfermedad era castigo por el pecado, y así los enfermos llevaban, junto con sus dolencias físicas, el sentimiento de culpa, y caían en el pesimismo fatalista. Una soledad sin confianza y una terrible marginación que rebasaba todos los marcos de humanidad en los enfermos de lepra.

Ante la maldición del enfermo por la sociedad y frente a la sensación fatalista, Jesús transmite confianza: Dios quiere que todos los hombres tengan vida y realiza ya su voluntad: «Los ciegos ven, los inválidos caminan, los sordos oyen y los leprosos quedan limpios» (Mt 11,5). Donde parece que no hay porvenir, sí hay porvenir; los que socialmente nada cuentan y son echados fuera, para Dios sí cuentan y son integrados en la sociedad humana. La confianza de Jesús despertaba confianza en los enfermos que se veían libres del fatalismo y aliviados en su postración. Admitiendo que Jesús tuvo poder extraordinario para curar enfermos y que, según los evangelios, en algunos casos ejerció ese poder, su confianza en el Padre, vivida y transpirada con intensidad única, tuvo ya en sí misma fuerza curativa.

– Jesús envió a sus discípulos para expulsar a los demonios y curar enfermos. La comunidad cristiana no debe abandonar esta vocación. Su objetivo y su misión no son la muerte, sino la vida. *La Iglesia se une al combate de Dios y al combate de los hombres por la vida en contra de la enfermedad y de la muerte*[34].

Por eso resulta significativo el cambio del nombre «extrema unción», por «unción de los enfermos». No es un sacramento que prepare a «bien morir», sino a «vivir bien» la enfermedad y las amenazas de muerte. Sus destinatarios son los enfermos, que incluso pueden recibir el sacramento varias veces mientras luchan por vencer la misma enfermedad. Precisamente por eso, el común denominador de quienes, según el *Nuevo Ritual*, pueden recibir este sacramento, parece ser: quienes sufren desórdenes orgánicos, o un debilitamiento físico o psíquico de tal gravedad que su vida queda seriamente perturbada.

– El combate de la Iglesia por la vida contra la enfermedad tiene muchas manifestaciones y mediaciones. En la historia del cristianismo es bien notable su beneficencia en el campo de la salud.

[34] El Vaticano II fue muy consciente de esta misión en favor de la vida, que debe realizar la Iglesia. Ella mira con particular simpatía y «abraza a todos los afligidos por la debilidad humana» (LG 8); se une «especialmente a los pobres y afligidos» (AG 12).

Ese combate incluye también la curación de los enfermos que tiene lugar en el sacramento de la unción.

La curación psicológica y moral mediante la confianza que da la cercanía de Dios no presenta mayores dificultades. Otra cosa es la «curación corporal». A veces se niega esa eficacia: la curación física fue un poder exclusivo de Jesús; entre los primeros cristianos, la unción era como un medio curativo para contrarrestar los ritos mágicos del paganismo. Pero contra estas dificultades vienen los datos de la revelación y la convicción en las comunidades cristianas durante los ocho primeros siglos. El concilio de Trento reconoció el efecto curativo-corporal de este sacramento condicionalmente: "si conviene a la salud del alma". Siguiendo la doctrina y orientación del Vaticano II, el *Nuevo Ritual* destaca bien este aspecto curativo-corporal: «el hombre entero es ayudado en su salud» [35].

La expresión parece adecuada para explicar el efecto de la unción en la salud corporal. No es cuestión de remedios milagrosos, ni de competencia con medios clínicos que hoy tenemos. Se trata más bien de una curación posible *dentro de la unidad corpóreo-espiritual que es la persona humana*. El malestar físico daña y paraliza de algún modo a la totalidad de la persona, cuyos ánimos influyen también sobre nuestro funcionamiento corporal. Hay enfermedades psíquicas que no tienen cabida en los cuadros clínicos; ¿no habrá también otros factores y otro dinamismo de curación incontrolable por los medicamentos y por los medios técnicos de la ciencia? Hay una curación que permite al enfermo asumir, dar sentido, integrar su enfermedad en la totalidad de su persona y de su destino. Así puede avivar las fuerzas corporales paralizadas por el miedo, y en todo caso ser dueño de sí mismo incluso en el sufrimiento.

• *Algunas orientaciones*

La unción de los enfermos no se puede ver ni administrar como un rito aislado, sino dentro de la vocación bautismal, en un proceso de vida cristiana, y como expresión de una existencia comunitaria.

– Hay que situar este sacramento *dentro de la vocación bautismal*. La incorporación sacramental a la muerte y resurrección de Cristo tiene lugar en el bautismo; pero hay que hacer realidad en la existencia lo que se ha celebrado en el sacramento. Y aquí viene la incorporación activa y libre del hombre, aceptando humillaciones físicas, penalidades psicológicas y limitaciones morales. Todas esas deficiencias y las muertes que se nos imponen continuamente son lugar donde los bautizados «mueren cada día» con Jesucristo. Sin embargo, también avanzan ya como cuerpo del Resucitado; así, la enfermedad y el debilitamiento, que son males en sí mismos, tienen un sentido nuevo dentro de un proyecto de salud o salvación más integral.

– La unción de enfermos tiene su debido marco en *un proceso de vida cristiana*. Según el *Ritual*, debe ser precedida por la celebración de la penitencia, y después se da el viático. La unción de los enfermos será significativa y eficaz en la medida en que los enfermos tengan una fe viva y se unan a la celebración sacramental en que la Iglesia confiesa su fe y ofrece su vida.

– Finalmente, parece fundamental *el clima comunitario en la celebración de este sacramento*. Los enfermos son miembros vivos de la comunidad. Si por su situación no pueden participar en las celebraciones comunitarias, habrá que prestarles atención y hacerles sentir la presencia de la comunidad no sólo llevándoles la eucaristía, sino también mediante visitas y gestos de fraternidad. La unción con la oración de la comunidad, que nos refiere Sant 5,14-15, es un gesto solemne pero dentro de una comunidad viva cuyo criterio de conducta es visitar, prestar atención a los desvalidos (Sant 1,27).

La visita con amor a los enfermos fue muy recomendada en los primeros siglos y parece fundamental para que logre su hondura el sacramento de la unción [36]. Antes de ungir al enfermo y pronunciar las

[35] Intr., 8. Matiza bien este punto D. Borobio, *o. c.*, 707-708.

[36] La visita a los enfermos, práctica muy recomendada en los primeros siglos, entra en la preocupación del *Nuevo Ritual*, Intr., n. 4, 33, 35, 87.

oraciones rituales, hay que vivir con él la enfermedad. Cuando durante la enfermedad se da el debido acompañamiento del enfermo, cabe la necesaria catequesis para el sacramento, que libremente será pedido por el enfermo y podrá ser celebrado como un acontecimiento de gracia para toda la comunidad cristiana.

Lecturas

A. Chavasse, *La oración por los enfermos y la unción sacramental*, en A. Martimort, *La Iglesia en oración*, Barcelona 1964.

M. Nicolau, *La unción de los enfermos. Estudio histórico-dogmático*, Madrid 1965.

L. de Mendijur y F. de Retana, *La unción de los enfermos*, Madrid 1966.

C. Ortemann, *El sacramento de los enfermos. Historia y significación*, Madrid 1972.

J. L. Larrabe, *La Iglesia y el sacramento de la unción de enfermos*, Salamanca 1974.

Secretariado Nacional de Liturgia, *Los sacramentos de los enfermos*, Madrid 1974.

J. Feiner, *Enfermedad y sacramento de la unción*, en MS, V, Madrid 1984, 467-523.

D. Borobio, *Unción de enfermos*, en *La celebración en la Iglesia*, II. *Sacramentos*, 655-743.

III

AL SERVICIO DE LA COMUNIDAD

«Con la unión íntima de sus personas y actividades, marido y mujer se ayudan y se sostienen mutuamente, adquieren conciencia de su unidad y la logran cada vez más plenamente» (GS 48).

«Para dirigir al pueblo de Dios y acrecentarlo siempre, Cristo Señor instituyó en su Iglesia diversos ministerios para el bien de todo el cuerpo» (LG 18).

En la clasificación de los siete sacramentos, santo Tomás incluye orden y matrimonio en un mismo apartado: los dos sirven a la comunidad. El primero, porque da «el poder de regir a la comunidad y actuar públicamente en nombre de la misma». El segundo, porque mantiene y acrecienta la comunidad «corporal y espiritualmente» (III, 65, 1).

Hoy podemos justificar mejor y matizar las razones de unir estos dos sacramentos por su relación a la comunidad, aunque dando la prioridad al matrimonio. Además de la procreación, este sacramento tiene un fin que siempre ha de conseguir: «la íntima unión como mutua entrega de las personas», «una íntima comunidad conyugal de vida y de amor» (GS 48); esa intimidad fructifica en los hijos, y así la familia viene a ser «una Iglesia doméstica», «una comunidad de amor» (LG 11; GS 47).

El sacramento del orden no sólo confiere unos poderes para realizar acciones peculiares en la comunidad cristiana. Sobre todo concede la gracia para que esos poderes o facultades sean ejercidos *como servicio a la comunidad*. Es la gracia del sacramento.

Podría hacer una síntesis de todo lo que se ha dicho sobre el matrimonio y el orden, pero prefiero remitir a síntesis ya bien hechas, y ofrecer aquí alguna de las claves importantes para dar sentido a estos sacramentos, dentro de la doctrina y orientaciones del Vaticano II.

7

El matrimonio: proyecto comunitario

1. Marcos de reflexión

Tres factores determinan el enfoque de este capítulo:

a) Situación de muchas parejas

Durante la última década he trabajado pastoralmente en el catecumenado prematrimonial de Vallecas, este barrio populoso y popular de Madrid. En estos años y entre las jóvenes parejas se ven algunos rasgos importantes dentro de un panorama muy complejo donde caben análisis sólo parciales y provisionales.

No todos los bautizados piden ya casarse por la Iglesia; durante los años de oficialidad y mentalidad social católicas, muchos fueron llevados al bautismo, pero a esa primera oferta de gracia no siguió la catequesis adecuada para una profesión y práctica de la vocación cristiana en libertad responsable. En una situación de aconfesionalidad y secularismo, es natural que muchos bautizados se desapunten, pues no tienen fe ni convicciones cristianas.

Hay otros que quieren celebrar su matrimonio en la Iglesia, motivados por la costumbre, la inercia e incluso –cada vez menos– por presiones de la familia o por no contrariar a su pareja. Pero tampoco aquí es posible dictaminar sin más, porque generalmente son varios los motivos que influyen simultáneamente. Casi siempre hay también un sentimiento religioso más o menos indefinido que pesa en la decisión.

Otras parejas celebran su matrimonio por la Iglesia porque son creyentes con una fe personal y responsable. Se consideran miembros de la comunidad cristiana, y quieren celebrar su amor en la fe que da sentido a su vida.

Estos tres tipos de comportamiento tienen una motivación común: el amor que impulsa y promueve la comunidad entre las personas. El «pienso, luego existo» formulado por Descartes supuso una revolución en el progreso del hombre moderno para ser él mismo y decidir por su cuenta. Pero quizá hoy aquella expresión tenga que dejar paso a otra clave: «amo, luego existo». Las parejas que pretenden casarse, independientemente de sus ideologías, credos o grados de fe cristiana, viven *la utopía del amor y de la comunidad*.

Las presiones familiares y sociales van cediendo, y es previsible que sean cada vez menos frecuentes los matrimonios por la Iglesia para guardar apariencias. Sin duda quienes se casan en cristiano con una fe personal y responsable manifiestan la forma deseable de celebrar el sacramento cristiano, pero muchas otras parejas seguirán pidiendo la celebración eclesial de su amor motivadas por una creencia religiosa indefinida o por una fe cristiana muy confusa: desconocen la verdadera fe de la Iglesia y no ven qué pueda significar esa fe para su amor y para su matrimonio.

Resumiendo. Hay distintas motivaciones entre las parejas de bautizados que hoy se casan por la Iglesia, pero todas tienen de común la utopía del amor y de la comunidad. Por otra parte, la fe cristiana modaliza y promueve el amor humano; celebrar ese amor en la fe de la Iglesia supone una novedad sobre cualquier otra visión o sensación religiosa más o menos indefinida. Esta situación postula que clarifiquemos qué significa el amor y cuál es su talante cristiano. En esta doble preocupación discurren las notas que siguen.

b) En el cambio cultural

Es indudable que durante las últimas décadas está irrumpiendo una nueva cultura en la comprensión de la sexualidad y en los modelos de familia. Quizá por reacción contra una mentalidad reprimida en el terreno de la sexualidad, se ha caído en una permisividad sin control ni sentido. Hoy se va recuperando, al menos teóricamente, una visión equilibrada de la sexualidad que marca y promueve a toda la persona humana. Por otra parte, las condiciones de nuestra sociedad zarandeada por la industria y por la técnica clavan sus garras en el modelo de familia patriarcal, rompiendo tradiciones heredadas y atomizando la comunidad de la familia [1].

Al romperse los marcos sociales que desde fuera mantenían o al menos facilitaban la comunidad familiar, no hay más remedio que fundamentar bien las convicciones de las personas para que sean capaces de asegurar el desarrollo y perfección de su amor en el matrimonio. Es el interrogante al que tratan de responder estas páginas: ¿cómo pueden las nuevas parejas entender y vivir la incidencia de su fe cristiana y de la celebración sacramental en su experiencia de amor?; ¿cómo salvaguardar y vivir lo permanente del matrimonio cristiano en una sociedad cambiante donde caen los modelos tradicionales de familia?

La clave que centra y unifica nuestra reflexión es «matrimonio como un proyecto de comunidad». En un primer punto, haremos una síntesis de lo que, bajo este ángulo, afirma el Vaticano II. Después trataremos de aproximarnos a la comunidad de amor entre hombre y mujer, para finalmente ver qué aporta el sacramento cristiano.

c) Visión del Vaticano II

• *«Comunidad de amor»*

El concilio dedica un capítulo de la GS a «la dignidad del matrimonio y de la familia» [2]. Es una síntesis apretada de la fe cristiana sobre esta realidad, pero confesada en la sensibilidad y cultura de nuestro tiempo. Esquemáticamente, y en la perspectiva de comunidad, el discurso del concilio procede así:

• El matrimonio tiene como centro el amor mutuo entre hombre y mujer: «Mutua entrega de personas» [3]. Se trata de

> «un amor eminentemente humano, ya que va de persona a persona con el afecto de la voluntad, abarca el bien de la persona y por tanto es capaz de enriquecer con una dignidad especial las expresiones del cuerpo y del espíritu y de ennoblecerlas como elementos y señales específicos de la amistad conyugal» [4].

• Este amor busca la comunidad en la cual se verifica, se realiza y se perfecciona: el matrimonio es

> «la íntima comunidad conyugal de vida y de amor»; «por el afecto conyugal, hombre y mujer ya no son dos, sino una sola carne» [5].

---

[1] J. Onimus, *La rebelión juvenil. Asfixia y gritos*, Madrid 1973; Varios, *La crisis de la institución familiar*, Barcelona 1975; Varios, *Nuevos planteamientos del matrimonio cristiano*, Bilbao 1978.

[2] N. 46-52; LG 11, 35, 41; SC 77; AA 11; Juan Pablo II, Exhort. Ap. *Familiaris consortio*, 22 de noviembre de 1981.

[3] GS 48.

[4] GS 49.

[5] GS 48.

Esa comunidad de amor se desarrolla en dos etapas: a) «Mutua entrega de dos personas»; con la unión íntima de sí mismas y de sus actividades se ayudan y se sostienen mutuamente, «adquieren conciencia de su unidad y la logran cada vez más plenamente». El matrimonio es un proceso donde las personas hacen la experiencia del «don recíproco con el que se enriquecen mutuamente en un clima de gozosa gratitud»[6]; b) Pero el matrimonio tiene también otra finalidad:

> «Está ordenado por su propia naturaleza a la procreación y educación de la prole»[7].

Dos aspectos sin embargo íntimamente conectados: «El matrimonio no ha sido instituido solamente para la procreación, sino que la propia naturaleza del vínculo indisoluble entre las personas y el bien de la prole requieren que también el amor mutuo de los esposos mismos se manifieste, progrese y vaya madurando ordenadamente»[8]. Perfección de los cónyuges en el amor y procreación tienen que ir unidos; los hijos son fruto del amor y sólo prosperan en ese clima; el amor conyugal que no tiende a la transmisión de la vida, fácilmente se ahoga en una concentración egoísta.

• «La Iglesia declara que el matrimonio es una realidad humana y secular, independientemente de formas culturales y creencias religiosas: fundada por el creador y en posesión de sus leyes propias»[9]. Estas leyes permanentes se pueden concretar:

– El matrimonio se realiza en comunidad íntima de amor, que se fundamenta en «una alianza de los cónyuges, es decir, sobre su consentimiento personal e irrevocable»[10]. Esto conlleva «fidelidad conyugal y unidad indisoluble»[11].

– Porque el matrimonio tiene sus repercusiones «en la paz y prosperidad de la misma familia, y de toda la sociedad humana», exige un aval y un testimonio público. Los cónyuges se reciben y se comprometen mutuamente en y «ante la sociedad»[12].

El matrimonio no se reduce a frío contrato; más bien es alianza o entrega mutua en el amor; pero esa entrega se articula jurídica y socialmente bajo la formalidad de contrato[13].

• El amor entre hombre y mujer bautizados, que se confiesa y se celebra en la fe cristiana y en la comunidad creyente, es un sacramento: «El Salvador de los hombres y Esposo de la Iglesia sale al encuentro de los esposos cristianos *por medio del sacramento del matrimonio*»[14]. Esta calidad sacramental postula varias concreciones:

– El sacramento es *un símbolo que actualiza la fe o experiencia de la Iglesia*: Dios es amor gratuito que se inclina en favor del hombre y en Jesucristo se entrega para constituir un nuevo pueblo, mediante el bautismo, «baño de agua» (Ef 5,25). En la celebración sacramental del matrimonio, la Iglesia vive con intensidad especial ese amor gratuito de Dios y en esa fe recibe a la nueva pareja de hombre y mujer que se aman. Confesando que su amor humano es ya un don de Dios, los esposos se comprometen a perfeccionarlo en la gratuidad del amor divino. Expresando su consentimiento libre y mutuo en este proyecto, los esposos celebran, son ministros del sacramento, que

> «se establece sobre la alianza de los cónyuges, es decir, sobre su consentimiento personal e irrevocable»[15].

Con la celebración del sacramento, «el genuino amor conyugal es asumido en el amor divino y se rige y enriquece por la virtud redentora de Cristo y la acción salvífica de la Iglesia»; el mismo amor humano es perfeccionado y elevado «como don especial de gracia y caridad»[16].

Demos su justo valor a estos dos últimos términos: «gracia y caridad». El matrimonio sacramento

---

[6] GS 49.

[7] GS 48.

[8] GS 50.

[9] GS 48.

[10] *Ibíd.*

[11] *Ibíd.*

[12] *Ibíd.*

[13] Nueva visión que hace suya el nuevo CIC, can. 1055, & 1.

[14] GS 48.

[15] *Ibíd.*

[16] GS 49.

dice una referencia singular a Jesucristo y a la comunidad creyente, cuya norma y criterio decisivo son la gratuidad y la misericordia. Por eso el matrimonio por la Iglesia debe fomentar «la perpetua fidelidad», como es perpetua la entrega de Dios en Jesucristo y en la Iglesia [17].

Ese amor vivido como seguimiento de Cristo, recreación de los mismos sentimientos que vivió Jesús de Nazaret, fortalece también a los cónyuges en el perfeccionamiento de sus relaciones conyugales y en su misión de ser padres responsables: «Vivificados por la gracia para la vida de santidad, los esposos cristianos cultivarán la firmeza en el amor, la magnanimidad de corazón y el espíritu de sacrificio» [18]. En otras palabras, serán «intérpretes del amor de Dios», promoviendo «los derechos de las personas» –cónyuge, hijos– que son imagen viva del creador [19].

Pero fidelidad, servicio desinteresado, respeto hacia la persona del otro y promoción de su libertad ya no son leyes impuestas desde fuera, sino exigencias de la gracia o amor infundido por el Espíritu en el corazón de las parejas, que lo celebran y perfeccionan en la celebración sacramental de su matrimonio.

– Según la fe cristiana, todos los hombres son hijos de Dios y hermanos. Sólo *proyectado en esta nueva y más amplia familia*, es fiel a su verdad el proyecto cristiano del matrimonio. El concilio habla para todos los bautizados: «Rescatado el tiempo presente y distinguiendo lo eterno de lo pasajero, los cristianos promuevan con diligencia los bienes del matrimonio y de la familia con el testimonio de la propia vida y unidos cordialmente a los hombres de buena voluntad» [20]. Secundando esta llamada, el matrimonio cristiano debe formar y promover un hogar abierto y solidario. Debe ser una célula dentro de la sociedad, comprometida con todos los hombres, grupos y movimientos que busquen los valores del reino: paz en la justicia y en el amor.

[17] GS 48.

[18] GS 49.

[19] GS 50.

[20] GS 52.

– El sacramento del matrimonio no sólo es punto de llegada, celebración de un amor ya existente. También es punto de partida, *un proyecto a realizar en la conflictividad de la historia*. Por eso los cónyuges tendrán que «casarse todos los días». Según la teología tradicional, hay algunos sacramentos –bautismo, confirmación, orden y matrimonio– que, además de la gracia en el momento de su celebración, conllevan también una garantía de ayuda divina en el transcurso de la existencia para llevar a cabo la misión correspondiente; ya en el matrimonio,

> «para que los cónyuges puedan realizar las exigencias de su estado conyugal» [21].

- *Novedad en la continuidad*

El Vaticano II confiesa la misma fe que los concilios de Florencia y de Trento [22], pero aporta otra visión y nueva consistencia en tres puntos:

– El amor humano como *lugar en que se manifiesta el amor de Dios* en favor de los hombres.

– Importancia decisiva de que la pareja comprometida en la celebración del matrimonio viva la fe cristiana. *Los cónyuges son ministros del sacramento* precisamente porque de modo explícito vinculan su amor al amor gratuito de Dios, y esta conexión sólo puede tener lugar en la fe. En otras palabras, el matrimonio cristiano sólo alcanza su verdadero sentido en la vocación bautismal de seguir a Jesucristo. Si las parejas no viven esa vocación, ¿cómo van a celebrar la dimensión teológica y las implicaciones evangélicas de su amor humano?

Para celebrar este sacramento se necesita «un consentimiento personal e irrevocable». Apoyado en la fe según la cual todas las personas son imagen de Dios, este consentimiento sí es posible. Admitamos que el reconocimiento de la persona humana como valor absoluto e inmanipulable no es sólo confesión e imperativo de los explícitamente cristianos; pero es indudable que esos valores son rea-

[21] DS 3714.

[22] Conc. de Florencia (DS 1327); Conc. de Trento (DS 1797-1816).

firmados y promovidos en la fe cristiana, precisamente porque confiesa lo divino de los derechos humanos, ya que todos los hombres y todas las mujeres son imagen viva de Dios.

– El matrimonio es proyecto de comunidad, donde se refleja y se concreta la calidad comunitaria de la Iglesia. Pero esta verdad conlleva sus exigencias prácticas. Muchas de las parejas que hoy se casan por la Iglesia tienen un desconocimiento, noticia lejana o idea equivocada de la misma. Por otra parte, muchas veces las parroquias, lugar de referencia que la gente tiene para conocer qué es la Iglesia, parecen más organizaciones burocráticas para dar sacramentos que comunidades vivas de fe operante y celebrada. Cuando el Vaticano II declara que la familia es «como una Iglesia doméstica», demanda una profunda renovación comunitaria de las mediaciones cristianas, cuya realidad más palpable para todos son las parroquias.

En las páginas que siguen intentaremos relacionar *amor entre interpersonal-amor conyugal-celebración sacramental del amor*. Describiendo las distintas etapas, se verá mejor cómo el sacramento del matrimonio es promoción del amor humano, y cómo la fe cristiana perfecciona la experiencia de los hombres.

2. El amor: yo-tú-nosotros

El amor es necesidad fundamental del ser humano. Aunque muchas veces adulterado y oscurecido, retoña una y otra vez en nuestro suelo. De niño, adolescente, maduro y anciano, todos llevamos dentro esta necesidad, y todos tenemos experiencia gozosa del amor. Por eso cada uno tiene derecho a pedir la palabra para ofrecer su experiencia.

Pero ese mismo conocimiento generalizado implica una limitación, porque la experiencia es siempre personal; sólo podemos tenerla por y para nosotros mismos. No es posible que uno solo diga lo que cada uno vive con matiz peculiar e irrepetible. Soy consciente de tal limitación.

También adelanto el contenido y orden a seguir en este apartado. Hay una tesis fundamental: *en su misma entraña, el amor es anhelo y realización de comunidad entre amante y amado*. El desarrollo en distintos puntos obedecé a una sencilla observación: sin duda el amor conyugal entre hombre y mujer es un caso en cierto modo prototipo; en él pensamos casi siempre que hablamos del amor. Pero un detalle del lenguaje ya nos hace pensar: no sólo decimos que mujer y hombre se aman; hablamos también de amor al arte, a la patria y a otras realidades. Tiene que haber algo común a todo amor. Dentro del mismo, veremos la peculiaridad del amor entre personas; y más concretamente de la familia, comunidad de amor.

Por otra parte, no basta que hablemos del matrimonio reduciéndolo al momento de su celebración. Esta viene a ser punto de partida, primer eslabón de un camino y de un quehacer comunitarios. Es otro aspecto a contemplar en este capítulo.

a) Dinamismo del amor

Para todo lo que vamos a decir, hay una pregunta fundamental: ¿cuál es la verdad interior del amor: manifestaciones del mismo, su proceso, su intención de fondo; cómo nace, cómo vive, qué busca?[23].

> En el amor todo es actividad; en lugar de consistir en que el objeto venga a mí, soy yo quien va al objeto y estoy en él. En el acto amoroso, la persona sale fuera de sí; es tal vez el máximo ensayo que la naturaleza hace para que cada cual salga de sí mismo hacia la otra cosa. No ella hacia mí, sino yo gravito hacia ella.
>
> J. Ortega y Gasset,
> *Estudios sobre el amor,*
> *en Obras completas*, t. V,
> Madrid 1958, 554.

Aunque no es posible reducir a fríos conceptos ni esquemas rígidos lo que fluye como vida, hay tres matices en el amor: el que ama se ve lanzado hacia

[23] J. Ortega y Gasset, *Estudios sobre el amor*; M. Buber, *Yo y tú*, Buenos Aires 1967; E. Fromm, *El arte de amar*, Madrid 1976.

la persona u objeto amados, apuesta por ellos; y desea el encuentro, la convivencia, la fusión con los destinatarios de su amor. Así el amante se realiza como persona proyectándose hacia el otro.

En el amor hay una experiencia inicial: uno se ve irresistiblemente atraído por alguien o por algo; «enamorado» quiere decir metido en el dinamismo irresistible del amor. Pero es muy difícil mantener vivo el amor cada día en las contrariedades y asperezas del camino. Sin embargo, la verdad interior y las exigencias del amor permanecen constantes, aunque algunos matices puedan ser más sensibles en la experiencia fascinante de los comienzos. En esa verdad y dinamismo permanentes nos fijamos ahora.

- *Salir hacia...*

– Según la primera impresión, «amar» es como un abandono de nuestro asiento. Es fuerza que nos inquieta, desinstala y lanza sin remedio hacia el amado. Un artista piensa en su obra y vive apasionado por ella; cuando el hombre vive su amor hacia una mujer, sufre respecto a la misma una dependencia inevitable. La madre no puede olvidar a su hijo que ha salido de casa en una mañana fría. El amor es como *fascinación que nos arranca de nosotros mismos*. El que ama vive volcado hacia, existiendo para, emigrando de sí mismo. «Ex-tasis», dice santo Tomás. Impulso que pone al hombre fuera de sí exigiéndole permanencia intencional en el amado.

– El hombre se ve arrastrado por el amor *gratuitamente*. El amor irrumpe como empuje incontrolable que nos pone en movimiento sin contar con nuestra decisión. Tiene su temperatura: no discurre como la imaginación matemática, ni con las categorías del pensamiento racional; viene a ser «manía divina», según Platón. El que ama, vive obsesionado por el ser amado, sin pensar mucho en las dificultades; arriesgando la propia seguridad. Está dispuesto incluso a morir porque así se manifiesta plenamente su entrega[24].

El amor es gratuito. Sin argumentos objetivos de la razón. El que ama de verdad, vive en actitud oblativa, de apertura u ofertorio. En su experiencia personal, cada uno de nosotros puede ver esa intención originaria y ese dinamismo del amor.

– En esta oblación de gratuidad, el amor conlleva cierta desarticulación de uno mismo. El que ama, «tiene que morir a sí mismo de alguna forma»; es una muerte o sacrificio exigido por la salida en gratuidad hacia el amado; ¡cuántas preocupaciones y desvelos por nuestros seres queridos!; ante su dolor, no es posible la indiferencia: ¿cómo un padre dormirá tranquilo sabiendo que su hijo vive amenazado por una desgracia?; ¿cómo soportar impasibles la marginación y atropellos sufridos por nuestros amigos? Más de una vez, el amor verdadero en favor de una causa justa exigirá soportar los conflictos incluso con familiares que se opongan o interpongan en ese compromiso.

Cuando muere un pariente o un amigo, el amor se hace dura experiencia, pues con él muere algo de nosotros mismos. Aunque no última palabra, el sacrificio es condición necesaria para el verdadero

[24] 1 Cor 13,4-7; Jn 15,13.

amor; algo así como su aspecto negativo. El amor genera conflicto que lo acrisola y hace madurar.

– El amor es una experiencia que nos permite sufrir en carne propia la condición del hombre: «alguien fundamentalmente pobre», carencial, que necesita del otro; que avanza por la vida «in-satisfecho» y sediento. El amor es una llamada para ser más de lo que somos. El que ama de verdad está pidiendo, invoca, confiesa en voz alta que carece de algo; como un ser abierto hacia el porvenir.

• *«Tú no morirás»*

Amor y odio llevan la misma dirección; los dos van hacia el objeto que los polariza. Pero su intención es bien distinta El odio arremete contra, lleva dinamita para destruir; el hombre desencajado y ávido de venganza quiere devorar a su adversario. El amor, en cambio, es portador de vida; envuelve al amado en un clima de favor.

El que odia, realmente hiere y mata. El amor, en cambio, se acerca con suavidad, se preocupa de afirmar y re-crear al amado. Es voluntad de promoción; el hombre que ama, desea que viva la mujer amada, que sea ella misma, que logre su perfección y libertad como persona. Amar es trabajar decididamente para que el ser amado permanezca vivo; no permitir que fenezca; buscar su continua promoción. El que ama de veras está diciendo al amado: «tú no morirás».

El amor es afirmación cálida en favor del amado, cualquiera sea su actitud para con nosotros. Incondicional como el amor de una madre que nada escatima para que su hijo nazca y prospere. Aceptación de la persona o realidad amadas, garantizándoles su perfeccionamiento.

– *Porque te amo*

Todos percibimos o experimentamos dos formas de acercarnos a personas o cosas que de algún modo nos interesan. Una, cuando vamos únicamente buscando la satisfacción o ventajas que nos pueden aportar. Apetecemos un día de sol claro y aire limpio que nos liberen por algunas horas del atosigamiento sufrido en la gran ciudad. A veces deseamos la compañía de una persona sólo para nuestro desahogo.

Es un amor que tiene como lema: «Te amo porque te necesito». Más que sacarnos de nosotros mismos hacia el amado para favorecerle gratuitamente, nos impulsa para que nos posesionemos y utilicemos la realidad apetecida. Es un amor engañoso que fácilmente degenera en egoísmo y convierte a las personas en piezas de consumo. Al fin y al cabo, egoísta es el que sólo se interesa por sí mismo, incapaz de vivir el amor como entrega sin retorno hasta las últimas consecuencias.

A esta entrega responde la verdadera forma de amar: arriesgarse por el otro. Sin compensaciones a una soledad e interrogantes que conlleva la salida de nosotros mismos. Es un amor libre para seguir siendo gratuito. Una dedicación al ser amado. Una dádiva, sencillamente porque se tiene buen corazón. Expresión comprometida y total de la propia persona con el ser amado. La ternura de una madre sin medida ni salario nos remite a ese ámbito sagrado no sujeto a intereses mezquinos. Amor maduro que se confiesa gracia: «Te necesito porque te amo»[25].

– *A la escucha del otro*

El que ama, vive pendiente y atento a las necesidades y deseos del ser amado. Según sus demandas, ofrece algo de sí mismo; lo que está vivo en él: inteligencia, entusiasmo, creatividad. Si hay verdadero amor, esta oferta real es ineludible.

> El enamoramiento en su iniciación no es más que esto: atención anómalamente detenida en otra persona. Si ésta sabe aprovechar su situación privilegiada y nutre ingeniosamente aquella atención, lo demás se producirá con irresistible mecanismo; cada día se hallará más adelantado sobre la fila de los otros; cada día desalojará mayor espacio en el alma atenta. Esta se sentirá incapaz de atender a aquel privilegiado.
>
> J. Ortega y Gasset, *Estudios*, 579.

[25] Esta distinción nos recuerda otra de la teología escolástica: amor de concupiscencia, y amor de amistad (Santo Tomás, I-II, 26, 4).

– Siempre admitiendo que el amor va más allá del conocimiento, nadie ama si previamente no conoce; si no tiene noticia o al menos ha fabricado en su imaginación la realidad amada. Pero esa realidad conocida o imaginada se va desvelando poco a poco en la marcha de cada día. Por eso el amor necesita *vivir descubriendo siempre lo nuevo* del amado.

Y no es sólo conocer al amado, sino todo aquello que le beneficia y agrada. El jardinero amante de las plantas debe conocer la calidad de la tierra que va bien a cada semilla, cuándo es tiempo de la poda y a qué horas es bueno el regadío. Este conocimiento es más delicado cuando se trata del amor a una persona; nuestra condición evolutiva e histórica, nuestra libertad real pero ambigua, hacen de nosotros seres inesperados y desconcertantes.

– El conocimiento exigido por el amor no es neutral. Persigue una eficacia que repercuta en bien del amado. *Preocupación activa* por su existencia y promoción. Cariño y atención de la madre que tararea, besa y arropa con cuidado a su pequeño antes de que se duerma. Actividad diligente del labrador que con paciencia y afanoso esmero mueve una y otra vez la tierra para que preste su regazo cálido al grano de trigo. Entusiasmo del artista que mira, busca posición y luz adecuadas para la talla recién salida de sus manos.

Cuidado muy exigente cuando se trata de personas. El hombre viene a ser la planta más delicada: no sólo pasa necesidades comunes a todo animal; tiene anhelos e interrogantes que le hacen más amable, pero demandan mayor atención.

– Dando un paso más, la persona que ama *responde*; toma partido en favor del amado. El amigo verdadero no sólo se pone «al lado de», sino «del lado del amigo», compartiendo su causa y corriendo su misma suerte. El que ama sube a la misma barca del amado, cuyos asuntos pasan también a ser suyos; se solidariza con él hasta las últimas consecuencias. La madre defiende incondicional y a veces irracionalmente a su hijo; el verdadero artista lamenta que se pierda un cuadro de valor; y el hermano levanta su voz y se juega la vida por el hermano. «Tu no morirás», expresión del amor verdadero, se verifica en esta otra: «No dejaré que te maten».

– Esta preocupación y esta corresponsabilidad en los asuntos del amado no son paternalismo, dominación o manipulación. Faltaría entonces esa gratuidad propia del amor auténtico, que pide «un espacio de respeto» a la dinámica y exigencias de la realidad que se ama. Ya la naturaleza impone sus cauces cuando nos acercamos a los seres no humanos: ¿cómo puede amar a los árboles el hombre que, por puro capricho, prende fuego al bosque? Tampoco hay elemental respeto exigido por el amor cuando se pisotean con mal gusto las flores o se maltrata cruelmente a los animales.

Pero todavía es más exigente la responsabilidad cuando nos movemos en el mundo de las personas. Son muy peligrosas y sutiles la manipulación, opresión o represión larvadas sobre el otro bajo el pretexto de amor. No es fácil entregarse gratuitamente a favor del amado, buscar su bien, ponerse de su lado, sin exigir gratitud y correspondencia, renunciando incluso a compensaciones legítimas, aceptando la soledad que de algún modo es reserva y garantía del verdadero amor.

• *Anhelo de fusión*

– El amor se manifiesta y madura *en la comunidad*. Ahí tiene su lugar y encuentra su verdadero clima. El que ama, vive encantado por una realidad que le fascina; y ésta puede proporcionar tal encanto sólo si es o al menos aparece como perfección. Por eso es natural que amante y amado quieran comunicarse, vivir juntos siempre; para esto no cuentan las horas, cualquier tiempo es oportuno.

El odio mata, divide, dispersa; es diabólico en sentido etimológico de la palabra: lanza sin piedad a los hombres por caminos opuestos, trae discordia, ruptura, separación de corazones. En cambio, el amor da vida, une, aproxima; es simbólico, impulsa para que los hombres vivan en comunidad, se acerquen; quiere decir «con-cordia», corazón junto a corazón.

– El amado viene a ser dimensión fundamental del amante. Amor significa no admitir, en lo que de nosotros dependa, un mundo que no esté habitado por la realidad amada. El que vive sinceramente su amor al arte, se preocupa de visitar museos y contemplar las obras maestras; ¿quién puede imaginarse un cielo, un lugar de felicidad donde no estén sus seres queridos?

El amante vive la *urgencia ineludible de comunicación*. Quiere disolver su intimidad en el amado, y absorber la intimidad del «tú». Desea una invasión gozosa del otro, y apertura total de sí mismo. Ahí logra su satisfacción.

– El amor tiende a crear comunidad. Nos lleva casi ciegamente a «estar con», a encontrar un lugar en el ser amado. Que allí donde «tú» estés, haya también un espacio para «mí». Amar es vivir como persona que se realiza en el amado. Para el que ama, la vida es perderse en el «tú», y esta pérdida significa una ganancia. Cuando uno siente que algo del «mí» ya no es solamente mío; se hace verdaderamente mío en la comunicación contigo. El amor inaugura un «entre»; el *«yo» y el «tú» fructifican en el «nosotros»*.

– El amor es en el fondo ese máximo esfuerzo del hombre por superar la soledad, por compartir, avanzar con los otros. Siempre tiene que dar un paso más; no puede vivir sin esperanza. Tiene que salir de sí mismo para ir al «tú», y así realizarse.

Cuando el hombre sabe leer esa intencionalidad profunda del amor y ahonda en esa orientación comunitaria, sí está en el *verdadero camino*. Pero ello supone ya una intervención de la voluntad con todas sus posibilidades y todos sus riesgos.

• *Siempre es fecundo*

– El amor salta las barreras del aislamiento. Como salida gratuita de sí mismo, el que ama siempre avanza, incluso cuando su dádiva no tenga respuesta. El amante viene a ser el primer beneficiario de su amor. Crece y se perfecciona el artista cada vez que crea, plasma y retoca su obra. Amar es vivir *disponible hacia una causa*; por eso mantiene viva la juventud.

Y todo porque los hombres y las mujeres, las personas humanas, sólo se realizan en la medida en que salen de sí mismas libre y gratuitamente. Estamos llamados a ser más de lo que somos; y dar siempre un paso más es imperativo de nuestra vocación humana. No se perfecciona el potentado que, por alcanzar prestigio, deja caer altivamente su limosna; ni el que obedece por temor a unos castigos. En estos y otros casos similares falta el amor verdadero. Incluso la virginidad sólo es fecunda cuando se vive como una forma de amor.

– Entendido como éxodo hacia el otro para promoverlo, el amor tiene *un papel creativo*. El artista da vida y ser a su obra. La mujer que con amor riega todos los días sus tiestos, hace brotar el olor y perfume de las flores. Cuando una madre procura el crecimiento y bienestar de su hijo, cuando envuelve sus pasos en el cariño y en el cuidado, está diciendo: «Es bueno que vivas, quiero que seas feliz en la tierra». Si tiendo la mano al desvalido para que se levante y siga caminando, si permanezco activo y atento junto a la cabecera del enfermo, estoy continuando la creación.

– La fecundidad del amor también se manifiesta en su *capacidad de unir*. La condición y la sexualidad humanas deben ser interpretadas como vocación a la comunidad. Las personas egoístas son incapaces de amar a los otros porque en el fondo tampoco se aman a sí mismas de verdad.

Como exigencia de comunicación, el amor que logra una relación interpersonal siempre es fecundo. Por eso da pena ver cómo los hombres muchas veces desoímos esa voz que nos sugiere tender la mano a los demás, y morimos ahogados en nuestra mezquina egolatría. La revelación bíblica quiso dejarnos plasmada la vocación comunitaria del ser humano en aquella frase de Gn 5,18: «No es bueno que el hombre esté solo». Llamados a la comunicación solidaria con los otros, siempre que respondamos al verdadero amor venceremos el aislamiento que mata.

b) El amor entre personas

Evidentemente, no es lo mismo amar a una obra de arte que a una persona humana. Esta tiene su dignidad peculiar que matiza también las relaciones de amor.

• *Responsable y libre*

– Hombre y mujer son «alguien», no sólo «algo» como una piedra o una mesa. La persona tiene conciencia de ser unidad que integra distintos miembros. El banco en que nos sentamos no es consciente de que sus piezas se articulan en una totalidad. El hombre tiene capacidad de sentirse único y distinto de todas las cosas y de los otros hombres.

– En su intimidad, la persona humana es responsable y libre. Puede disponer de sus facultades y recursos en orden a conseguir un objetivo propuesto libremente. Capaz de tomar en sus manos su propio destino, puede responder a una vocación inscrita en su naturaleza y manifestada en la historia. Con esa libertad de autodeterminación, la persona humana decide sobre su existencia, encauza y da sentido a sus instintos.

Pero finalmente la persona en su núcleo más íntimo *es inaccesible*. Ahí somos desconocidos incluso para nosotros mismos. Y hay que respetar el espacio donde la persona queda inacabada y abierta, esperando su perfección definitiva.

– Con frecuencia, nuestra libertad ambigua no respeta la libertad del otro, y muchas veces nuestro instinto de posesión no tolera que la intimidad de la persona quede más allá de nuestro alcance y control.

Veamos un poco más despacio la peculiaridad del amor entre personas.

• *Gratuidad y elección*

– El amor interpersonal no es sentimiento ciego e incontrolable. Pasado el primer momento de fascinación, la libertad entra en juego; *el amor se vuelve opción y elección*. Una dirección en la vida. Una realización orientada de la propia existencia.

Es aquí donde cabe la alternativa. O el hombre decide mantener su seguridad, utilizando al otro únicamente para satisfacer sus deseos, o madura en oblatividad. El amor sólo alcanza su madurez por un camino: saliendo de una afectividad egoísta para fructificar en gratuita entrega. Progreso imposible sin la decisión del hombre que, leyendo el deseo profundo de su corazón, quiere dedicar toda su vida y empeños a la otra persona.

– Pero la dignidad humana del amado hace más exigente la salida de sí mismo que viene imperada por la exigencia de amar. La persona es irreductible, incomunicable y misteriosa en su intimidad. Cuando nos acercamos a ella, se nos revela sólo parcialmente, y siempre queda más allá *exigiéndonos nueva búsqueda*.

La mujer será enigma permanente para el hombre, y éste lo será para la mujer; la esposa será siempre oferta para el marido, y éste será para la mujer novedad aún no desvelada; así se mantiene activo y creativo el amor interpersonal, que simultáneamente incluye gozo, insatisfacción y esperanza.

– Quien es capaz de vivir en actitud de respeto y escucha, encuentra en el amor su auténtica espiritualidad. Cuando un amigo sigue tendiendo la mano al amigo irresponsable o ingrato, prueba que su amistad es verdadera. *En la prestación gratuita se prueba la verdad del amor*: cuando un marido perdona y disculpa sin rencor a la mujer que le ha traicionado, demuestra que su amor es verdadero; eso mismo manifiesta la mujer que vela noche tras noche junto a su marido enfermo. Si, al partir de este mundo un ser querido, sigue presente y vivo en nuestro corazón, estamos proclamando la permanencia del amor capaz de vencer a la muerte.

• *Afirmación y respeto*

El amor nos inclina en favor de la realidad amada. Pero cuando esa realidad es una persona, tiene también exigencias peculiares, pues la persona es libre, autónoma e inagotable en su intimidad.

– El amor verdadero quiere la existencia y *busca la promoción de lo amado*. Cuando el beneficiario del amor es una persona, entra un elemento nuevo: la libertad. Es posible disponer de una cosa; puede ser manipulada, cambiada y vendida según nuestras conveniencias. Pero el amor a una persona tiene que respetar su autodeterminación libre. No debe avasallar, someter por la fuerza o manipular paralizando el juicio y la elección de la persona.

Hay atropello de la libertad cuando se imponen leyes desde fuera sin aceptación explícita o implícita de quienes deben cumplirlas. Cuando exigimos a un amigo que acepte nuestra opinión que interiormente rechaza. Cuando un padre, sin explicaciones y con autoritarismo indiscutible, manda que sus hijos, capaces ya de pensar por su cuenta, entren por costumbres que no les convencen.

Afirmar al otro, esa tarea del verdadero amor, requiere *dejarle ser él mismo*. No ha entendido bien esta exigencia el hombre que pretende amar reduciendo y anulando al «tú», para disponer de él a su antojo. Decir «quiero que existas y que seas feliz» significa un voto de confianza, aventura de atención delicada e histórica, un amor probado en sacrificio. Delicadeza, porque la persona humana es digna de todo respeto. Histórica, porque viene a ser tarea de cada instante. Confianza en el otro, cuya libertad muchas veces ambigua puede llevarnos a exigencias inesperadas.

– La persona que recibe nuestro amor tiene sus convicciones, puntos de vista y proyectos que deben ser tenidos en cuenta por el amante. Conocer a una persona exige atención, *capacidad de sorpresa*. Sin este conocimiento que se va logrando en el correr de los días y que nunca se satisface plenamente, no se ve a la otra persona en sus debidos marcos.

Por experiencia sabemos que cada persona tiene su estilo de manifestar la tristeza, el dolor y la alegría. No es posible llegar al hombre si desconocemos sus intereses y reacciones. Adivinando las causas que provocan el llanto de su hijo, cuyo lenguaje nada dice a los profanos, una madre es prototipo en el arte de amar.

Cuando falta ese conocimiento, tampoco es posible un diligente cuidado que debe ofrecer quien ama de verdad. Pero ese cuidado ha de ser ejercido con delicadeza y respeto hacia la persona. El hermano hace suya la causa de su hermano, pero no es justo privarle de su libertad ni dispensarle de su responsabilidad personal. Cuando el hombre decide por su cuenta sobre los asuntos familiares sin contar con su mujer, no ama realmente a su esposa. Tampoco hay amor verdadero cuando un hijo determina sobre la suerte de sus ancianos padres sin tener para nada en cuenta la opinión de los mismos.

– Cada persona tiene también derecho a *un espacio de intimidad* totalmente incomunicable. No llegamos a conocer nuestro fondo, el secreto del hombre que llevamos dentro cada uno. Entonces, ¿por qué pretendemos invadir el recinto sagrado de cada persona? Cuando cometemos esa irreverencia, nos parecemos al niño que destripa su juguete para posesionarse de su misterio; en su atropello ha matado el encanto y la fascinación. Hay amores que matan precisamente porque degeneran en dominación: si no dejamos vivir al amado su intimidad, también el nuestro es un amor degenerado. A ese núcleo íntimo de la persona sólo tenemos aproximación en el amor no posesivo, sino en el amor gratuito y reverente.

- *Encuentro de libertades*

El amor de persona a persona tiene su lugar y objetivo en *la relación interpersonal*. Sólo con las personas humanas nos comunicamos en nuestro propio lenguaje. El autor del Génesis trata de justificarlo dando su interpretación sobre los orígenes: Dios quiere liberar al hombre de su aislamiento; para ello no sólo le presenta todos los vivientes no humanos de la creación; le ofrece también la mujer, alguien, una persona, de la misma carne, complemento de la persona varón (Gn 2,23).

El encuentro de dos libertades y la comunicación interhumana imponen sus condiciones:

– Cuando dos personas se aman, hay un encuentro, brota una relación de *dos libertades en ejercicio*. Ya entre amigos nunca se renuncia sin más a la propia libertad. Tampoco se da esta renuncia en el verdadero amor: hombre y mujer siguen siendo libres cuando se aman, y este amor debe promover su libertad. Cada uno tiene sus iniciativas y toma sus decisiones; a partir de ahí, queda el espacio que puede llenar la persona del amado. También vale aquí la ley general: mi libertad termina donde comienza la libertad del otro.

Si amo de verdad, hago una oferta, una invitación a que el otro salga de sí mismo y se exprese. Pero el «tú» no es mío, aunque esté conmigo. Se expresará, saldrá de sí mismo, no porque yo le domine o porque no tenga más remedio, sino porque libremente responde al amor experimentado. Nunca, tampoco en el amor, es justo disponer de una persona; sólo se puede contar con ella, escucharla, solicitarla con reverencia y esperar sus decisiones.

– El respeto a la libertad del otro es decisivo para realizar esa comunidad de vida, sugerida por el verdadero amor, que no es posible ni humano sin auténtico diálogo: *intercambio en el respeto y en la pobreza*. Respeto a ideas, costumbres y ritmo del amado; no hay otro modo de amar a las personas. Pobreza, porque así el amante reconoce que también es limitado y necesita recibir del otro.

– El encuentro o la comunidad entre personas exige también cierta distancia; *situación de conflicto*. Parece que tal palabra nada tiene que ver con el amor, pero la tensión va incluida en su misma entraña. Y no me refiero a desavenencias o conflictos sobre cosas accidentales o secundarias, fácilmente superables cuando hay opción y proyectos claros de comunidad. La verdadera tensión surge cuando uno quiere mantener viva esa opción comunitaria: tiene que oír y escuchar a la otra persona, salir continuamente de su propia tierra, y ratificar en cada momento su compromiso de amor solidario.

Es un conflicto que hace madurar a la persona. Si se toma en serio el proyecto comunitario, no cabe un amor egoísta. El mismo anhelo de fusión total con otra persona, si no madura, es engañoso: el amor queda desfigurado por el instinto de posesión, ya no crea *comunidad de personas libres*. Dicha madurez exige que las personas se acepten a nivel profundo, en la singularidad incomunicable de su ser.

Cuando las personas logran esa hondura en la comunicación, ya no pueden terminar cerradas egoístamente, en un círculo de dos. Intimando con el ser querido, tocamos de algún modo el secreto incomunicable del hombre, donde nos identificamos todos los humanos. El que de verdad ama, se hace solidario de toda la humanidad.

• *Fecundidad peculiar*

Todo amor afirma y promueve a la realidad amada. Pero cuando ésta es una persona, el amor puede madurar en amistad.

– La amistad pertenece a nuestra experiencia que, como la vida, sólo admite aproximaciones. Viene a ser comunicación de amor entre dos personas. Se apoya en la correspondencia y reciprocidad del amor; es como perfeccionamiento normal del mismo. El que ama, sale de su aislamiento y concentración egoísta, se dirige hacia el amado y apuesta por él, aunque su oblación no se vea correspondida. La amistad, en cambio, sólo se establece cuando hay correspondencia; florece si dos personas vibran en un horizonte común e intercambian sus intimidades y proyectos.

– El amor siempre es fecundo; si es verdadero, promueve al amante y al amado. Pero cuando el amado es una persona humana, ese amor tiene fecundidad singular. Primero, porque puede haber correspondencia, y así establecer amistad. Segundo, porque la persona humana tiene una dimensión trascendente e incomunicable que postula siempre nuevo paso en quien se acerca con amor a ella; el amor a una persona exige continua voluntad creadora y entrega sin limitaciones. En esa creatividad oblativa radica su fecundidad peculiar. Ser fiel consistirá en mantener viva esa disponibilidad o apertura libre y responsable hacia el amado.

c) *El amor conyugal*

En el amor humano entre personas se proyecta el amor entre hombre y mujer que, desde su modalidad sexual y en la integración de la misma, se deciden a crear esa comunidad de vida que llamamos familia.

Se trata de un amor humano, entre personas. Participa de lleno en el dinamismo del amor descrito anteriormente. Pero hay un elemento nuevo: la sexualidad vivida e integrada de modo especial en el matrimonio. Ese amor debe madurar en amistad y apunta hacia un porvenir sin término: la fidelidad.

• *Amor y sexualidad*

La persona humana es corpórea y tiene unas determinadas referencias históricas. Entre ellas destaca la sexualidad. El ser-hombre se despliega bajo dos formas: varón y mujer. Cada una de estas modalidades lleva su marca en lo físico, en lo psíquico y en los comportamientos sociales.

– *Determinación de toda la persona*

No hay individuo asexuado, ni se trata de una determinación parcial de la persona, sino de un talante que caracteriza todas las manifestaciones del ser humano en el mundo.

Por eso nunca será rentable abstraer de la sexualidad, reduciendo su importancia o reprimiéndola. Recordemos la interpretación teológica que trae la Biblia en unas pinceladas bien notables: Dios creó al ser humano en las formas de varón y de mujer (Gn 1,27), «y vio que era bueno» (Gn 1,31). La sexualidad no es un ídolo ni un demonio; pertenece a la condición del ser humano, y el desarrollo de la misma cae bajo nuestra responsabilidad.

Hombre y mujer son dos versiones de persona, no contrarias, sino complementarias. Según el antiguo mito, originariamente mujer y hombre fueron uno; después vino la separación, y ahora mutuamente se atraen como partes que anhelan su reintegración en la totalidad. Quizá este mito tenga un eco en la relación bíblica de los orígenes: Dios formó a la mujer sacando y modelando una costilla de Adán, «el hombre» (Gn 2,21).

En cualquier supuesto, hay un fenómeno innegable: varón y hembra se hallan confrontados y exigen mutua referencia. Cada uno encuentra en el otro sexo nueva riqueza. Por eso buscan la unión en todos los niveles. La urgencia de fusión y síntesis es más palpable cuando hombre y mujer deciden formar una familia.

La sexualidad humana es integrante manifestación histórica de la persona, que sólo vive como cuerpo sexuado. Por ello, dicha sexualidad está determinada personalmente y goza de dignidad única: no se reduce a un erotismo que sólo busque un legítimo goce momentáneo. El verdadero amor va más allá; suscita preocupación, respeto, cuidados y desvelos en favor de la persona amada. Cuando falta esa profundidad en el amor, fácilmente la sexualidad degenera en mercancía deshumanizante. Si utilizamos la sexualidad de una persona sin la oblación gratuita de la misma, hay violencia, invasión agresiva, atropello de una libertad que define al ser humano.

– *Dimensión social*

Como expresión de la persona en el mundo, la sexualidad tiene una connotación social. Quiérase o no, nuestro cuerpo nos introduce sin remedio en el colectivo de hombres. No es posible vivir ni crecer sin un mínimo de presupuestos económicos y políticos. Sólo a modo de ejemplo, pensemos en algunas personas que, para sobrevivir, tienen que soportar la manipulación de su cuerpo mediante un ejercicio inhumano de lo que debiera ser manifestación y oferta de la propia intimidad.

Ya fijándonos en la relación especial de sexos que tiene lugar entre hombre y mujer, ¿no es muchas veces la economía un factor decisivo para proyectar enlaces matrimoniales? El hallazgo de vivienda ¿no determina con frecuencia que una pareja emigre a un barrio concreto? Con esto sugerimos una cierta y necesaria institucionalización de la familia, que sólo existe y prospera dentro del dinamismo social.

– *Evolución*

Sociedad y persona se modalizan mutuamente. La mentalidad de las distintas sociedades impone formas y costumbres para señalar hasta dónde llega lo masculino y dónde lo femenino. Hace poco más de veinte años, en nuestra sociedad española causaba cierto escándalo una mujer en pantalones o un joven con melena; cosas que hoy vemos normales.

Pero, a su vez, la sexualidad queda determinada por la persona que libremente puede canalizarla, incidiendo así en la mentalidad social. Primero, porque la persona progresa continuamente, cambian la constitución de su organismo y también sus reacciones afectivas que desmontan o imponen puntos de vista. Segundo, porque la persona es capaz de programarse libremente, tener un fin al que orientar todos sus empeños, unificar sus facultades y tareas en orden a conseguir un objetivo propuesto. Eso mismo puede hacer con la sexualidad, a pesar de las muchas presiones sociales.

– *Distintas vocaciones*

Ser hombre o mujer son dos modos de la persona humana, dos manifestaciones complementarias que logran su objetivo en el amor interpersonal. La sexualidad es al mismo tiempo un signo de nuestra vocación comunitaria y un impulso para buscar nuestra perfección.

El amor humano es siempre sexuado, e incluye doble faceta en su pretensión: alcanzar la totalidad de la persona amada, y también la universalidad, comunicación profunda con todas las personas que integran el género humano. Pero no resulta nada fácil conjugar estos dos anhelos. Se puede optar directamente *por la universalidad*, corriendo el peligro de amar a todos en general y en abstracto, sin amar a la persona en sí misma y en su singularidad. Se puede optar directamente por el *amor exclusivo a una persona* en su concreción peculiar, también con otro peligro: no abrirse a la universalidad. Las dos opciones son legítimas y están llamadas a interpelarse mutuamente.

En el amor conyugal se realiza la sexualidad también genitalmente, iniciando un proceso comunitario que va *desde la entrega mutua «en exclusividad» hasta la madurez del amor en la universalidad*. Sin esta maduración, el matrimonio degenera en cooperativa de egoísmo, y será el sepulcro del amor.

• *Una sola carne*

Prescindimos ahora de los distintos modelos que pueden revestir el matrimonio y la familia según épocas, sociedades y culturas. Nos quedamos en lo común de todas las realizaciones: el amor conyugal entre hombre y mujer exige una forma de existencia donde logre su significación humana y adecuada respuesta el dato biológico de la diferencia sexual. Quienes se casan, interpretan esa llamada de la naturaleza y tratan de secundarla en un proyecto de vida comunitaria. Las distintas sociedades han regulado los cauces para llevar a cabo ese proyecto con su forma de celebrar el matrimonio.

Otra precisión se impone. El amor conyugal es interpersonal, sexuado y genital. Bien entendido que estos calificativos no son independientes ni separables dentro de la opción matrimonial. La sexualidad no es capítulo aparte del ser hombre o

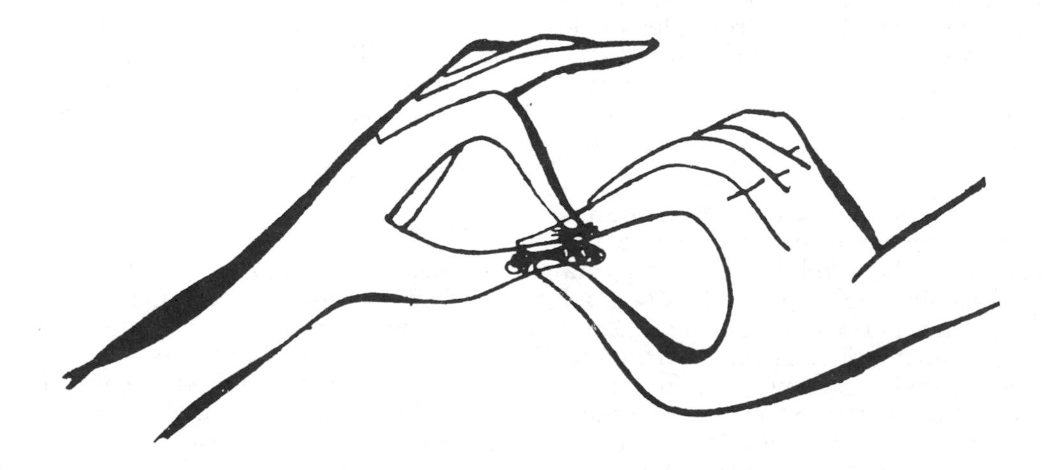

mujer, sino manifestación histórica y necesaria de la persona. Lo genital es como un aspecto, una concreción de la sexualidad.

Se comprende que la genitalidad humana no es autónoma. Sólo encuentra su verdadero sentido como realización concreta de lo sexual, y consiguientemente *dentro de la relación entre personas*. La expresión «hacer el amor», tantas veces adulterada, puede ser significativa: no es sólo un juego de circunstancias, ni se debe reducir a simple antojo; no es satisfacción de un apetito ciego, ni acoplamiento puramente biológico para engendrar hijos. Significa sintonía profunda, entrega mutua de dos personas libres y responsables.

Ahora tendríamos que aplicar el dinamismo del amor humano, antes descrito, a la comunidad conyugal.

– *Oferta y donación*

En el ejercicio de la sexualidad conyugal, hombre y mujer mutuamente se ofertan. Salen de sí mismos hacia su pareja, desde las relaciones más triviales hasta el acto conyugal, que debe ser expresión de una existencia compartida y fermento para la promoción de la misma.

Dada la condición histórica y perfectiva de la persona humana, tal entrega postula continua creatividad. El joven enamorado se siente irresistiblemente atraído por los encantos de su novia joven; la salida de sí mismo hacia su querida es tan espontánea como romántica. Pero, a lo largo de los años, esa entrega se probará en el sacrificio doloroso. Los ancianos esposos, curtidos y vencedores en la prueba, se ven finalmente unidos por unos lazos y motivos que pertenecen al secreto del amor; cuando uno de los cónyuges abandona esta tierra, el otro queda como desgajado, mirando hacia una plenitud todavía sospechada, y confesando que la entrega del que ama no sucumbe con la muerte.

En estos matrimonios que han recorrido fielmente su proceso de amor, éste fructifica en amistad: amor recíproco, sintonía entre personas humanas, apertura mutua sin doblez ni egoísmos. El Vaticano II lo dice muy bien:

> «Este amor (conyugal), por ser eminentemente humano, ya que va de persona a persona con el afecto de la voluntad, abarca el bien de toda la persona, y por tanto es capaz de enriquecer con una dignidad especial las expresiones del cuerpo y del espíritu, y de ennoblecerlas como elementos y señales específicas de la amistad conyugal» [26].

– *Afirmación del amado*

El amor conyugal debe promover también a la persona amada. Esposa y marido no son dos objetos utilizables; genitalidad y sexualidad vienen matizadas por su calidad humana y deben manifestarse con actitud reverente hacia la persona. El amor conyugal ha de crear un clima en que cada persona pueda sentirse amada, cuidada con delicadeza, ser ella misma. Por ejemplo, no ama de verdad a su mujer el hombre que la utiliza para lograr mayor prestigio; tampoco ama de verdad a su marido la mujer incapaz de comprender los errores de su esposo e implacable ante los mismos.

Marido y mujer también están sometidos al tiempo. Desarrollan y manifiestan su personalidad en el correr de los días. Para que su amor se perfeccione, deberán vivir en oblación continua y activa, tendiendo la mano al cónyuge allí donde y como se encuentre.

– *Para compartir*

El amor conyugal se plasma y madura en la comunidad de personas. Los esposos se ofrecen y reciben mutuamente pensando en formar una comunidad. Primero, entre ellos; después, con sus hijos.

Según la Biblia, hombre y mujer están llamados a formar comunidad. Al ver a su pareja, Adán salta con alegría: «Esta sí que es hueso de mis huesos y carne de mi carne» (Gn 2,23). La mujer es llamada «ayuda» del hombre (Gn 2,18), no porque su papel quede reducido al servicio doméstico o a prestar una satisfacción genital cuando el hombre lo

[26] GS 49.

requiera. Según Gn 1,27, macho y hembra los creó, mujer y hombre están en el mismo plano de absoluta prioridad. «Ayuda» quiere decir ponerse al lado del otro, de su parte: la persona que ama verdaderamente hace suya la causa del amado. Marido y mujer hacen causa común, los dos marchan en el mismo navío y juntos construyen la nueva comunidad. Se les llama «con-sortes» porque se disponen a correr la misma suerte.

Comunidad de personas que incluye cuerpo y espíritu. En la relación conyugal no es válido un espiritualismo inhumano, ni acoplamiento de cuerpo al margen de las personas. Dos en una sola carne, alianza del corazón, comunión de vida entre hombre y mujer, son expresiones más próximas a la realidad matrimonial que la fría palabra «contrato», que se refiere a la dimensión jurídica. El matrimonio es más bien «alianza», entrega mutua e incondicional de personas.

El amor conyugal realiza su proyecto no sólo en el complemento mutuo de marido y mujer, sino también amándose de tal modo que sean mediadores de la vida trayendo nuevas personas al mundo. Así se constituye la comunidad familiar, que madura en la entrega de sí mismo por amor.

• *Tres dimensiones de la fecundidad*

El Vaticano II afirma que la familia debe ser «comunidad íntima de vida y amor»[27]. Este imperativo se extiende a tres ámbitos.

– Mujer y hombre contraen matrimonio movidos por el amor: se comprometen juntos *en un proyecto comunitario* que a los dos beneficia y perfecciona. Por eso todo amor conyugal es fecundo, porque promueve la vida de los esposos. En este sentido, un matrimonio puede ser estéril porque no tiene hijos, pero no es ineficaz, da su fruto. La Biblia interpreta esa fecundidad permanente de todo matrimonio: mujer y hombre «se hacen una sola carne».

– Pero el amor conyugal espontáneamente va más allá, como algo inscrito en su propia naturaleza. Incluyendo la fecundidad en el sentido que acabamos de dar, puede ser muy significativa la frase bíblica: «Sed fecundos y multiplicaos» (Gn 2,24). La unión entre los cónyuges es siempre fecunda, y su verdad se manifiesta en la procreación. Esta puede ser como un indicativo de solidaridad universal, a la que apunta todo verdadero amor.

– En esta perspectiva universalista, ni siquiera en los hijos termina la fecundidad del amor conyugal. «Sed fecundos y multiplicaos» va seguido de «llenad la tierra y sometedla». En la intención del matrimonio y de la familia vemos ya una referencia o compromiso con toda la humanidad responsable de la creación. El servicio del matrimonio a la comunidad humana se cifra no sólo en dar miembros que aseguren la continuidad de la misma; por y desde su intención más profunda, el verdadero amor tiende al universalismo en que todos los hombres y mujeres se reconocen único sujeto responsable de la historia.

Comunidad personalizada y personalizadora, la familia está ligada, *influye y depende también de la sociedad*. Interdependencia que justifica una institucionalización del amor conyugal, llevada a cabo en las distintas sociedades a lo largo de la historia. Sin embargo, hay a veces peligro de que la sociedad, motivada por intereses bastardos, trate de manipular a la familia sembrando ideologías anticomunitarias e insolidarias. En este caso se impone la reacción inequívoca para salvaguardar la intencionalidad universalista y solidaria del amor, esa utopía sin la cual la sociedad humana se ahogará en su concentración egoísta e inhumana.

• *Para siempre*

La contestación actual sobre la reciprocidad definitiva en el amor de los cónyuges cae dentro de un cuestionamiento más amplio: también se discute la *fidelidad* en otras vocaciones, como, por ejemplo, en la vida religiosa. En esta crisis tal vez influya la situación de cambio y provisionalidad que vivimos durante los últimos años. Puede ser también reacción comprensible ante un degradado juridicismo que pretende imponer la permanencia en el

[27] GS 48.

amor desde fuera, sin apenas contar con la intimidad y decisión libre de las personas.

– *Historicidad y libertad*

En la permanencia de la comunidad conyugal, dos factores son decisivos: carácter histórico y libre del amor entre personas.

> El amor vive de la gratuidad mutua. Los lazos que lo unen son frágiles porque dependen de la libertad. Se hace una experiencia que escapa al hombre, la de la garantía de la fidelidad, que depende e invoca la fuerza superior que es Dios. El sacramento explicita la presencia de Dios en el amor.
>
> L. Boff,
> *Los sacramentos*, 73.

El proyecto del matrimonio tiene una historia y se lleva a cabo en el tiempo. El enamoramiento romántico no dura toda la vida, y la madurez del amor se va fraguando en un largo proceso. En un primer estadio, la absolutización y cierto endiosamiento del amado impiden una valoración crítica objetiva; el anhelo incondicional de fusión con el «tú» no deja espacio al razonamiento. Más tarde, con la realidad cotidiana, los choques son inevitables, y las limitaciones se van haciendo notar. En esa manifestación paulatina del «tú» como es en realidad se prueba la verdad del amor.

Pero se trata de un amor entre personas que sólo se mueven humanamente por libertad y decisión propia. Ninguno de los cónyuges puede atravesar el umbral del recinto sagrado que guarda la intimidad de cada uno, mientras esa intimidad libremente no se ofrezca. Por eso hay que mantener viva y activa la gratuidad del amor.

– *Elección responsable*

En el amor conyugal, la fidelidad no es imposición, sino elección. El amor verdadero es salida de sí mismo sin retorno, para realizarse uno promoviendo al otro, no permitiendo, en lo que de nosotros dependa, ni su marginación ni su muerte. En la índole o verdad interior del amor ya viene recomendada la fidelidad. Pero esa recomendación debe ser interpretada y asumida libremente por el hombre y por la mujer. Es necesaria una decisión madura de la voluntad para garantizar la permanencia y perfección del amor. Por su capacidad intelectual de lo universal y por su libertad, la persona humana puede centrarse definitivamente sobre un valor que ha captado como decisivo y permanente. En la persecución del mismo se unifican las fuerzas y encuentra sentido la comunidad conyugal.

Si hombre y mujer no experimentan que el amor es un valor absoluto para su realización humana y que su amor sólo se mantiene y perfecciona en la continua salida de sí mismos, no pueden mantenerse fieles al proyecto del matrimonio. Claro que entonces tampoco han entendido qué significa «ser persona humana»; pasan la vida sin gustar el vértigo de la utopía y sin correr el riesgo y aventura que supone la perfección en el amor.

– *La única garantía*

Sólo la libertad de las personas que se aman garantiza la fidelidad en el amor. La garantía del «tú» es su respuesta libre, cada día y cada hora, en el amor. Esto es lo que prometen los novios cuando se casan: apertura libre y re-creativa en favor del otro sin acotaciones de terrenos o tiempos. Una promesa que se mantiene viva en el fracaso, en la enfermedad, e incluso cuando el amado cae por debilidad en renuncios y traiciones. Fidelidad quiere decir fe, confianza total, fiarse del otro y apostar por él.

Hombre y mujer que han interpretado bien el significado de su amor comprenden que el «tú» y el «yo» se perfeccionan sólo en el «nosotros»; y se deciden a lograr juntos esa *perfección en la historia de sus libertades*. Ahí tiene sentido lo que se llama «vínculo conyugal». No puede ser algo impuesto desde fuera ni una carga que no sea exigencia del amor vivido por la persona libre y responsable. La fidelidad es victoria sobre la veleidad y el tiempo, gracias al Espíritu que alienta y mantiene al verdadero amor.

Cuando se pretende mantener esa fidelidad entre los cónyuges sólo con leyes y preceptos, fácilmente la estabilidad se queda en apariencias sin la entrega libre de amor. La permanencia jurídica en uno u otro estado no significan necesariamente fidelidad o compromiso en la vocación profesada. Dos cónyuges pueden vivir juntos, tener hijos, incluso compartir la economía, pero no son fieles a su amor si se mantienen como islotes cerrados en su egoísmo. Si los miembros de una comunidad no están motivados por el amor, se llega, cuando más, a una sociedad de tolerancia y de seguros mutuos.

La fidelidad es obra de los cónyuges responsables de su amor; *un valor que se logra cada día* con peligro y con riesgo. Exige la transformación de la persona por la fuerza del amor en un propósito de comunidad. Cada cónyuge tiene que ir sustituyendo el «yo» duro y opaco por el «para ti» transparente y acogedor. La fidelidad en el amor requiere personas que sean permeables a ese cambio, a esa liberación de sí mismo para la comunidad. En la disponibilidad que mantenga joven al corazón no faltarán la renuncia y el sacrificio; pero también estas palabras tienen su puesto cuando se vive la verdad del amor.

– *La incógnita de la muerte*

La desaparición del ser amado por la muerte viene a ser como hachazo frío y seco que mata ese proyecto comunitario para siempre, sugerido ya en la intención del amor. Si todo termina con la muerte, ¿merece la pena la entrega gratuita en favor del otro? Si el amor entre hombre y mujer queda siempre a medias, ¿no será todo un engaño y una burla? Sufrimos el desajuste inhumano entre la incondicionalidad del amor y su limitada realización en la historia.

En el dinamismo del amor humano y conyugal, con sus aspiraciones de comunión total y sin muerte, tiene sentido la celebración cristiana del matrimonio.

3. Celebración en la fe de la Iglesia

Comencemos con un texto del Vaticano II que resume bien lo que vamos a decir en este apartado:

> «El genuino amor conyugal es asumido en el amor divino, y se rige y enriquece por la virtud redentora de Cristo y por la acción salvífica de la Iglesia, para conducir eficazmente a los cónyuges a Dios y apoyarlos y fortalecerlos en la sublime misión de la paternidad y de la maternidad»[28].

Según el concilio, para pertenecer a la Iglesia es imprescindible «poseer el espíritu de Cristo»[29]. Y en otro lado afirma que los esposos cristianos,

> «imbuidos del espíritu de Cristo, que satura toda su vida de fe, esperanza y caridad, llegan cada vez más a su propia perfección y a su mutua santificación y, por tanto, conjuntamente a la glorificación de Dios»[30].

Luego la pareja que se casa en la fe o espíritu de Jesús no hace más que situar ese acontecimiento de su amor dentro de su vocación cristiana. Eso viene a decir Pablo cuando recomienda «casarse en el Señor» (1 Cor 7,39). Así se explica que la celebración del matrimonio entre bautizados sea siempre un sacramento, supuesta naturalmente la identidad entre bautizado y seguidor de Jesucristo.

> Los cónyuges cristianos, en virtud del sacramento del matrimonio, por el que significan y participan el misterio de unidad y amor fecundo entre Cristo y la Iglesia, se ayudan mutuamente a santificarse en la vida conyugal y en la procreación y educación de la prole, y por eso poseen su propio carisma, dentro del pueblo de Dios, en su estado y forma de vida.
>
> Vaticano II, LG 11.

Enseguida uno se pregunta: ¿conectará esta modalidad cristiana con lo que venimos diciendo

---

[28] *Ibíd.*

[29] LG 14.

[30] GS 48.

en las páginas precedentes? Hablando al Congreso Mundial de la Familia, Juan Pablo II dijo que los esposos cristianos tienen como vocación «vivir la verdad interior del amor» [31]. Ahí tenemos una buena pista: celebrar el matrimonio «en el espíritu de Cristo» es lo mismo que descubrir la verdad del amor humano y promoverlo a su perfección.

a) La fe o experiencia cristiana

En la unión conyugal entre hombre y mujer hay un cierto empeño de totalidad, un deseo y una búsqueda de lo definitivo. Por eso casi todas las culturas celebran el matrimonio con símbolos religiosos que remiten a una frontera incontrolable para el hombre. Pero celebrar religiosamente o evocando un mundo misterioso no significa ya sin más celebración cristiana. Muchas parejas que hoy se casan por la Iglesia pueden tener ese vago sentimiento de religiosidad y, sin embargo, no vivir la novedad del evangelio.

Según esta novedad, hay «correspondencia entre creación y salvación». El mismo y único Espíritu que, ya en los orígenes, aleteaba sobre las aguas como principio de vida, tiene su eco en el amor humano y da sentido a la celebración litúrgica. Cuando esa continuidad se rompe, ya no hay posibilidad de entender el simbolismo sacramental. El matrimonio cristiano debe ser entendido como celebración del amor, una realidad creada donde se manifiesta la intervención que salva y perfecciona esa obra que él mismo ha comenzado en la intimidad del hombre y de la mujer.

• *Consentimiento en el amor*

En la celebración cristiana del matrimonio hay algo que nunca puede faltar: el amor. Esa celebración es «un acto humano por el cual hombre y mujer se entregan y se reciben mutuamente» [32]. Quienes se casan, expresan simbólicamente su experiencia íntima de amor y su compromiso en llevar ese amor hasta la perfección. De acuerdo con la orientación y lenguaje del Vaticano II, mejor es hablar de «alianza matrimonial por la que varón y mujer constituyen entre sí un consorcio de toda la vida» [33]. El sacramento expresa y promueve esa alianza o entrega mutua entre personas en el amor; rebasa los límites del frío contrato, aunque jurídicamente se catalogue bajo esta figura.

Hombre y mujer que públicamente manifiestan su amor y se comprometen a promoverlo conjuntamente declaran que desean formar comunidad, compartir, hacer que su amor sea fecundo. Antes de celebrar el sacramento del matrimonio, han descubierto que su amor es un don gratuito y en él se revela Dios mismo, amor vuelto hacia nosotros en Cristo y en la Iglesia. Aquí está su experiencia de fe que simbolizan en el rito sacramental.

• *El amor como gracia*

– Quienes se deciden a celebrar su amor en la fe cristiana deben tener «experiencia de la gratuidad en su amor». Originariamente, todos los hombres y mujeres que aman tienen de algún modo esta experiencia: se ven proyectados hacia el amado, perdiendo a veces su capacidad de crítica serena; el amor irrumpe gratuitamente, es previo a la inteligencia calculadora. La Biblia sugiere ya esa gratuidad cuando afirma que Dios creó al hombre y a la mujer, infundiendo en su corazón el deseo de formar la comunidad conyugal.

– Jesús de Nazaret nos recordó esta verdad creacional. Según Mt 19,1-9, los judíos le plantearon el discutido problema en aquel tiempo: por qué causas puede repudiar un marido a su esposa. Dejando la casuística, Jesús remite al designio del creador y concluye: «Lo que Dios unió, no lo separe el hombre». Si dos personas se atraen y se aman, es porque previamente y de modo gratuito Dios ha puesto en sus corazones la fuerza del amor. Y esta dádiva es también tarea que compromete a los esposos, por aquello de que «la gracia es gratuita, pero no barata».

---

[31] Ecclesia, 23 de mayo de 1981, 12.

[32] GS 48.

[33] CIC, can. 1055, & 1.

La misma idea fue desarrollada por el cuarto evangelista: «El amor es de Dios; él nos amó primero»; lógicamente, «si nos amamos unos a otros, Dios permanece en nosotros»[34].

«Los sacramentos suponen la fe». Una exigencia que vale también para la celebración del matrimonio. Quienes se deciden a casarse por la Iglesia deben vivir esta convicción fundamental: su amor es gracia.

• *Dios es amor*

– Es un nuevo paso en la experiencia o fe cristiana: el amor entre hombre y mujer encuentra su razón última en que «Dios es amor» (1 Jn 4,8). Ahí tiene su explicación la gratuidad apasionante del amor entre dos personas. Dios es amor, sensible al gemido del pobre, que interviene y actúa en la historia con entrañas de misericordia. También promueve a la persona humana, hombre y mujer, para que sea su imagen formando la comunidad conyugal en amor gratuito.

– En la revelación de Dios-amor hay distintas etapas: creación, historia bíblica, y Cristo presente y activo en la Iglesia.

Según Gn 1 y 2, la creación no es eterna; brota en un momento determinado por decisión del creador que gratuitamente quiere comunicar su vida. La historia bíblica manifiesta el amor de Dios hacia los hombres en gratuidad y fidelidad. Conscientes de que la unión conyugal de hombre y mujer es fruto y revelación de Dios-amor, los profetas expresan mediante el simbolismo del matrimonio las relaciones de Yahvé con su pueblo[35]. Eso quiere decir «alianza»: compromiso fiel e irreversible de Dios que ama y quiere salvar a la humanidad.

Este compromiso se hace realidad definitiva en Jesús, «sí» de todas las promesas (2 Cor 1,20). El cuarto evangelista interpreta la encarnación y la existencia de Cristo como sello, garantía única y decisiva de fidelidad en el amor que Dios nos tiene (Jn 1,14). La conducta de Jesús, sus actitudes fundamentales, su espíritu desvelan la fisonomía de Dios-amor gratuito en sus rasgos fundamentales: salir hacia el otro para afirmarle y hacerle libre.

La Iglesia proclama en el tiempo esa revelación. El mismo que predicó en Galilea, murió en la cruz y hoy vive resucitado, sigue ofreciendo su amor en favor de los hombres, donde están los creyentes reunidos para celebrar sacramentalmente su fe.

Es la fe profesada por quienes celebran el matrimonio cristiano: *su amor es participación del amor gratuito de Dios, manifestado de modo singular por Jesucristo*. En el sacramento, ellos celebran ese amor y se comprometen a perfeccionarlo, siguiendo la conducta de Jesús.

b) El simbolismo sacramental

Con la experiencia del amor interpretada desde la fe cristiana, los novios quieren celebrar su matrimonio en un acto público. Y lo hacen mediante símbolos elocuentes: dándose la mano, se prometen felicidad; luego explicitan ese compromiso intercambiándose los anillos y sobre todo comulgando del mismo cáliz. Tendremos que aplicar aquí lo dicho anteriormente sobre el símbolo sacramental.

• *Su eficacia*

El símbolo supone, actualiza y hace presente una experiencia. En el matrimonio cristiano, la celebración incluye dos artículos necesarios: que haya verdadero amor entre hombre y mujer; que unan su amor al amor de Dios manifestado en Jesucristo. En la medida en que los novios tengan esta fe o experiencia, el sacramento será verdadero y eficaz.

• *Obra del Espíritu*

El símbolo sacramental no sólo expresa la fe o experiencia cristiana de quienes lo celebran; es también manifestación y actualización del amor gratuito de Dios, vivido y confesado en la Iglesia. Para ser verdadero, el sacramento del matrimonio

[34] 1 Jn 3,7; 4,12; 4,19.

[35] Os 1,3; Is 54,42.

supone la fe de los novios que se casan; pero en la celebración sacramental, Dios mismo, mediante la comunidad cristiana, sale al encuentro, reafirma y promueve la verdad interior del amor interpretado desde la fe.

Como los demás sacramentos, también el matrimonio se celebra en el dinamismo de la justificación. *Dios nos ama primero*, y, como eco de ese amor, hombre y mujer se aman. Cuando perciben y aceptan en libertad ese amor, Dios mismo se manifiesta de nuevo para perfeccionar en ellos la obra ya comenzada por iniciativa divina:

> «Dios mismo sale al encuentro de los esposos cristianos por medio del sacramento del matrimonio» [36].

Jesús dijo que donde haya dos o tres reunidos en su nombre, allí está él fortaleciendo la comunidad (Mt 18,20). Si dos se casan «en el Señor», ¿no estará presente allí? Los sacramentos no son más que tiempos fuertes, momentos privilegiados de una presencia y una intervención activas del Resucitado en toda la vida de la Iglesia.

c) Dos observaciones

- *La institución del matrimonio cristiano*

En el evangelio no encontramos palabras especiales de Jesús instituyendo este sacramento. Solamente dice que ya el amor vivido en gratuidad y fidelidad es obra de Dios en el hombre (Mc 10,2-9). Cuando esta presencia gratuita del amor se vive y se celebra en la fe o espíritu de Cristo, tenemos lo sacramental propiamente dicho.

Según el concilio de Trento, la sacramentalidad del matrimonio está insinuada en Ef 5. Comienza ese capítulo recordando lo fundamental cristiano: «Sed imitadores de Dios como hijos queridos y vivid en el amor como Cristo os amó y se entregó por vosotros» (v. 1). Después aplica este principio a la conducta de los esposos: «Maridos, amad a vuestras mujeres como Cristo amó a la Iglesia y se entregó a sí mismo por ella» (v. 25). Y refiriéndose al matrimonio según Gn 2,24, dice finalmente:

[36] GS 48.

> «Gran misterio es éste, lo digo respecto a Cristo y a la Iglesia» (v. 32).

Quiere decir que la unión conyugal de hombre y mujer, presentada como buena obra de Dios en la creación, alcanza perfeccionamiento en la entrega de Cristo por los hombres para crear la comunidad que llamamos Iglesia. Esa entrega del Hijo revela que Dios es amor gratuito y hacedor de comunidad entre nosotros:

> «Los cónyuges cristianos, en virtud del sacramento del matrimonio, significan y participan el misterio de unidad y amor fecundo entre Cristo y la Iglesia» [37].

- *«Casarse en el Señor»*

Entrevemos ya en qué consiste *la opción cristiana o eclesial del matrimonio*. Según tiempos y culturas, existen distintos modelos en la celebración del mismo. Celebrarlo «en el Señor» no es un modelo más entre los ya existentes; gracias a la fe, la misma y única realidad creacional viene a ser «medio de salvación»: la misma alianza matrimonial por la que hombre y mujer optan por compartir toda la vida

> «fue elevada por Cristo Nuestro Señor a la dignidad de sacramento entre bautizados» [38].

De esta forma, las relaciones entre los esposos cristianos ya no son algo neutral. Explícitamente quedan integradas y deben ser vividas en el clima y dinamismo de la alianza. Por el amor de Dios manifestado en Jesucristo y participado en el corazón de los cónyuges, sus relaciones deben estar animadas por el nuevo espíritu de gracia. Sencillamente, lo peculiar del matrimonio cristiano es la fe que no elimina, sino que descubre y dignifica lo verdaderamente humano.

4. Espiritualidad del sacramento

a) Promoción del amor

Ya podemos concretar un poco más esa perfección que la fe cristiana trae para el matrimonio. Antes, y a modo de introducción, son precisas dos notas.

[37] LG 11.

[38] CIC, can. 1055, & 1.

• *En el espíritu de Cristo*

Según lo que venimos diciendo, la celebración sacramental del matrimonio es un momento privilegiado en la vida cristiana. Supone ya una experiencia de amor gratuito, y es punto de partida para un camino a recorrer. En esa perspectiva, los teólogos clásicos hablan de «sacramento permanente». Cuando la pareja celebra su experiencia de amor en la fe de Jesucristo, Dios mismo se compromete con ellos y les prestará continuamente ayuda para realizar cada día su proyecto comunitario, «imbuidos del espíritu de Cristo».

No deberíamos olvidar esto para interpretar correctamente la «paternidad responsable»; ¿no son los padres quienes tienen asistencia peculiar del Espíritu, eso que llamamos gracia, para crear y promover la comunidad de personas que es la familia?

Pero volvamos al «espíritu de Cristo». Los que se casan «en el Señor» quieren realizar su matrimonio conforme a las actitudes fundamentales de Jesús: re-creando su historia en la comunidad familiar y respirando su mismo espíritu. Esa vida según el espíritu de Jesús se traducirá prácticamente: gustar y promover la verdad interior del amor. Esto da pie para tres breves sugerencias:

• *La verdad interior del amor*

Ya hemos diseñado suficientemente esta verdad del amor. Quien ama, sale de sí mismo continuamente, sin retorno. Se dedica al otro prodigándole atenciones y cuidados. El amor fructifica en la comunidad de personas, que responde bien a la condición sexuada del ser humano y determina de algún modo todas las relaciones conyugales. Esta es la verdad interior del amor, su dinamismo natural. Pero ¿cómo queda promovido cuando se celebra y se vive según la fe cristiana?

• *Creer en Jesús es seguir su conducta*

Ser cristiano significa seguir a Jesús, recrear históricamente su historia, vivir su espíritu en nueva situación. El seguimiento de Jesús, como expresión práctica de la fe, es norma decisiva para toda la comunidad cristiana y para las distintas vocaciones en la misma. También naturalmente para el matrimonio y la familia. La conducta de Jesús responde a la verdad interior y al dinamismo del amor: salir hacia el otro para afirmarle creando comunidad con él.

– Jesús, en efecto, nunca buscó su seguridad; habló y actuó desinteresadamente por el «reinado de Dios», fraternidad de hombres libres, donde todos pueden gozar de su dignidad y derechos humanos. Se entregó a esa causa con todos sus recursos, con todos sus proyectos, en todos los momentos de su existencia, incluso hasta la muerte.

Cuando celebró la última cena, tuvo un gesto profético muy significativo para interpretar el sentido de su vida y de su muerte: «el lavatorio de los pies». Dejando el manto que llevan los señores, Jesús vistió el delantal del servidor que lava los pies a sus discípulos. El simbolismo expresaba bien su conducta histórica.

– Todo para *dignificar y promover al hombre*, a todos los hombres que son hijos de Dios, llamados a vivir como hermanos. Por ello Jesús denunció a los poderes religiosos, económicos o políticos que marginan y aplastan a las personas, que no las dejan ser libres y responsables de su historia.

Apostando por el hombre, Jesús se inclinó *con amor preferencial por los pobres*, los marginados, los castigados por la vida, los que socialmente nada cuentan; se puso a su lado y de su parte. Comiendo con ellos, admitiéndoles a la mesa del reino esperado, anunció la buena noticia: todas las personas son dignas de respeto y de amor.

– Cuando ama desinteresadamente y cuando se inclina en favor del marginado, Jesús busca la comunidad. Vive y muere para crear ese nuevo pueblo de hermanos; rompe así el muro de separación entre los hombres, reúne a los hijos de Dios dispersos y enfrentados.

• *Matrimonio en esa fe*

Jesús deja bien sentado el código y distintivo para la conducta cristiana: «Igual que yo os he amado, también vosotros amaos unos a otros» (Jn 13,34). Quienes se casan en la fe cristiana deben hacer realidad este amor en sus relaciones familiares.

– Esa opción cristiana lleva siempre *más allá*. Como Jesús, los esposos deben estar dispuestos a perder recursos, seguridad y prestigio, incluso a dar la vida por el amado. Lo dice con toda radicalidad el sermón del monte: «Si uno te abofetea en la mejilla derecha, muéstrale también la otra»; «al que quiere ponerte pleito para quitarte la túnica, déjale también la capa»; «al que te fuerza a caminar una milla, acompáñale dos» (Mt 5,40-41).

Esta norma es válida para el matrimonio y familia cristianos. Claro que no se trata de leyes éticas en sentido estricto ni de preceptos o cumplimientos para ganar y asegurar la vida eterna. Es una vocación fruto de la gracia, que reciben quienes se casan «en el Señor». Una respuesta valiente a esa vocación revestirá también muchas veces la forma de cruz, que es sello de quien sigue a Jesucristo de verdad (Mc 8,34).

– Como el de Jesús, el amor de los cristianos debe *afirmar y promover a la persona del amado;* no tanto por lo que éste tiene y puede aportar, sino por lo que es, por su condición de imagen e hijo de Dios. Ese amor provoca una vuelta del hombre hacia el hombre, con esa libertad que da el verdadero amor.

En esta fe se comprende la *visión personalista* que debe marcar las relaciones entre los miembros de la familia. Esta se define: *comunidad de personas con los mismos derechos fundamentales*. Tiene que ser lugar donde brote y prospere una relación dialogal de persona a persona. Cuando Jesús afirma que también el marido puede cometer adulterio contra su mujer (Mc 10,11), declara la igualdad de derechos que se negaba en aquella sociedad machista. Más tarde, Pablo recomienda la sumisión de la esposa a su marido, «cabeza de la mujer» (Ef 5,23); desea que los cristianos vivan «en el Señor» según un modelo cultural donde la mujer estaba postergada. El Vaticano II ha destacado bien esa orientación personalista: el amor matrimonial es «de persona a persona» [39]. La familia cristiana debe ser lugar donde queden superadas las relaciones de dominación.

La intención de afirmar al otro es más urgente *cuando el amado sufre marginación y abandono*. Jesús optó por los pobres y recomendó a sus discípulos que hagan buenas obras: «Dar de comer al hambriento, vestir al desnudo, visitar al encarcelado» (Mt 25,31-40). Ahí está el distintivo para los seguidores de Jesús y el criterio último para un juicio de valor (Mt 7,21-23). Quienes se casan en esta fe cristiana tienen que vivir con atención preferencial hacia los miembros pobres, enfermos, más débiles, de la comunidad familiar, para promoverlos, para sacarlos de la postración que los reprime o deprime. Ya la misma naturaleza despierta generalmente una simpatía especial de la madre hacia el hijo desvalido. Esa opción por el pobre, sea cónyuge, hijos, padres o hermanos, viene a ser el imperativo fundamental del matrimonio cristiano.

– El amor finalmente *busca la comunidad*. Jesús vivió totalmente dedicado a esa causa. Amar como Jesús amó es crear comunidad de hombres libres y hermanos. El evangelio deja bien formulada la alternativa: o guardarse la vida egoístamente, o entregarse para crear comunidad (Mc 8,35). Dentro del matrimonio, la opción válida se traduciría: los que se casan «en el espíritu de Jesús» tendrán que dar todos los días algo vivo de lo que hay en ellos para que crezca la comunidad familiar de personas libres.

En 1 Cor 13,4-7, san Pablo trae algunas cualidades del verdadero amor: es paciente y afable; no tiene envidia, no se jacta ni se engríe, no es grosero ni busca lo suyo, no se exaspera ni lleva cuentas del mal; no simpatiza con la injusticia, sino con la verdad; disculpa siempre, se fía siempre, espera siempre, aguanta siempre. Todo se puede resumir: el amor crea comunidad que promueve a las personas. En este proyecto de vida cristiana se integran quienes celebran el matrimonio por la Iglesia. Ef 6 sugiere algunas normas de conducta para los distintos miembros de la comunidad familiar, y termina resumiendo: todos deben ser «conscientes de que cada cual será recompensado por el Señor según el bien que hiciese» (v. 8); es decir, en la medida en que busque y trabaje por la comunidad.

[39] GS 49.

b) *Fecundidad en horizonte más amplio*

Hombre y mujer se casan en la fe de Cristo porque quieren formar una comunidad de personas que son hijos de Dios, llamados a vivir como hermanos. Esta visión amplía el campo de su compromiso y la fecundidad del matrimonio.

– La dimensión creativa del amor se fundamenta y profundiza cuando los cónyuges se aceptan no sólo como personas, sino *como hijos del mismo Padre*, imágenes de Dios que interpela, juzga y salva en el consorte. Si la pareja madura en esta fe, logrará la compenetración: marido y mujer serán mutuamente signo eficaz de gracia. Su amor fructificará en amistad que libera.

– A la hora de proyectarse mediante la procreación, los esposos creyentes se saben «colaboradores de Dios» en la transmisión de la vida. No deben ser irresponsables ni egoístas. Según la situación de la comunidad familiar y las exigencias de la comunidad humana en que viven, orientados por la enseñanza de la Iglesia y asesorados convenientemente, los esposos determinarán cuándo, cómo y cuántos hijos pueden y deben tener.

– La familia cristiana implica un compromiso en la *transformación de la sociedad*. En ésta brota y ya tiene lugar el «reinado de Dios», objetivo de todos los bautizados. Un compromiso que se hace real entrando en la historia de cada día, en los problemas del barrio, en el combate por la libertad y la justicia, codo a codo con todos los hombres de buena voluntad. Por su fe, los hogares cristianos deben ser abiertos y solidarios.

– Pero esta solidaridad es un dinamismo nuevo en favor de todos los hombres, pues «toda la humanidad es la familia del cristiano». Impresiona ver algunos pasajes del evangelio donde parece que Jesús rompe con sus parientes que quieren como limitarle dentro de su pequeña familia (Mc 3,31-35). Hay dichos suyos que todavía nos resultan chocantes: «He venido a enemistar al hijo con su padre, a la hija con su madre, a la nuera con la suegra; así que los enemigos de uno serán los de su casa» (Mt 10,35). Es que la familia puede pretender ser un coto cerrado y antisolidario que fomente cada día más el egoísmo de sus integrantes.

La causa del reino, del amor universal, rompe todas las murallas que pretendan hacer de la familia cristiana una cooperativa de egoísmo y seguridad insolidaria: «El que no toma partido por mí con preferencia sobre su padre y su madre, su mujer y sus hijos, sus hermanos y hermanas, hasta sí mismo, no puede ser mi discípulo» (Lc 14,26-27). Preferir a Jesús es dar prioridad indiscutible a su pretensión: la fraternidad universal. Tal vez por propia experiencia, Jesús conoció el peligro que frecuentemente supone la presión familiar para secundar la llamada de Dios (Mc 3,21). Por eso previene a sus discípulos: más de una vez será inevitable, para seguirle, romper con esa ideología egoísta de la propia familia. El verdadero amor de los cónyuges cristianos debe madurar en universalidad.

c) *Con fidelidad perpetua*

El amor entre personas tiende a la definitividad; en su deseo revela cuál es la voluntad del creador. Y la fe cristiana ilumina y hace posible esta verdad del amor fortaleciendo el corazón de los cónyuges con la gracia.

• *Lo que Dios ha unido*

En cierta ocasión preguntaron a Jesús sobre la licitud del divorcio, y él recordó la intencionalidad originaria del amor:

> «Desde el comienzo de la creación, Dios los hizo varón y hembra; por eso dejará el hombre a su padre y a su madre, y los dos se harán una sola carne; de manera que ya no son dos, sino una sola carne; pues bien, lo que Dios ha unido, que no lo separe el hombre» (Mt 19,4-6).

– Jesús afirma la indisolubilidad del matrimonio evocando un imperativo de la creación. Pero fácilmente nos imaginamos a Dios imponiendo normas desde fuera, por real decreto, como solemos hacer los hombres. El creador nunca violenta su obra ni realiza el proyecto de salvación sin contar con la libertad del hombre; éste goza de autonomía, elige y toma decisiones por sí mismo, sólo se mueve humanamente desde una verdad o amor que le convencen. En la revelación bíblica, Dios mismo se acerca e invita, pero jamás atropella; más bien da un «corazón nuevo» para que libremente los hombres puedan responder a su oferta de salvación.

En esta misma conducta procede Jesús de Nazaret. No dicta leyes para que se cumplan; más bien indica el camino que los hombres deben seguir eligiendo con libertad. «Hasta ahora se ha dicho, pero yo os digo» no significa implantación de nuevas normas que sustituyan a otras, sino cambio del régimen de ley al régimen de gracia; de someterse como esclavos, a entregarse como hijos.

– Como una exigencia del amor vivido en gracia, la fidelidad conyugal tiene motivación y fundamento nuevos. El que ha experimentado la fidelidad y misericordia de Dios no puede menos de ser fiel y misericordioso. Por eso Jesús, cuando propone la fidelidad, añade:

> «No todos entienden este lenguaje, sino solamente aquellos a quienes se les ha concedido» (Mt 19,11).

Como los demás cristianos, los esposos tienen que nacer de nuevo con la fuerza del Espíritu. Esa fuerza que es gracia –«proviene de lo alto» (Jn 3,7)– vence la «dureza del corazón», la rebelión egoísta y obstinada del hombre contra Dios que le llama insistentemente a formar comunidad. El amor, obra del Espíritu en el corazón de los hombres, es el lazo que une a hombre y mujer. Su celebración sacramental expresa «lo que Dios ha unido», el amor que recibe nuevo impulso en el sacramento:

> «El Salvador de los hombres y Esposo de la Iglesia, que sale al encuentro de los esposos cristianos por medio del sacramento del matrimonio, permanece en ellos para que con una mutua entrega se amen en perpetua fidelidad, como él mismo amó a la Iglesia y se entregó por ella»[40].

- *Elegida, creativa e incondicional*

La fe cristiana transforma y anima la exigencia y notas de la fidelidad conyugal, que de algún modo ya están inscritas en el amor.

– El que se casa en la fe del evangelio no sólo acepta que fidelidad en el amor pertenece al proyecto creacional. Elige también esa *fidelidad como vocación*. Iluminado por el Espíritu, entiende que ahí está el blanco y la perfección de su libertad; es libre para ser fiel, y es fiel porque quiere ser libre. La enseñanza de Jesús no deja lugar a dudas: cada persona humana, el prójimo, es presencia de Dios, hacia quien los hombres deben proyectarse con todo lo que son, sienten y piensan, con todos sus recursos, con todas sus facultades y en todos los momentos de la existencia. En el sacramento del matrimonio, el prójimo tiene nombre; se llama cónyuge o consorte.

– La fidelidad ha de ser *creativa*. Debe asegurar la continuidad de un proyecto en la discontinuidad de tiempo y de situaciones. Supone un riesgo y una creatividad nada fácil. Los que se casan «en el Señor» aceptan esa vocación de creatividad siempre nueva como tarea de cada día. Están dispuestos a dejar costumbres y modelos, idolatrías que matan la frescura del amor, para que prevalezca el reinado de Dios o la comunidad familiar. El matrimonio cristiano es celebración del amor cuando ha llegado el tiempo de salvación; hay que despojarse de los vestidos viejos y sustituirlos por otros festivos del tiempo nuevo (Mc 2,21).

– Los esposos cristianos *confían su proyecto a Dios*, en quien esperan encontrar apoyo. Toda la historia bíblica manifiesta la fidelidad del amor divino hacia los hombres. Jesucristo es sello y garantía de ese amor fiel. Cuando los novios celebran su matrimonio en la comunidad de Jesús, actualizan esa fidelidad y en ella integran su proyecto comunitario. Como el amor, la fidelidad conyugal debe ser vivida como gracia de Dios que renueva y mantiene la juventud, la disponibilidad en favor del otro, la capacidad de cambiar y de reemprender el camino de la novedad evangélica.

- *Más allá de la muerte*

El enemigo más fuerte, más implacable y más mudo contra la fidelidad en el amor, es la muerte; un golpe sordo que termina en el silencio del sepulcro.

---
[40] GS 48.

Aunque tardíamente, ya en el Antiguo Testamento brota la esperanza de una victoria final sobre la muerte que rompe todos los proyectos. El argumento que fundamenta la esperanza es doble: Dios es dueño de la vida y no puede abandonar a sus fieles; si éstos viven ya el amor a Dios y anhelan la plenitud del mismo, ¿cómo van a ser burlados por la muerte?

En su experiencia, Jesús gusta la intimidad con Dios y está convencido de que el Padre quiere la vida en abundancia para todos. Confió en que no sería olvidado en la oscuridad del sepulcro (Mc 12,24-27); y en esa convicción dijo a sus seguidores que, si creen de verdad, ya han vencido a la muerte (Jn 11,26).

El Resucitado es testigo de la victoria esperada y ya hecha realidad. Según 1 Cor 15,45, es el «cuerpo espiritual», el hombre solidario que no sólo tiene vida, sino que la comunica. Los cónyuges que celebran su matrimonio en la fe cristiana ya inscriben su proyecto comunitario en esa resurrección donde amor gratuito y solidario triunfa sobre la concentración egoísta y sobre la muerte; el amor «nunca se acaba» (1 Cor 13,8).

d) Doble preocupación pastoral

No puedo terminar este capítulo sin hacer una llamada urgente a la pastoral de la familia en la situación actual de la sociedad española. Centro mi atención en dos puntos:

• *Catecumenado prematrimonial*

Hay que informar y formar a los jóvenes que pretenden celebrar su matrimonio por la Iglesia sobre qué significa ser cristiano y las implicaciones para su proyecto de familia. Estamos saliendo de una sociedad que durante muchos años ha sido católica oficialmente, y donde con frecuencia la inercia y la rutina del cumplimiento han prevalecido sobre la convicción de las personas. Si realmente queremos que las nuevas parejas actúen con libertad en una sociedad pluralista y que poco a poco la comunidad cristiana vaya purificándose de apariencias e incoherencias antievangélicas, se impone un *intenso y paciente catecumenado prematrimonial*. La tarea no es fácil, y tal vez por eso las llamadas pastorales de los obispos no han recibido en muchos casos debida satisfacción. Pero hay aquí un campo tan importante como ineludible.

• *Misión profética de la familia*

El matrimonio participa en la misión evangelizadora y profética de toda la comunidad cristiana. ¿No ha dicho el Vaticano II que la familia es «una Iglesia doméstica», y Juan Pablo II la llama «Iglesia en pequeño»? Así podemos concluir: «En el sacramento recibís como cristianos... una nueva misión, la participación en la misión propia de todo el pueblo de Dios»[41]. Tres rasgos son destacables en la experiencia de Jesús y deben marcar también la conducta cristiana: – intimidad con el Padre; – preocupación para que todos los hombres vivan como hermanos; – atención preferencial a los desvalidos. Desde ahí, y ya en nuestro contexto social, el servicio profético de la familia cristiana se podría cifrar:

– Cultivar la *referencia e intimidad con Dios;* esa vida en profundidad o contemplación cristiana que libere a los hombres y a las familias de la superficialidad y manipulación que los destruye. Cultivando esa dimensión que permite al hombre ser él mismo, la familia puede ser mediación apta para humanizar a nuestra sociedad narcotizada por el consumismo y la rentabilidad económica.

– Ofrecer un testimonio vivo de una comunidad que *asegura la libertad e igualdad* de derechos para todos sus miembros. Esta libertad y esta igualdad son imperativos evangélicos del matrimonio cristiano. Y puede ser una llamada de gracia para tantos hogares destruidos por la ideología del egoísmo y dominación.

– *Opción por los pobres*. Hoy más que nunca, en el seno de las familias se dan abandonos y marginaciones lamentables. Los socialmente ineficaces cuentan muy poco, y los ancianos se pierden olvi-

[41] Juan Pablo II, *Discurso al Congreso Mundial de la familia:* Ecclesia, 23 de mayo de 1981, 13.

dados en la soledad y en el desprecio, incluso por parte de sus hijos. La familia cristiana debería ser palabra viva y en acción de la preferencia por los desamparados y desvalidos.

Brevemente, los matrimonios celebrados en la fe o seguimiento de Jesús deberían ser «profetas del amor verdadero». Muchas veces resulta inútil gastar la pólvora tratando de asegurar la estabilidad de la familia con leyes y prohibiciones desde fuera. Lo importante y eficaz será que los matrimonios cristianos vivan de verdad su vocación evangélica de amor mostrando con su conducta que la fidelidad es posible y responde a la verdad interior del amor.

5. Incursión: Sacramentalidad del amor conyugal

Siendo el matrimonio una realidad inmersa en el dinamismo cultural, es lógico que, con las nuevas valoraciones y las nuevas costumbres, se vea también especialmente afectado. Con su visión positiva de las realidades mundanas, el Vaticano II abrió ya el horizonte, pero no resulta fácil concretar. Sobre todo en temas que van surgiendo y para los cuales no tenemos soluciones claras. Por eso llamo a este apartado final «incursión»; entramos en tierra desconocida o no suficientemente conocida. Sólo tenemos garantía de porvenir en la búsqueda humilde y en el diálogo con otros puntos de vista.

En las últimas décadas hubo un éxodo masivo de los pueblos a las grandes ciudades; un paso de la cultura rural a la cultura industrial. Y en este éxodo, así como en la dispersión impuesta en las grandes ciudades por las condiciones de trabajo y por la necesidad de vivienda, la familia sufre la atomización. El modelo patriarcal ha caído y entramos en un tiempo donde sin duda pueden surgir otros modelos que irán fraguando en la práctica.

Ahora me fijo en la novedad del Vaticano II al enfocar el matrimonio, y en una cuestión del campo moral que aún están lejos de alcanzar una solución unánime: la procreación.

a) «Realidad terrena y misterio de salvación»

Fue el título que E. Schillebeeckx dio a su estudio sobre el matrimonio; y pienso que traduce bien la visión novedosa del Vaticano II [42].

- *Realidad humana con densidad teologal*

– El concilio miró al mundo con gran simpatía; es la entera familia humana con el conjunto de realidades en que esa familia se mueve. Por tanto no es sinónimo de pecado; tiene verdad y valores; y la Iglesia mira con el mayor respeto cuanto de bueno y justo hay en las variadísimas instituciones de la humanidad. Todos esos bienes que ya tienen las culturas y los proyectos intrahistóricos los volveremos a encontrar, ya limpios de toda mancha, iluminados y transfigurados cuando Cristo entregue al Padre el reino eterno y universal [43]. En esta forma de mirar al mundo se comprende la perspectiva del concilio cuando habla sobre el matrimonio.

– El Espíritu está en el mundo antes de que la Iglesia llegue [44]. Luego también está en esa realidad terrena que llamamos matrimonio: «comunidad conyugal de vida y amor» [45]. Si Dios es amor y el que ama vive alguna experiencia de Dios, es justo afirmar que en el amor verdadero entre hombre y mujer el creador se hace presente y está llevando a cabo su proyecto de humanización o salvación. Así lo reveló Jesús de Nazaret cuando habló del divorcio. Remitiendo a Gn 1,27 y 2,24, comenta:

> «¿No habéis leído aquello: Ya al principio el creador "los hizo varón y hembra"; y dijo: "por eso dejará el hombre a su padre y a su madre, se unirá a su mujer y serán los dos un solo ser"; de modo que ya no son dos, sino un solo ser? Luego lo que Dios ha unido, que no lo separe el hombre» (Mt 19,4-6).

---

[42] E. Schillebeeckx, *Matrimonio, realidad terrena y misterio de salvación*, Salamanca 1968. Por su fina sensibilidad, no puedo menos de remitir al art. «Matrimonio» de A. Sanchís en *Conceptos fundamentales del cristianismo*, Madrid 1993, 777-788.

[43] GS 2, 42, 39.

[44] GS 26.

[45] GS 48.

La sexualidad o forma de ser persona es obra del creador que «los hizo varón y hembra». Tiene un valor positivo: Dios vio que lo hecho «era muy bueno» (Gn 1,31). La sexualidad ya es indicativo de una vocación al amor, al encuentro mutuo, a dar un paso más hacia una vida compartida y una historia común: «Dejará el hombre a su padre y a su madre, se unirá a su mujer y serán los dos un solo ser». Finalmente algo decisivo: «Lo que Dios ha unido, que no lo separe el hombre»; luego en la relación o encuentro de hombre y mujer por amor se revela ya el amor creador de Dios.

– El amor del creador se plasma como realidad histórica *en la entrega libre y por amor* que se hacen hombre y mujer. Manifiestan la confianza mutua, y firman una alianza en que los dos se embarcan libre y responsablemente para llevar a su perfección el amor en un proyecto de vida común. En ese proyecto, amando, saliendo de su concentración egoísta, los cónyuges se perfeccionan o humanizan [46].

– Cuando se ama, se dice al amado: «creo en ti», «quiero que no mueras nunca». Pero las deficiencias físicas, psicológicas y morales, cuyo sello es la muerte, son siempre nube amenazante para el amor y para el matrimonio, cuyo proyecto va fraguando día a día sólo *en la fidelidad y en la esperanza*.

– Esa comunicación afectiva en proceso de perfeccionamiento es lo que proclaman los cónyuges, celebra la comunidad humana, y reconoce la sociedad *en el contrato e institución*. Pero también aquí lo institucional o visible, sin la comunión afectiva o alianza de amor firmada en libertad y que abarca el bien de toda la persona, no tiene valor y se puede convertir en mordaza opresiva para las personas.

[46] «La íntima comunidad conyugal de vida y de amor se establece sobre la alianza de los cónyuges, es decir, sobre su consentimiento personal e irrevocable» (GS 48). El amor matrimonial, «por ser eminentemente humano, ya que va de persona a persona con el afecto de la voluntad, abarca el bien de toda la persona, y por tanto es capaz de enriquecer con una dignidad especial las expresiones del cuerpo y del espíritu, y de ennoblecerlas como elementos y señales específicas de la amistad personal» (GS 49).

- *Perfeccionada por la gracia: sacramento*

El creador tiene un solo proyecto que nunca abandona. La vida, el aire que respiramos, la salud y el amor son ya dones gratuitos. Pero cuando percibimos en esos dones la cercanía benevolente del Dios que nos ama y aceptamos el encuentro personal con ese amor que se nos brinda, tiene lugar esa comunión interpersonal que llamamos «gracia», sencillamente porque su origen es una inclinación gratuita de Dios en favor nuestro. Así el matrimonio cristiano asume ya la realidad terrena del amor entre hombre y mujer, donde el creador ya está presente y lo promueve ampliando el horizonte.

– El matrimonio cristiano es *epifanía del amor de Dios manifestado en la conducta de Jesús*. «Tanto amó Dios al mundo, que le dio a su Hijo único, para que todo el que crea en él no perezca, sino que tenga vida eterna» (Jn 3,16). Jesucristo es mediador de Dios porque en su forma de vivir y de morir –curando enfermos, rehabilitando a los pobres y combatiendo a los demonios– hizo presente y cercano a Dios. Porque se dejó alcanzar por los sentimientos del «Padre misericordioso», fue capaz de entregar su propia vida para librar a los seres humanos de su miseria. Porque se dejó alcanzar y transformar por ese amor de Dios en favor de los otros, Jesús es la «nueva alianza». Cuando mujer y hombre que se aman reconocen que ese amor viene de Dios y quieren perfeccionar su amor remitiéndose a Jesucristo, se comprometen a ser uno para el otro epifanía del amor de Dios que nos ama no porque seamos buenos, sino «porque él es bueno» [47].

– La Iglesia es el pueblo de convocados por el Espíritu para «re-crear» en este mundo la conducta de Jesús, y ser testigos de Dios que nos ama: «Sed misericordiosos como vuestro Padre celestial» (Lc 6,36). Casarse por la Iglesia es entrar en un proyecto de *Iglesia doméstica*, una comunidad donde se concrete y se viva el amor gratuito de Dios entre los esposos y entre los demás miembros de la familia.

[47] Mt 20,15. Los esposos cristianos «deben ser testigos del misterio de aquel otro amor que el Señor, con su muerte y resurrección, reveló al mundo» (GS 52).

Y como la Iglesia sólo madura cuando no está obsesionada por mantener su propia seguridad, sino cuando actúa en función del reino de Dios que crece ya en todos los rincones del mundo, análogamente el matrimonio celebrado en y por la Iglesia lleva en su entraña la vocación a ser hogar abierto y solidario.

– El amor de Dios experimentado de forma única por Jesús de Nazaret y vivido en esa comunidad del Espíritu que llamamos Iglesia se ofrece de modo infalible a los cónyuges que desean comprometerse en la perfección del amor. Esa oferta se hace mediante *el símbolo que llamamos sacramento*. Ahí

> «el genuino amor conyugal es asumido en el amor divino y se rige y enriquece por la virtud redentora de Cristo y la acción salvífica de la Iglesia, para conducir eficazmente a los cónyuges a Dios, ayudarlos y fortalecerlos en la sublime misión de paternidad y maternidad» [48].

- *Importancia de este enfoque*

Antes del Vaticano II, el tratado del matrimonio comenzaba desde arriba, desde los textos de la Escritura; en ellos estaba toda la verdad, y era cuestión de aplicarlos. El matrimonio no celebrado como sacramento de la Iglesia era minusvalorado y mirado con reservas. Latía en el trasfondo una visión pesimista de la realidad humana, que se reflejaba también presentando al sacramento como «remedio contra la concupiscencia». Pero el concilio ha cambiado de perspectiva partiendo del matrimonio realidad terrena y humana que *ya tiene su verdad y su bondad* antes de ser un sacramento de la Iglesia. La perspectiva puede ser paradigmática para otros muchos temas, cuando siempre nos acecha la tentación del dualismo maniqueísta.

Lo decisivo en el matrimonio, sea dentro de una confesión religiosa o no, es el *amor asumido libre y responsablemente*. A veces para negar la posibilidad de divorcio se trae la frase de Jesús: «Lo que Dios ha unido, que no lo separen los hombres»; pero se olvida que Dios no une tanto por unas leyes canónicas impuestas desde fuera, sino por el amor sembrado en los corazones y aceptado por las personas. Cuando ese amor, por lo que sea, ya no existe y la convivencia se hace inhumana, ¿se puede afirmar que el divorcio separa lo que Dios ha unido? La frase de Jesús es más bien invitación a esposos y legisladores para que trabajen por la maduración del amor en fidelidad. Pero si ese amor ya no existe, ¿qué argumentos puede tener la legislación, incluso canónica, para seguir obligando a que dos personas vivan juntas?

Siendo epifanía del amor con que Dios gratuitamente nos cuida y plenifica nuestra humanización, *el amor entre los esposos ha de ser criterio y clima* para sus relaciones mutuas y a la hora de transmitir la vida en nuevos miembros de la humanidad. Pero el amor no se puede medir con normas de moralidad impuestas y aplicadas desde fuera. ¿Quién puede precisar, por ejemplo, hasta qué grado el amor prevalece sobre el egoísmo en la relación sexual de los esposos? Con gran sentido pastoral, en su última parte la Enc. *Humanae vitae* recomienda misericordia en el juicio sobre esta relación.

Es importante dar relieve al amor gratuito como base del matrimonio, *cuando la gratuidad ya no encuentra espacio* en una sociedad obsesionada por el tener, el poder y la satisfacción ilimitada del deseo. No hay un ambiente propicio para la fidelidad inspirada en el amor y que garantiza el perfeccionamiento del mismo. De ahí la significatividad profética de los matrimonios que sean capaces de vivir esa gratuidad sin dejarse arrastrar por los criterios corrrientes; pueden ser células vivas para regenerar a una sociedad incapaz de amar y por tanto amenazada de muerte (1 Jn 3,14).

b) Cuestiones abiertas

El Vaticano II destacó bien dos aspectos del amor humano: su dimensión teologal y su capacidad de comprometer a la totalidad de la persona. La dimensión teologal del amor humano responde a la visión positiva del concilio sobre la realidad secular, superando el dualismo. La capacidad globalizante del amor que compromete a toda la persona con-

[48] GS 48.

creta la visión unitaria del ser humano «en su dualidad de cuerpo y alma»; por tanto «no le está permitido al hombre despreciar su propia vida corporal»[49]. En esa idea se puede concluir: el amor de los esposos, que es humano, interpersonal y abarca el bien de toda la persona,

> «es capaz de enriquecer con una dignidad especial las expresiones del cuerpo y del espíritu, y de ennoblecerlas como elementos y señales específicas de la amistad conyugal»[50].

Esta visión del matrimonio como sacramento del amor «que asocia lo humano y lo divino», dando a lo humano toda su amplitud de alma y cuerpo, plantea cuestiones morales que aún no están zanjadas y exigen un tratamiento especial.

• *Amor interpersonal y procreación*

El matrimonio es «la íntima comunidad de vida y de amor»[51].

Luego parece que su intención primera es el complemento y la perfección mutua de los esposos. Mediante las expresiones del cuerpo, incluido el acto conyugal, los esposos se realizan como personas y crece la comunidad matrimonial: «Libre y mutuo don de sí mismos, demostrado en la ternura de obras y afectos, que penetra toda su vida, y se perfecciona y aumenta con la generosa actividad»[52]. Ello quiere decir que un matrimonio puede cumplir su finalidad u objetivo primero aunque los esposos no puedan tener hijos[53].

Hay que añadir: «El matrimonio y el amor conyugal por su propia índole se ordenan a la procreación y educación de los hijos». Precisamente porque el amor de los esposos es un don de Dios y tiene una dimensión divina, lleva en sí mismo un impulso creador de vida. Pero la procreación supone y exige como base inspiradora y clima el amor mutuo entre los esposos, que debe manifestarse, progresar e ir madurando cada día[54]. Parece que el concilio sitúa en lugar prioritario la perfección personal y mutua de los esposos, y en un segundo momento la fecundidad a la que tiende por su misma naturaleza la comunión matrimonial. Pero ya en la práctica, por situaciones que se imponen a los esposos, puede surgir el conflicto entre las expresiones de amor para consolidar la unión entre los esposos, y la procreación.

• *Cómo ejercer la paternidad responsable*

Es el tema que entra aquí en juego: «En el deber de transmitir la vida humana y de educarla, que debe ser considerado como su misión propia, los cónyuges saben que son cooperadores del amor de Dios creador, y sus intérpretes»[55]. A la hora de programar la familia, se dice a veces: ¿cuántos hijos? Los que Dios quiera. Pero el Dios verdadero no es alguien abstracto, sino que habla encarnado en la historia y de modo singular en el ser humano que es su imagen; él es su «intérprete». Desde su conciencia, donde ya perciben la voz del creador, los cónyuges tendrán que discernir cuál es y cómo se concreta la voluntad de Dios en la historia y en su situación de pareja:

> «Se esforzarán ambos, de común acuerdo y común esfuerzo, para formarse un juicio recto, atendiendo tanto a su propio bien personal como al bien de los hijos, ya nacidos o todavía por venir, discerniendo las circunstancias de los tiempos y del estado de vida tanto materiales como espirituales, y finalmente teniendo en cuenta el bien familiar, de la sociedad temporal y de la propia Iglesia»[56].

Aunque hubo sus reticencias, el concilio defendió el derecho de los padres a controlar la natalidad de sus propios hijos. «Pero el problema llega cuando se ven impedidos de procrear por algunas circunstancias actuales de la vida y pueden hallarse en situaciones en las que el número de hijos, al menos

---

[49] GS 14.

[50] GS 49.

[51] GS 49.

[52] GS 49.

[53] «Aunque la descendencia tan deseada muchas veces falte, sigue en pie el matrimonio como intimidad y comunión total de la vida y conserva su valor de indisolubilidad» (GS 47).

[54] GS 50 y 47.

[55] GS 40.

[56] GS 47.

por cierto tiempo, no puede aumentarse»[57]. Por otra parte, la comunidad de vida y de amor que llamamos matrimonio exige para mantenerse expresiones de comunicación y de cariño, entre las que destaca el acto conyugal. Y aquí viene la dificultad: ¿Cómo articular el mantenimiento de comunión de vida y la procreación?[58].

No tiene suficientemente en cuenta el peligro para la intimidad conyugal la solución drástica de la continencia total o periódica. Tampoco vale matar la vida que quiere nacer, ya que el verdadero amor es creativo. Si por otra parte se niegan los métodos anticonceptivos, aun científicamente aceptables para la salud de los esposos, ¿qué otra salida queda?

Rescatando la dimensión personalista y personalizadora del matrimonio, el concilio dejó la cuestión abierta. El magisterio postconciliar ha sido más bien restrictivo[59]. En esta sociedad obsesionada por satisfacer el deseo ilimitado a costa de lo que sea y de quien sea, fácilmente los esposos prefieren más bienestar personal en vez del sacrificio que implica engendrar y educar a un nuevo hijo. En esa obsesión por el placer es muy fácil que lo erótico ahogue la gratuidad, mientras la comunidad de vida y amor que es el matrimonio implica un proceso en que el «eros» madura en «ágape» o amor gratuito. Quizá para evitar el deterioro que hoy sufre el verdadero amor en una sociedad incapaz de amar, y para que el matrimonio no acabe en «cooperativa de egoísmo», el magisterio proféticamente adopte una posición restrictiva y exigente. Pero muchos esposos cristianos viven una situación conflictiva y contradictoria entre su responsabilidad como padres y esa normativa restrictiva de la Iglesia. La solución no se ve clara y hay que seguir debatiendo.

[57] GS 51.

[58] La dificultad ya la vio el concilio: cuando por circunstancias o situaciones especiales no se pueden tener hijos, y sin embargo los cónyuges son fecundos, «el cultivo del amor fiel y la plena intimidad de vida tienen sus dificultades para mantenerse» (GS 51).

[59] Así en las encíclicas de Pablo VI, *Humanae vitae*, 1968; y de Juan Pablo II, *Familiaris consortio*, 1981.

- *El acompañamiento de los divorciados*

En la historia de la Iglesia se viene repitiendo una y otra vez el drama de la humanidad: la promesa del «para siempre», inscrita de algún modo en la intención primera del amor, queda rota por el fracaso existencial de la pareja: separaciones violentas, abandonos del cónyuge, bien por infidelidad de la persona, o bien por causas externas como pueden ser la guerra o la cárcel. Hoy sin embargo el número de matrimonios rotos es mayor que en tiempos pasados. Son muchos los factores que concurren y fomentan ese aumento: las parejas no tienen el apoyo de la familia, muy atomizada en el dinamismo social; en una cultura pluralista no existen ya unos marcos referenciales de estabilidad que prestaba no hace muchos años la organización social marcada por la religión católica; ha despertado la paridad de derechos y la mujer va rechazando cada vez más la sumisión injusta que frecuentemente ha sufrido en el matrimonio; por otra parte, la obsesión por satisfacer el deseo inmediato a costa de lo que sea y de quien sea es característica de la nueva cultura que sin duda contradice al sacrificio implicado en todo verdadero amor. A esto se añade la situación democrática que favorece no sólo el ejercicio de la libertad para elegir o cambiar de pareja, sino también la posibilidad de formalizar civilmente una nueva relación matrimonial.

Son cada vez más frecuentes los casos de cristianos divorciados que han formado nueva pareja. La sensación de fracaso en su vida matrimonial se ve agravada porque la Iglesia defiende la indisolubilidad del matrimonio cristiano y por tanto la imposibilidad de casarse después de la separación; en consecuencia, reafirma su praxis «de no admitir a la comunión eucarística a los divorciados que, contra las normas establecidas, han contraído nuevo matrimonio». Estas medidas marginan más a esas personas que, con su fracaso matrimonial, han sufrido aislamiento, incomprensiones, depresión y deterioro en su autoestima. Por eso algunos creen que la Iglesia es demasiado dura en su legislación actual.

En la situación de cristianos divorciados que contraen nuevo matrimonio hay cuestiones teológicas de máximo interés que necesitan ser clarificadas; por ejemplo, hasta qué punto están en «estado de pecado», qué grado de pertenencia o integración en la Iglesia mantienen cuando se les niega el acceso a la comunión eucarística; pero no entramos ahora en estas y otras cuestiones que sin duda merecen fino discernimiento. Aquí mi objetivo es más modesto: situar el tema y llamar la atención sobre algunos aspectos que ayuden a la práctica pastoral. Veamos brevemente los marcos teóricos, la delicada posición de la Iglesia, y los criterios para un acompañamiento cristiano de los divorciados. Me sirvo de los principios que ofrece la Exhortación Apostólica *Familiaris consortio* (FC) y de las orientaciones dadas por los obispos de la provincia eclesiástica del Rin Superior (Alemania) en *Principios para el acompañamiento pastoral de personas cuyo matrimonio ha fracasado, o separadas vueltas a casa* (10.7.1993).

Siguiendo el evangelio, la Iglesia entiende que el amor sólo se perfecciona en la fidelidad y por eso el matrimonio es una forma de vida indisoluble. Al contraer matrimonio, mujer y hombre se dan recíprocamente un sí absoluto e ilimitado que se concreta en la convivencia estable. Debemos notar sin embargo que el evangelio no es un código de leyes canónicas ni siquiera una ética preceptiva, sino una invitación kerigmática: «No todos pueden hacer esto, sino sólo aquellos a quienes Dios se lo concede» (Mt 19,11). Hay algunos casos –«concubinato» según Mt 19,9 y el llamado «privilegio paulino» según 1 Cor 7,10-15– en que se permite la separación o al menos se tolera, pero a lo más son interpretación del evangelio en situaciones concretas y excepcionales. La fidelidad de por vida en el matrimonio es una enseñanza mantenida siempre por la tradición viva de la Iglesia, y las concesiones que alguna vez se han hecho para que los divorciados contraigan nuevo matrimonio se han justificado como mal menor. Esa tradición que formuló el concilio de Trento «conforme a la doctrina del evangelio y de los apóstoles» ha sido ratificada en *El Catecismo de la Iglesia Católica,* n. 1601-1666.

En las últimas décadas, la Iglesia está preocupada por este problema que –así se dijo en una sesión del Vaticano II– «es más angustioso todavía que el de la limitación de nacimientos; es el problema del cónyuge inocente que, en lo mejor de su vida y sin ninguna culpa por parte suya, se encuentra definitivamente solo a causa de la falta del otro». El Sínodo de los Obispos en 1980 dedicó especial atención a este problema que postula fino examen para un juicio verdadero. En cualquier caso, la posición de la Iglesia en el tema es delicada, y debemos evitar pronunciamientos globales por uno u otro extremo. Debe mantenerse fiel a la verdad del amor que sólo se perfecciona en la fidelidad y que se celebra en el sacramento del matrimonio. Pero sensible a la misericordia de Dios revelada en Jesucristo, la Iglesia está preocupada en expresar y ofrecer esa misericordia en favor de las personas que han pasado por la dura experiencia del fracaso matrimonial y quieren rehacer su vida en nuevo matrimonio. Es verdad que, siguiendo la conducta de Jesús, la Iglesia debe buscar lo perdido, acoger siempre a los excluidos y ser sacramento del perdón; pero los excluidos no son sin más la Iglesia. Para participar en la vida de la misma se necesita una conversión manifestada en la conducta práctica.

Y ahora ya podemos hacer algunas sugerencias para situarnos frente a la complejidad del problema y apuntar algunos criterios concretos para discernir las distintas situaciones.

– *Que las parejas descubran el evangelio sobre el amor.* En la visión cristiana, el matrimonio es una vocación que responde a un don del Espíritu. El que ha entendido que el amor viene de Dios recibe ese amor como gracia y se compromete a perfeccionarlo en gratuidad. Sólo en esa inspiración se comprenden la fidelidad y la indisolubilidad como versión canónica de la misma. En esa perspectiva se entiende el sinsentido del divorcio: el amor de Dios a la humanidad, manifestado en Cristo y proclamado en la Iglesia, es gratuito y sin retorno.

Pero muchos bautizados que celebran el sacramento del matrimonio desconocen esta buena noticia: no saben que su amor es participación del amor de Dios que se autocomunica gratuitamente no sólo en la creación, sino en la historia de los pueblos cuyo paradigma es la historia bíblica, y de modo especial en la conducta histórica de Jesús. Esa ignorancia debilita grandemente el «sí» dado en la celebración sacramental. Si falta esa buena noticia, que ha de ser inspiración y fundamento de su fidelidad, ¿qué garantías hay para ésta en una sociedad éticamente cada vez más a la deriva?

Ello quiere decir que el problema del divorcio no se ataja sin más con leyes prohibitivas y sanciones canónicas que humillen más a los ya fracasados. Si los cónyuges no valoran la fidelidad como garantía para perfeccionar su amor y garantía de convivencia feliz, ¿qué fuerza externa les puede mantener en comunión y comunicación verdaderas?; esa valoración no es fruto de una ley impuesta, sino del encuentro con Dios, amor que llamamos gracia. Urge una estrategia preventiva en dos ámbitos. Primero, en la preparación al matrimonio: puede ser un tiempo adecuado para que los jóvenes que se disponen a contraer matrimonio descubran la novedad evangélica que frecuentemente no han descubierto aunque hayan recibido los sacramentos de iniciación. Segundo, acompañando a las parejas después del matrimonio: ayudándoles a ver cómo esa gratuidad del amor se concreta no sólo en las alegrías, sino también cuando llegan los conflictos.

– Admitiendo que muchos bautizados han celebrado y celebran el sacramento del matrimonio sin conocer la naturaleza del mismo, es justo *cuestionar la validez* canónica en la celebración del matrimonio. Introduciendo la palabra «alianza» para definir el matrimonio, el *Código de Derecho Canónico* da por supuesto el amor mutuo. Pero ¿hasta qué punto la pareja que se casa conoce la verdad del amor humano según el evangelio? Cuando en el catecumenado prematrimonial se ve que muchos piden el sacramento del matrimonio por motivos que nada tienen que ver con la intención de la Iglesia, hay fundamento para dudar de que la celebración haya sido válida.

– *Acogida fraterna de los divorciados.* Hay muchas parejas cuyo matrimonio ha fracasado irremediablemente sin que puedan probar su nulidad en el ámbito jurídico externo. Ellos tienen que asumir este fracaso en sus consecuencias personales y sociales. Pero también debe ser asumido por la comunidad cristiana, y no tiene sentido exigirles rehacer lo que ya es imposible. La comunidad cristiana debe aceptar, interesarse y acompañar a quienes ya están sufriendo por el fracaso de su separación matrimonial; debe prestarles «una acción continua de amor y de ayuda, sin que exista ningún obstáculo para su admisión a los sacramentos» (FC, n. 83). Solamente así las personas divorciadas se podrán recuperar psicológicamente y no precipitarse contrayendo nuevo matrimonio que lleve a nuevo fracaso.

Ese mismo trato de respeto y amor se debe también a los divorciados que han contraído nuevo matrimonio civil o sencillamente conviven con otra pareja. Aunque no se les permite participar en la comunión eucarística, no están excluidos de la Iglesia ni excomulgados; de ningún modo se puede negar a estas personas la posibilidad de salvación. Deben ser invitadas una y otra vez a ser partícipes activos en la comunidad cristiana:

> «escuchen la palabra de Dios, frecuenten el sacrificio de la misa, perseveren en la oración, incrementen las obras de caridad y participen en las iniciativas de la comunidad en favor de la justicia, eduquen a sus hijos en la fe cristiana, cultiven, día a día, el espíritu y las obras de penitencia para conseguir la gracia de Dios» (FC, n. 84).

– *Evitar una pastoral clandestina de rebajas.* Las recientes declaraciones oficiales de la Iglesia establecen inequívocamente que los divorciados que se han vuelto a casar no pueden ser admitidos a la eucaristía, por cuanto su estado y condición de vida contradicen objetivamente aquella unión de amor entre Cristo y la Iglesia, significada y actuada por la eucaristía» (FC, n. 84). Es una disposición general que no es fácilmente compaginable con el compromiso de educar a los hijos «en la fe cristiana». Pero quien pastoralmente actúe de modo diverso, contradice a esa disposición eclesial; a veces se intenta responder realistamente a un drama vital poniendo en peligro valores irrenunciables como es la fidelidad en el matrimonio.

Sin embargo abre una puerta: los divorciados que han contraído matrimonio civil pueden acceder a la comunión eucarística si viviendo juntos en estrecha comunión de vida se avienen a comportarse como hermano y hermana (FC, n. 84). Aunque según algunos esta invitación parece antinatural e inviable sobre todo cuando se trata de parejas jóvenes. Y teológicamente parece que hay una reducción del matrimonio a las relaciones genitales, cuando según el Vaticano II (GS 48) es más bien «mutua entrega de dos personas». Pero no se puede negar tampoco la viabilidad de este camino, aunque incluya cierta heroicidad en algunos casos.

– *Necesidad de un tratamiento diferenciado para cada caso.* Así lo sugiere la FC: para un acompañamiento adecuado de los divorciados que se han vuelto a casar, urge

> «discernir bien las situaciones; hay mucha diferencia entre aquellos que sinceramente se han esforzado en salvar el primer matrimonio y/o han sido injustamente abandonados, y aquellos que, por su culpa, han destruido un matrimonio canónicamente válido; finalmente, están aquellos que han contraído un segundo matrimonio con vistas a la educación de sus hijos y que tal vez estaban subjetivamente convencidos de que el matrimonio anterior nunca había sido válido» (n. 84).

En el documento ya citado, los obispos alemanes traen algunos criterios para discernir las distintas situaciones y decidir responsablemente:

• *Mirando al matrimonio ya roto.* Es necesario conocer y rechazar la culpa que se haya tenido en la ruptura del primer matrimonio. Estar razonablemente seguros de que ese matrimonio ya no tiene arreglo. En lo posible, hay que reparar las injusticias cometidas en el proceso de separación y los daños ocasionados, cumpliendo con los deberes hacia la mujer y hacia los hijos del primer matrimonio.

• *Mirando a la segunda convivencia matrimonial.* Tiene que haber demostrado que hay voluntad públicamente reconocible de comunión de vida duradera según el ordenamiento del matrimonio. Hay que ver si esta segunda convivencia implica una obligación moral respecto a la pareja y a los hijos. Y hay que estar suficientemente seguros de que la pareja se esfuerza en vivir cristianamente y en educar responsablemente a los hijos. Finalmente, hay que tener garantías de que la pareja quiere participar en la vida sacramental de la Iglesia motivada por razones puramente religiosas.

– *La decisión de conciencia.* Aquí no valen autorizaciones generales y de rebaja para que participen sin más en la eucaristía también los divorciados que se han vuelto a casar; ello significaría que para la Iglesia la fidelidad en el matrimonio es accidental. Tampoco se debe permitir esa participación por decisión arbitraria de la autoridad jerárquica para un caso particular. Pero puede ocurrir que los divorciados y casados de nuevo crean en conciencia que pueden comulgar, porque están convencidos de que el primer matrimonio no fue válido (FC, n. 84), o porque han contraído nuevos deberes que no pueden abandonar sin grave injusticia. Esa decisión debe ser tomada reflexivamente, y en la clarificación de sus motivaciones es fundamental en cada caso el acompañamiento del sacerdote que no autoriza, sino que ayuda en la maduración de la conciencia personal. En ese proceso ha de contar el impacto que dicha participación en la eucaristía pueda causar en la comunidad cristiana.

– *¿Otras limitaciones en la participación de la comunidad eclesial?* Se están dando ya, y posiblemente se darán más en el porvenir, casos de divorciados que se han vuelto a casar, y que desean participar como padrinos en los sacramentos de iniciación y en organismos eclesiásticos oficiales. Según el CIC, para ser padrino en el bautismo y en la confirmación se presupone una conducta acorde con la fe y el servicio que se asume; y para contraer deberes en el ámbito pastoral de la fe se requieren, entre otras cosas, buenas costumbres. Los divorciados que se han casado de nuevo no están excluidos sin más, pero habrá que ver en cada caso.

Según la FC, n. 84, está prohibido, «sea el que sea el motivo o pretexto incluso pastoral, celebrar ninguna ceremonia en favor de los divorciados que se han vuelto a casar». Por ejemplo, estarían fuera de lugar oraciones litúrgicas oficiales de la Iglesia en el matrimonio civil celebrado por un divorciado que se vuelve a casar. Se daría la impresión de que la Iglesia no valora la fidelidad y consiguientemente la indisolubilidad del matrimonio. Pero los divorciados que se han vuelto a casar deben ser invitados a la oración personal y a participar en la oración litúrgica; por su parte, la comunidad debe acompañarlos y pedir públicamente por ellos.

– *Acompañamiento como nueva forma de evangelización.* Desde hace tiempo estamos viendo cómo en nuestra sociedad, cada vez más pluralista y fragmentada, no vale seguir con una evangelización de adoctrinamiento. Hay que partir desde el lugar y situación donde los seres humanos buscan, logran y fracasan; escuchar primero antes de hablar; recibiendo antes de ofrecer. Ese método tiene aplicación especial en el proyecto de comunidad que llamamos matrimonio. No se hace de una vez para siempre, sino en un proceso difícil donde la fidelidad se re-crea cada día. Cuando el clima social no apoya la maduración de ese proyecto, sino que las ideologías y fuerzas sociales más bien lo ponen en peligro, las parejas necesitan un acompañamiento cercano y eficaz por parte de la comunidad cristiana. No sólo en la preparación al matrimonio, sino en la realización cotidiana de la convivencia familiar. Cuando en una sociedad democrática y secular puede incluso llegar una legislación civil que apruebe y legalice el divorcio, la fidelidad de los matrimonios cristianos puede ser un buen signo y un servicio profético para tantos matrimonios de bautizados en crisis o en ruptura. Ya en los proyectos evangelizadores de cada comunidad cristiana, el acompañamiento integral y eficaz a la familia debe ocupar un puesto prioritario. Se ha dicho que la familia cristiana es «una Iglesia doméstica»; pero el «es» sugiere más bien «un debe ser». En la realización de este imperativo se verifica la calidad cristiana de la Iglesia integrada por esos proyectos concretos de comunidad todavía en proceso de realización que son las familias de los bautizados.

Lecturas

M. Vidal, *Moral del amor y de la sexualidad*, Salamanca 1972.

J. L. Larrabe, *El matrimonio cristiano y la familia*, Madrid 1973.

A. Hortelano, *Amor y familia en perspectiva cristiana*, Salamanca 1974.

E. López Azpitarte, *Sexualidad y matrimonio hoy*, Santander 1975.

E. Schillebeeckx, *El matrimonio, realidad terrena y misterio de salvación*, Salamanca 1976.

W. Kasper, *Teología del matrimonio*, Santander 1980.

D. Borobio, *Matrimonio*, en *La celebración en la Iglesia*, II, Salamanca 1988, 499-592.

A. Sanchís, *Matrimonio*, en *Conceptos fundamentales del cristianismo*, Madrid 1993, 777-788.

8

El sacramento del orden

1. Nueva sensibilidad

En los últimos veinte años y en países tradicionalmente católicos han sido alarmantes los abandonos del ministerio presbiteral y la escasez de nuevas vocaciones. Se dice que la crisis viene causada por el celibato y que la escasez se arreglaría si las mujeres tuvieran también acceso a los ministerios ordenados. Si las causas de la situación fueran ésas, el problema tendría fácil solución, pero sospecho que hay otros determinantes más serios y profundos[1].

Admitimos que el mundo moderno ya está aquí, pero no somos conscientes muchas veces de sus implicaciones. El Vaticano II ha reconocido esa presencia y aceptó la autonomía de lo secular o «secularización»: ese fenómeno complejo donde los hombres se consideran ciudadanos y responsables de este mundo, sin admitir presión de lo religioso que paralice o impida su libertad. El concilio fue sensible a esta demanda: reconoció que este mundo –«la entera familia humana, con el conjunto universal de las realidades entre las que vive»– no es sinónimo de pecado, sino que «está fundado y conservado por el mismo creador»; y aunque muchas veces deformado por el egoísmo, «ha sido liberado por Cristo crucificado y resucitado»[2].

Este giro en la postura de la Iglesia respecto al mundo desmonta el esquema de cristiandad, que también reviste la forma de clericalismo. Cuando no se reconoce la positividad o densidad teológica del mundo, éste no es más que paganismo esclavizado en las tinieblas de la muerte y campo para la evangelización; análogamente, cuando se olvida que el Espíritu actúa en todos y en cada uno de los miembros que integran el pueblo cristiano, el clero es el único que sabe y enseña. Pero desmontado el esquema de dualismo y dominación que subyace tanto en la situación de cristiandad como en una Iglesia clericalizada, es normal que los presbíteros no encuentren su lugar.

Más en concreto, el disloque proviene de dos matices en la nueva sensibilidad.

- Al reconocer que el mundo no es sinónimo de pecado, sino lugar donde se juega la historia de la salvación, se afirma una verdad muy evangélica: que el reinado de Dios, como el grano de trigo, está sembrado y crece ya en todos los rincones de la tierra. La Iglesia, proclamación y signo eficaz de esta

---

[1] Un análisis serio de la situación, en Ch. Duquoc, *La reforma de los clérigos*, en *La recepción del Vaticano II*, Madrid 1987, 355-369. También I. Oñatibia, *Los ministerios eclesiales*, en *La celebración en la Iglesia...*, 622-624.

[2] GS 2.

novedad, es referencial, está en función del reinado; se constituye en la misión o servicio para que el mundo llegue a ser reino de Dios[3]. Esta visión supone un cambio en la marcha de la comunidad cristiana que no crece asegurando posiciones, sino rompiendo sus falsas seguridades para «estar con y junto a los hombres». La nueva orientación de la comunidad afectará inevitablemente a la tarea de los ministerios ordenados, que son un servicio a la comunidad cristiana.

• Pero hay otro matiz que también tiene su peso. Además de la nueva conciencia que los bautizados hayan podido adquirir con las orientaciones del Vaticano II, está *la sensibilidad moderna* de que también ellos participan. Cada vez soportan menos un clericalismo que reduzca su participación a obedecer y asistir. Estas reacciones normales desplazan y dejan cada vez más solos a los pastores –obispos y presbíteros– si quieren seguir haciendo sin más lo que venían haciendo y olvidan que ante todo y finalmente son miembros de la comunidad cristiana.

Sin duda mi percepción de la crisis es parcial y aproximativa, pero sugiere ya un subtítulo para nuestra reflexión: «De y para la comunidad». Obispos, presbíteros y diáconos son miembros de la comunidad cristiana, que ha recibido un ministerio para servicio de la misma. Y tal vez a «comunidad» debamos añadir un adjetivo: «evangelizadora». Esta forma de ver las cosas determina también el enfoque de mi discurso.

2. Dos marcos imprescindibles en el Vaticano II

En el Vaticano II hay dos afirmaciones importantes. Una de carácter histórico: «El ministerio eclesiástico, de institución divina, es ejercido en diversos órdenes por aquellos que ya desde antiguo vienen llamándose obispos, presbíteros y diáconos» (LG 28). Otra de carácter teológico:

> «Cristo Señor, Pontífice tomado de entre los hombres, hizo del nuevo pueblo un reino de sacerdotes para Dios su Padre...; el sacerdocio ministerial, por la potestad sagrada de que goza, forma y dirige al pueblo sacerdotal» (LG 10).

Estas dos afirmaciones tocan dos artículos de sumo interés. Aunque sea brevemente, conviene detenernos un poco sobre las mismas. Ellas nos llevarán de la mano al tema central que parece decisivo: «ministerios y comunidad».

a) «Ya desde antiguo»

El concilio de Trento dijo que la jerarquía instituida «por divina ordenación» consta de obispos, presbíteros y ministros –diáconos–[4]. El Vaticano II sustituye «ordenación» por «institución», y matiza: «ya desde antiguo». Nos da pie para movernos con cierta flexibilidad en la evolución de la historia.

• *Revelación neotestamentaria*

En los evangelios y escritos apostólicos se ven distintos modelos en la organización de la Iglesia según culturas, situaciones y necesidades. Así, por ejemplo, la estructura organizativa de la comunidad cristiana en Antioquía es diferente de la organización que tiene la comunidad de Jerusalén: «Había en la Iglesia de Antioquía profetas y doctores» (Hch 13,1), mientras que la Iglesia de Jerusalén funciona con una especie de colegio integrado por los apóstoles y los presbíteros (Hch 15,2).

Los sinópticos hablan de los «doce» que Jesús eligió «para que convivieran con él y para enviarlos a predicar» (Mc 13,14); entre los doce resalta la figura de Pedro. Jesús quiso que los doce continuasen su misión; y los apóstoles serán lugar de referencia para la Iglesia de todos los tiempos[5].

---

[3] Sigue siendo actual Pablo VI, Exhort. *Ev. nunt.*, 8 y 14.

[4] DS 1776.

[5] Sobre los «doce» y los «apóstoles», cf. J. Delorme, *El ministerio según el Nuevo Testamento*, Madrid 1975, 267-271; J. Mateos, *Los doce y los otros seguidores de Jesús en el Evangelio de Marcos*, Madrid 1981. Sobre el puesto relevante de Pedro, Mt 16,17-20; según la tradición evangélica de Lc 24,34 y Jn 20,6, Pedro es el testigo cualificado en la resurrección de Jesús.

La comunidad cristiana se remite «a la enseñanza de los apóstoles» (Hch 2,4). Ellos son «los que dan testimonio de la resurrección de Jesús» (Hch 4,33) y «convocan al pleno de los discípulos» (Hch 6,2).

En las cartas de san Pablo aparecen «apóstoles, profetas y doctores» que, con los «evangelizadores», anuncian la buena noticia y organizan las distintas comunidades[6]. En cada una de estas comunidades hay servicio de gobierno: «dirigentes», «el que preside», «presbítero», «obispo», «diácono»[7]. En otro ámbito están los «profetas» y «los que enseñan»[8]. No se nos dice cómo eran establecidos o conferidos esos ministerios, aunque se consideren dones del Señor o del Espíritu[9].

Algunos pasajes pueden evocar como una liturgia de la ordenación: – Según Hch 6,1-3, la comunidad elige siete varones para servir a la mesa (diáconos), y los apóstoles, orando sobre ellos, les imponen las manos. – La comunidad de Antioquía envió a Pablo y a Bernabé para evangelizar: «Después de haber ayunado y orado, los profetas y maestros les impusieron las manos» (Hch 13,3-4). – En 1 Tim 4,14 se habla de un carisma o ministerio recibido mediante la imposición de manos «del colegio de presbíteros».

Podríamos decir: – Desde los primeros pasos, la Iglesia tiene sus dirigentes; sin ellos no es posible la comunidad. – La imposición de manos es un gesto que confiere el ministerio de la evangelización (Hechos) y el servicio comunitario intraeclesial, bien mediante la atención a la mesa (Hechos) o en la dirección de la comunidad (Cartas Pastorales). Hay que notar estas dos tendencias o acentos: en los Hechos, el servicio a la comunidad va ligado a la misión evangelizadora de la misma; las Cartas Pastorales, en cambio, sitúan el ministerio dentro de la comunidad para asegurar su buena marcha[10]. En cualquier caso, el ministro es un miembro de la comunidad y para servicio de la comunidad.

[6] 1 Cor 12,28; Ef 2,20; 3,5; 4,11; 2 Tim 4,5.

[7] «Dirigentes» (Heb 13,7.17; Lc 22,26); «el que preside» (Rom 12,8; 1 Tes 5,12); «presbíteros» (Hch 12,30; 14,22; 16,2); «obispo» (Hch 20,28; Flp 1,1; 1 Tim 3,1.7); «diáconos» (1 Tim 3,8-13; Flp 1,1).

[8] Ef 4,11; Hch 13,1.

[9] Hch 1,15-26; 13,2; 20,28; 1 Cor 12,28; «don del Señor» (Ef 4,8-11; 1 Tim 4,14; 2 Tim 1,6).

[10] Tit 1,5 recomienda que se constituyan presbíteros, y en 1 Tim 5,22 se le dice que no imponga las manos a ninguno precipitadamente.

- *Evolución en líneas generales*

A lo largo de la historia se han ido unificando la organización de la Iglesia y definiendo los ministerios permanentes.

– En los inicios del s. II se da un paso en dos capítulos: • Se consolidan los ministerios estables: obispo, presbíteros y diáconos, al frente de la comunidad cristiana; • Aparece el episcopado monárquico, cuyo exponente singular es san Ignacio de Antioquía: el centro de la unidad comunitaria es el obispo, al que asisten el colegio de presbíteros y los diáconos. Para identificar a la verdadera Iglesia en las herejías emergentes, fue necesario un punto de referencia que asegurase la fidelidad a la tradición apostólica; los obispos, sucesores de los apóstoles, prestan este servicio (san Ireneo).

Según la carta a los Hebreos, no se debe interpretar el sacerdocio cristiano en continuidad con el sacerdocio del Antiguo Testamento. Pero en el s. III entró la terminología de «sacerdote», «sacerdotal», «sumo sacerdote» para designar a los ministerios ordenados. Tertuliano introduce las palabras «ordenar», «ordenación», abriendo así un camino para interpretar los ministerios en categorías de «honor, dignidad y autoridad». La *Tradición Apostólica* de san Hipólito trae ya un ritual de las ordenaciones bien detallado[11].

– *De los siglos IV al VI*, la Iglesia goza ya de oficialidad y situación de privilegio. Los términos «poder y dignidad» prevalecen sobre «servicio», y los ministerios ordenados se ven como medios para escalar al grado supremo del episcopado. El ansia de poder provoca muchas veces el traslado de los obispos y fomenta las ordenaciones absolutas sin compromiso alguno en comunidades concretas. El clero se va constituyendo en «clase aparte» del pueblo, y se inicia el clericalismo.

[11] Para conocer la evolución del tema en la historia de la teología y práctica eclesial, M. Guerra, *Cambio de terminología de servicio por «honor-dignidad» jerárquicos en Tertuliano y en san Cipriano*, en *Teología del sacerdocio*, 4, Burgos 1972, 295-414; E. Schillebeeckx, *El ministerio eclesial. Responsables de la comunidad cristiana*, Madrid 1983, 77-121. Es bueno el resumen de I. Oñatibia, *o. c.*, 598-606.

– La práctica eclesial y la teología *de los siglos VII-X* giran en torno a la visión de los ministerios como «poder»; más concretamente como poder «para la celebración eucarística». Las otras funciones de la palabra y del gobierno quedan en el olvido. Como, en la celebración de la eucaristía, obispo y presbítero tienen la misma facultad, la figura del primero pierde relevancia teológica y litúrgica.

– *En la Edad Media* prevalece la definición del ministerio dada por Pedro Lombardo: «Un sello por el que se concede al ordenado una potestad espiritual y un oficio» [12]. Los teólogos medievales discurrieron ampliamente sobre la «potestad espiritual» o «carácter sacramental» impreso por el sacramento del orden, pero centraron ese poder en la celebración cultual. Dada la paridad del obispo y del presbítero en estas funciones cultuales, se comprende que los teólogos más representativos en esta época no reconozcan la sacramentalidad del episcopado como un grado peculiar dentro del sacramento del orden, sino como un oficio. Por otra parte, la distinción entre potestad de orden y potestad de jurisdicción fomentó aún más las ordenaciones absolutas y la independencia de los ministerios ordenados respecto a la comunidad cristiana.

Cuando, al final de la Edad Media, se refiere al sacramento del orden, el concilio de Florencia, fiel eco de la teología medieval, ni siquiera enumera el episcopado:

> «La materia de este sacramento es lo que se entrega: el presbiterado es conferido entregando el cáliz con vino y la patena con pan, y el diaconado con la entrega de los evangelios, y análogamente para los demás ministerios. La forma del sacerdocio es: Recibe la potestad de ofrecer el sacrificio en la Iglesia por vivos y difuntos, en el nombre del Padre, del Hijo y del Espíritu Santo» [13].

– *El concilio de Trento*, en el s. XVI, reaccionando contra las exageraciones de los Reformadores, confesó la fe católica: • la ordenación es un sacramento instituido por Jesucristo; • es un don del Espíritu que siempre permanece (carácter indeleble); • instituida «por ordenación divina», existe una jerarquía que consta de obispos, presbíteros y diáconos [14]. Pero, siguiendo la teología medieval, centra el ministerio ordenado en el servicio eucarístico, dejando a un lado las funciones de la palabra y de gobierno. Y no habla de la institución divina del episcopado como grado del orden distinto de los presbíteros y diáconos.

Después de Trento, fundamentalmente no cambió el enfoque de los ministerios ordenados. En los siglos XVIII y XIX se desarrolló una espiritualidad mística sentimental que acentúa la dignidad y el poder cultual del sacerdote. En nuestro s. XX se fue abriendo paso la sacramentalidad del episcopado y, con el descubrimiento de la tradición patrística y litúrgica, se llegó en 1947 a determinar la materia y forma del sacramento: imposición de manos y oración consecratoria [15].

• *Hacia la renovación*

Los movimientos bíblico, litúrgico y ecuménico dieron nueva perspectiva en la interpretación de los ministerios ordenados. La revelación neotestamentaria declara que toda la Iglesia goza de una dignidad sacerdotal y ha de ser testigo de Dios entre todos los pueblos (1 Pe 2,9). La categoría «poder» es mirada con recelo y deja paso a la categoría «servicio». El obispo ha ocupado de nuevo su lugar como signo de unidad en la comunidad cristiana, y se reafirma el carácter primordialmente funcional de los ministerios.

– Esta orientación teológica culminó *en el Vaticano II*.

La comunidad cristiana como nuevo pueblo de Dios es el sujeto al que han de servir todos los ministerios, incluidos los jerárquicos. El ejercicio de los mismos debe proceder en base a la igualdad fundamental que como hijos de Dios tienen todos los bautizados [16].

---

[12] *Sent.*, IV, d. 24.

[13] DS 1326.

[14] DS 1773, 1767, 1776.

[15] Const. *Sacramentum Ordinis* (DS 3857-3861).

[16] LG 32. A esta verdad corresponde el esquema seguido en esa constitución: primero habla del pueblo de Dios (9-17) y después de la jerarquía (18-29).

Sin embargo hay que afirmar la existencia de estos ministerios ordenados que son dones del Espíritu y capacitan a miembros del pueblo cristiano para que sean signo y sacramento peculiar de Jesucristo[17].

Se declara la sacramentalidad de la consagración episcopal con la función de santificar, enseñar y gobernar, así como la colegialidad de los obispos[18].

El concilio pide que se restaure el diaconado permanente[19].

Se recuperan las tres funciones del presbiterado: ministros de la palabra, de los sacramentos y eucaristía, y de gobierno[20].

– El *Ritual de las Ordenaciones* que se publicó en 1978 incorpora la nueva orientación del concilio en la reforma litúrgica[21].

b) Culto y sacerdocio nuevos

El Vaticano II destaca un artículo importante de la fe católica: el sacerdocio jerárquico es un don peculiar del Espíritu a la comunidad eclesial; no se identifica con el llamado sacerdocio común de los cristianos. Pero el término «sacerdocio» aquí no debe ser interpretado en marcos y categorías del sacerdocio pagano ni del Antiguo Testamento.

Según la carta a los Hebreos, no hay continuidad entre culto y sacerdocio del Antiguo Testamento, y culto «en espíritu y en verdad» inaugurado por Jesucristo, único sacerdote de la nueva alianza. Cristo es el sacrificio y culto nuevos porque se entregó totalmente a sí mismo para secundar y llevar a cabo la voluntad del Padre «a favor de los hombres» o «en la construcción del reino»; así también es sacerdote[22]. Por eso Cristo es «el único mediador de una alianza fundada en mejores promesas» (Heb 8,6).

Todos los cristianos en cuanto seguidores de Jesús son también sacrificio y culto «en espíritu y en verdad», participan de su sacerdocio. Como servicio a esta comunidad sacerdotal de la nueva alianza, tienen sentido los ministerios ordenados. Tal vez para evitar malentendidos, nunca el Nuevo Testamento aplica los calificativos «sacerdocio», «sacerdotal» o sus derivados a estos ministerios. Si nosotros empleamos hoy ese vocabulario, deberemos salvaguardar la novedad del culto y del sacerdocio en Jesucristo[23].

3. Ministerios ordenados y comunidad

a) Exigencia de cambio

Hay dos hechos constatables que no son independientes: abandono frecuente del ministerio presbiteral, y clericalización de la Iglesia. Este segundo factor puede influir en dichos abandonos, y manifiesta una visión muy parcial y deformada de la comunidad eclesial.

• *Frecuentes abandonos del ministerio*

Se han dado muchos en las últimas décadas. No vale culpar de los fracasos a la falta de generosidad o dejadez en las prácticas piadosas, aunque reconozcamos que estos factores influyan en la crisis. No es un problema sólo de ortodoxia doctrinal, si bien la incertidumbre y confusión en estos años

---

[17] LG 21, 17, 28; PO 2-3. 5-6. Según LG 10, el sacerdocio ministerial «es esencialmente distinto» del sacerdocio común de los bautizados.

[18] LG 22-23; CD 4-6.

[19] LG 29. En el «motu proprio» *Sacrum diaconatus ordinem*, 18 de junio de 1967, Pablo VI ofreció modalidades para llevar a la práctica los deseos del concilio.

[20] PO 4-6.

[21] Se pide la revisión de ceremonias y textos en SC 76. Buena exposición en I. Oñatibia, *o. c.*, 621-622.

[22] «En favor de los hombres» (Heb), «para la construcción del reino de Dios» (sinópticos), «hacer la voluntad del Padre» (Jn) son expresiones de la misma realidad.

[23] A. Vanhoye, *Sacerdotes antiguos y sacerdote nuevo según el Nuevo Testamento*, Salamanca 1984; J. I. González Faus, *Hombres de comunidad. Apuntes sobre el ministerio eclesial*, Santander 1989, 12-29; J. Espeja, *Sacramentos y seguimiento de Jesús*, Salamanca 1989, 158-171.

pueden haber creado inestabilidad psicológica y desconcierto. Tampoco es justo echar todas las culpas a ese complejo fenómeno que llamamos «secularización», donde todo no es negativo, aunque tenga sus ambigüedades y peligros.

La crisis de los ministerios ordenados denuncia una enfermedad cuya causa puede radicar en la separación de los mismos fuera y por encima de la comunidad cristiana.

- *Una Iglesia «clericalizada»*

Este adjetivo no se refiere a la existencia de una jerarquía o ministerios ordenados que son necesarios en la comunidad eclesial. El término «clericalizada» tiene aquí un matiz peyorativo: significa como una polarización o visión deformada de la Iglesia, que viene a ser un conjunto de poderes sagrados puestos en manos de unos hombres que los ejercerían sobre una clientela y a veces en beneficio propio. Cuando se dice: «qué enseña la Iglesia», «qué dice la Iglesia», espontáneamente muchos piensan en el clero.

Según la opinión frecuente y corriente, la Iglesia es una institución que reposa en un grupo de funcionarios: papa, obispos y sacerdotes. Ellos son como los responsables únicos de toda la comunidad cristiana. Según esta opinión muy extendida, en la Iglesia están los que enseñan y los que oyen, los que celebran y los que asisten, los que gobiernan y los que obedecen. El saber, la celebración y el poder vienen a ser sólo privilegio de algunos.

- *Visión deformada e insostenible*

Este modelo clericalizado de la Iglesia, donde unos son los de arriba que mandan y otros los de abajo que obedecen, desfigura totalmente a la comunidad cristiana, no responde a la verdadera tradición y es hoy insostenible.

– *Desfigura el rostro de la comunidad cristiana*

Esta visión deja prácticamente a los seglares fuera de la Iglesia. No se sienten responsables de la misma ni se meten para nada en sus asuntos; quedan reducidos a las tareas profanas; sólo se les ve como destinatarios de la pastoral y consumidores de los sacramentos. Cuando más, llegan a ser mandados de los curas para suplir donde no puede llegar el clero.

En una Iglesia clericalizada, también los sacerdotes pierden su identidad. Formados aparte de los demás mortales y cristianos, se ven ubicados en otra zona de la sociedad humana y de la comunidad cristiana: totalmente distintos y con dignidad superior. Obispos y sacerdotes de la Iglesia española, reunidos en Asamblea Conjunta (1971), acusaron esa condición de «segregados mediante distinciones externas y privilegios» que sufren los presbíteros[24]. Así su condición humana y su condición de bautizados quedan diluidas; prácticamente se les priva de lo que primero que siempre y finalmente son: hombres bautizados, miembros de la raza humana y del pueblo de Dios.

Como resultado, la comunidad cristiana se desfigura, dividiéndose en dos categorías: «Los que

[24] Ponenc. 11, n. 21, *La Asamblea Conjunta*, Madrid 1971, 249.

mandan y los que obedecen». Pierde su faz evangélica: en vez de ser cuerpo espiritual de Cristo, donde todos los bautizados tienen la misma dignidad de hijos de Dios y deben vivir como hermanos, viene a ser una sociedad de dominación.

– *Ya no se puede mantener*

La visión piramidal de la Iglesia, desautorizada por la verdadera tradición cristiana, es insostenible hoy *ante los desafíos de la evangelización*, y no cabe ya en la orientación eclesiológica del Vaticano II.

• Según la tradición que teológicamente plasmaron bien san Agustín y santo Tomás, lo primero en la Iglesia, lo más peculiar y determinante, no son las distintas funciones o tareas de sus miembros ni la fijación de una jerarquía, sino el «nosotros» de la comunidad, animada por el único Espíritu: la igualdad fundamental de todos los cristianos por la gracia. Seglar, religioso, presbítero y obispo son miembros del único pueblo de Dios.

Como sacramento del mismo Espíritu, toda la comunidad cristiana en cada uno de sus miembros es enseñada: docente y corresponsables. San Agustín escribe: «Soy obispo para vosotros, y soy un cristiano con vosotros; quienes hablamos y quienes ahora escucháis, somos discípulos del único maestro; asistimos a la misma escuela»[25]. También la Iglesia que solemos llamar «docente» debe ser enseñada sin menoscabo de su función magisterial, que sólo se ejercerá escuchando antes a la comunidad cristiana[26].

Porque todos los bautizados son responsables, las decisiones autocráticas y en solitario de la jerarquía no responden al espíritu de la tradición cristiana. San Cipriano escribe a su comunidad eclesial de Cartago: «Desde el comienzo de mi episcopado me he propuesto no decidir nada sólo con mi opinión personal, sin pedir parecer a vosotros, sacerdotes y diáconos, y sin la conformidad de mi pueblo»[27]. Ya en la Edad Media tenía vigencia para las decisiones eclesiales el célebre adagio:

«Lo que concierne a todos, debe ser discutido y acordado por todos».

• Una visión clericalizada de la Iglesia entra en crisis también cuando se agudiza el problema de la evangelización. Ha caído la «situación de cristiandad», y el desafío evangelizador es cada vez más urgente. El proceso secular deja sin espacio a lo religioso, en cuyo ámbito se sitúan los ministerios ordenados que venían siendo todo en la Iglesia y los testigos cualificados de la misma en la sociedad. Sin un laicado apasionado y responsable de la evangelización, el sacerdote se ve solo, con sobrecarga de tareas e incapaz de cubrir las necesidades misioneras. De ahí pueden venir también su crisis y desánimo.

Pero ese mismo reto evangelizador cuestiona seriamente: ¿cómo debe organizarse la Iglesia para ser testigo del evangelio en una situación de «no cristiandad»? Hay que abandonar el camino del poder y ofrecer un testimonio de práctica evangélica.

Será inútil que obispos y presbíteros quieran llegar a todos los sitios y ser especialistas en todos los campos. La demanda evangelizadora sólo encontrará respuesta satisfactoria si todos los miembros del pueblo de Dios son intérpretes de su fe dentro de las situaciones concretas y testigos del evangelio en su conducta. Una Iglesia que toma conciencia de su misión en el mundo deja de ser piramidal y clericalizada para ser comunidad de bautizados, todos ellos responsables en la tarea evangelizadora.

• A la verdadera tradición cristiana y a la necesidad misionera trata de responder el Vaticano II en la constitución sobre la Iglesia. El concilio rechazó un esquema donde primero se hablaba de la jerarquía, para después hablar del pueblo cristiano; estaba diseñado conforme al binomio clérigos-laicos. Pero se invirtió el orden, tal como ha quedado: la Iglesia se define ante todo como pueblo de Dios; sólo después se habla de los distintos ministerios y carismas que suscita el Espíritu en este pueblo santo; ahí tienen su puesto los ministerios ordenados.

Los distintos roles o funciones en la comunidad cristiana presuponen y tienen sentido en la igualdad fundamental de todos sus miembros gracias al mismo Espíritu que a todos anima.

---

[25] *Serm.*, 340, 1, en Vaticano II, LG 32.

[26] Vaticano II, DV 10.

[27] *Epist.*, V, n. IV: PL 4, 240.

El pueblo de Dios es uno: «Un solo Señor, una sola fe, un solo bautismo» (Ef 4,5); es común la dignidad de los miembros, que deriva de su regeneración en Cristo; común la gracia de la filiación, común la llamada a la perfección, única es la salvación, una la esperanza e indivisa la caridad; no hay por consiguiente en Cristo y en la Iglesia ninguna desigualdad por razón de la raza o de la nacionalidad, de la condición social o del sexo...

Si bien no todos en la Iglesia van por el mismo camino, todos están llamados a la santidad y han recibido la misma fe por la justicia de Dios (1 Pe 1,1). Aunque algunos por voluntad de Cristo

> «han sido constituidos para servicio de los demás como doctores, dispensadores de los misterios y pastores, existe una auténtica igualdad entre todos en cuanto a la dignidad y acción común en la edificación del cuerpo de Cristo»[28].

El concilio abre paso a una Iglesia toda ella responsable y corresponsable, en la que brotan los carismas y ministerios necesarios para la comunidad cristiana que debe ser testigo de Jesucristo en el mundo.

b) Toda la Iglesia es ministerial

En la visión de la Iglesia como signo histórico y eficaz del reino de Dios, todos los bautizados, cada uno con el don que ha recibido, tienen que prestar este servicio evangelizador. Es una vocación ministerial común a toda la Iglesia. Dentro de la misma van surgiendo y tienen su verdadera significación carismas y ministerios particulares.

• *En función del reino*

Mediante parábolas, Jesús habló con lenguaje simbólico sobre la nueva humanidad en que la misericordia de Dios irrumpe y transforma el corazón de los hombres, una nueva situación comunitaria donde también cuentan los que socialmente nada cuentan. A esta nueva comunidad llamó reinado de Dios, que como simiente crece ya en nuestra tierra.

[28] LG 32.

La Iglesia es convocación de los hombres que han escuchado la buena noticia y se dejan transformar por ella, para transformar a su vez las relaciones entre los humanos. Proclamando históricamente la salvación en Jesucristo, la comunidad cristiana es signo e instrumento para construir esa nueva humanidad. Se define como «sacramento del reino», presencia del mismo todavía oscura y con anhelo de plenitud.

Por ello la Iglesia es *comunidad referencial*. Su existencia sólo tiene sentido en función del reino que va transformando la realidad humana y cósmica. Toda ella es ministerial, un servicio al evangelio y una oferta de gracia para el mundo que se perfecciona en la fraternidad universal. Esta vocación de toda la comunidad cristiana es presupuesto determinante de las tareas que pueda realizar cada bautizado; algo previo que da sentido a cualquier función ministerial, incluidas las funciones jerárquicas.

• *Ministerio desempeñado por todos*

Si toda la iglesia es ministerial, proclamación o sacramento del reino, todos sus miembros ejercerán de algún modo ese ministerio viviendo y compartiendo como hermanos. En el Nuevo Testamento se nos presenta una Iglesia solidariamente responsable: el Señor «constituyó a unos apóstoles, a otros profetas, también evangelistas, pastores y doctores, perfeccionando así a los santos para la obra del ministerio en orden a construir el cuerpo de Cristo» (Ef 4,11-12). Por eso,

> «el don que cada uno haya recibido, póngalo al servicio de los otros como buenos administradores de la multiforme gracia de Dios» (1 Pe 4,10); «vosotros sois el cuerpo de Cristo y sus miembros» (1 Cor 12,27); «hay muchos miembros, pero el cuerpo es uno sólo; no puede el ojo decir a la mano: no tengo necesidad de ti; ni tampoco la cabeza a los pies: no necesito de vosotros» (1 Cor 12,21).

No se deben contraponer ministerio al interior de la Iglesia y ministerio para el exterior, sacramentalización y evangelización, catequistas y militantes. La forma en que se vive el ministerio entre los cristianos debe ser anuncio del evangelio: una existencia en la humildad, en el servicio a los hermanos. Esta conducta tiene ya una repercusión evangelizadora y transformadora en un mundo desfigurado por el poder, la dominación y la insolidaridad. La vida interna de la Iglesia debe ser ya buena noticia para el mundo.

• *Cada uno con su carisma*

En una Iglesia toda ella ministerial, cada bautizado ejerce su responsabilidad según las necesidades de la comunidad cristiana dentro de la realidad humana y según el don que cada uno ha recibido. Esta vocación particular es fruto de un carisma cuya noción no está bien precisada en san Pablo. Parece que se trata de una realidad gratuitamente recibida, vital y dinámica, que promueve capacidades y talentos de la persona ignorados incluso por ella misma, poniéndolos al servicio de la comunidad cristiana y de su misión en el mundo.

Las cartas de Pablo traen varias listas de carismas y vocaciones dentro de la Iglesia, que fácilmente pueden tener su versión actual. Don de curar, que hoy llamaríamos asistencia sanitaria; de compartir los bienes materiales para eliminar la miseria (justicia y paz, acción social); de consolar, v. gr. atención a los presos; don de profecía, recordando la voluntad de Dios y que pueden tener todos los cristianos; doctores, que hoy serían los teólogos y catequistas; carisma de la presidencia para reunir a la comunidad y confortarla en la fe: obispo, presbítero, diácono[29].

Esta visión responde a la verdadera doctrina tradicional sobre la Iglesia, toda ella sacramento del Espíritu, fuente de todos los carismas. Cuando se pierde esta visión, sacramentos, carismas y especialmente los ministerios ordenados se vinculan directamente a Cristo, con olvido del espíritu, alma de la comunidad cristiana, memoria y presencia del Resucitado. En una interpretación «espiritual» de la Iglesia, la comunidad rejuvenecida por la gracia es como matriz de todos los ministerios por obra del único Espíritu.

[29] J. Delorme, *o. c.*, 62-70.

• *Carisma y ministerio*

Los ministerios son carismas, pero suponen algo más: una serie de condiciones que matizan su cometido en la Iglesia. Se puede hablar de ministerio en sentido amplio para expresar la responsabilidad solidaria de cada cristiano dentro de la comunidad. Así podemos llamar «ministerio» a todo servicio prestado por un bautizado que vive su tarea –profesional, familiar, sindical o eclesial– dentro de la misión evangelizadora de la Iglesia. Pero hablando con propiedad, entendemos por «ministerios» ciertos carismas, servicios o tareas, con unas características peculiares:

– Un servicio *bien preciso*, con un objetivo determinado, por ejemplo atender a los ancianos, enfermos y desvalidos.

– Un servicio *importante o al menos útil* para la vida de la comunidad eclesial; así la liturgia o la catequesis en un determinado ambiente.

– Un servicio que *incluye verdadera responsabilidad;* no es sólo suplencia de otro que es el verdadero responsable de la tarea, sino que incluye autonomía real y responsabilidad del que presta el servicio en cuestión. Responsabilidad que significa también obligación ante la comunidad cristiana.

– Un servicio *reconocido por la Iglesia local;* este reconocimiento se puede hacer con un acto litúrgico; a través de la Iglesia local, toda la Iglesia en comunión reconoce y refrenda la responsabilidad asumida.

Los ministerios brotan en una Iglesia, templo del Espíritu y reflejo de la comunidad trinitaria, dentro de una historia cambiante. Todos los ministerios y carismas, expresiones de la Iglesia, «cuerpo espiritual» de Cristo, son funcionales según contextos y situaciones. Así encontramos en las cartas paulinas varias listas de carismas y ministerios; entre las funciones ministeriales tiene relevancia el anuncio del evangelio; no se habla de un ministerio especial para presidir la eucaristía y parece que va implícita esa función en el ministerio del que preside[30].

[30] Se ha hecho notar «el silencio del Nuevo Testamento sobre las modalidades de la presidencia eucarística» (sabiendo que en aquella época no existía una cena religiosa sin presidente: cf. H. Denis, *El ministerio como presidencia*, en J. Delorme, *o. c.*, 453).

c) *Los ministerios ordenados*

Hay algunos ministerios que tienen especial oficialidad. La tradición ha reconocido como necesarios y permanentes los ministerios ordenados –obispo, presbítero y diácono– que se confieren sacramentalmente. ¿Cómo situar estos ministerios en la función ministerial de toda la Iglesia? ¿Cuál es su originalidad? ¿Qué precisiones se imponen para no deformar su significado y su papel?

• *En un pueblo sacerdotal*

En el lenguaje corriente, casi siempre el término «sacerdote» designa el ministerio ordenado que también llamamos en castellano «presbítero». Pero esta forma de hablar puede originar grave confusión.

– En general, los escritos del Nuevo Testamento no aplican a Jesucristo el término «sacerdote». Una excepción es la carta a los Hebreos, que reserva para Cristo los títulos de pontífice, sacerdote y mediador, haciendo notar su originalidad y novedad respecto al sacerdocio de la religión judía, e indirectamente de todas las religiones.

«Sacerdote» designa la mediación entre Dios y los hombres, y el único mediador es Jesucristo. Porque la Iglesia, integrada por todos los bautizados, es la comunidad o cuerpo espiritual de Jesucristo, todos los cristianos son también sacerdotes, mediadores, «tienen acceso a Dios» en la plegaria y en la vida. Todo el pueblo cristiano es sacerdotal, recreando la historia de Jesús, actuando en justicia y en santidad, «ofreciendo sacrificios espirituales aceptos a Dios por Jesucristo» (1 Pe 2,5).

– Pero en el Nuevo Testamento hay otras palabras: obispo, presbítero, diácono, que se refieren al ministerio del que preside, coordina o presta un servicio necesario a la comunidad. Estos ministerios son ante todo y finalmente miembros del pueblo de Dios, pueblo sacerdotal que debe vivir en santidad y justicia. Su peculiaridad no está en la vida ni en ser clase aparte de los otros cristianos, sino en la función: signos e instrumentos para que la comunidad viva, actualice y celebre su condición sacerdotal y mediadora.

Se comprende que «sacerdocio común de los cristianos» y «sacerdocio ministerial» responde a dos ámbitos diferentes: el de la vida y el de la función. No vale apelar al sacerdocio común de los bautizados como argumento para que presidan la eucaristía, ni tampoco cuestionar la presidencia de la misma por el obispo o presbítero so pretexto de que todo el pueblo es sacerdotal.

• *Originalidad y función del ministerio ordenado*

Se habla de los obispos como «sucesores de los apóstoles», y la expresión denota un carisma y función importante para asegurar la apostolicidad de toda la Iglesia. Un ministerio que debe ser interpretado como servicio a esta apostolicidad.

– *Toda la Iglesia es «apostólica»*

Así lo confesamos en el «credo», y hay que dar a esa confesión todo su alcance teológico. Frecuentemente, cuando decimos que los obispos son «sucesores de los apóstoles», nos quedamos en un ámbito jurídico, entendiendo la sucesión como transmisión de poderes antes y al margen de la comunidad eclesial.

Esta idea puede funcionar en el esquema de sociedades cuyo fundador ya no vive y se perdió en el pasado. Pero, gracias al Espíritu, Jesús resucitado infunde vida en su cuerpo que es la Iglesia. Esa vida fue experimentada y transmitida por los apóstoles, y hoy es también realidad en la Iglesia donde se da la continuidad o sucesión apostólica, que podemos concretar en tres aspectos.

• La expresión «tiempo apostólico» designa la fundación de la Iglesia cuya «piedra angular» es Cristo mismo y sus cimientos los primeros testigos –«apóstoles y profetas»– que recibieron y anunciaron el evangelio (Ef 2,20). Por ello se dice que la revelación terminó con el último apóstol.

Quienes entran en la Iglesia encuentran ya la realidad constituida en la fe de los apóstoles. Como realidad viva en la historia, la comunidad cristiana debe mantenerse fiel a ese tiempo de su fundación, cuando los apóstoles fueron verdaderos testigos del Resucitado.

• Los apóstoles fueron los hombres privilegiados que, gracias al Espíritu, dieron el paso de conocer al Jesús histórico a confesarle Hijo de Dios. Nuestra fe cristiana se apoya en ese testimonio. Ellos nos han transmitido, con su predicación, el evangelio de Jesús y han sido la primera comunidad que ha encarnado esa buena noticia.

Decir que la Iglesia es «apostólica» significa que actualmente vive la misma fe de aquella primera comunidad cristiana. Por eso toda la Iglesia es apostólica, en cuanto se mantiene fiel a la «verdadera» tradición de los apóstoles, como signo y actualización de la conducta practicada por ellos.

Las acciones en que la Iglesia confiesa su fe y expresa su vida son los sacramentos, especialmente la eucaristía. El gesto sacramental en la última cena era celebrado por la comunidad apostólica en «la fracción del pan», que hoy renueva la Iglesia confesando así su apostolicidad.

• El término «apostólico», finalmente, significa en griego «enviado». Los apóstoles organizaron las distintas comunidades cristianas obedeciendo a la misión recibida de Jesús: anunciar el evangelio a todo el mundo. En este sentido, la Iglesia es «apostólica»: enviada para seguir la evangelización iniciada por los apóstoles. Esta misión constituye la razón de ser para la Iglesia, que se define como sacramento del reino entre los hombres.

– *Para garantizar esa apostolicidad*

Aquí tienen su sentido y función los ministerios ordenados. Suscitados por el Espíritu en la comunidad cristiana, son un servicio a la misma.

• La Iglesia es apostólica porque tiene a Jesucristo como «piedra» angular y a los apóstoles como fundamento; vive de la continuidad del libre don del Espíritu. Iglesia significa «convocación». Esa referencia de gratuidad que define a la comunidad cristiana viene expresada por el ministerio de la presidencia. Los ministerios ordenados evocan y actualizan sacramentalmente la presencia de Cristo, principio de vida para toda la comunidad cristiana: «Son configurados a Cristo cabeza en persona»[31].

Porque ninguna comunidad es convocada en su propio nombre, sino en nombre de Jesucristo, el ministro que preside la eucaristía inicia la celebración convocando en el nombre de la Trinidad: «La gracia de Nuestro Señor Jesucristo, el amor del Padre y la comunión del Espíritu Santo estén con todos vosotros». Al final de la celebración, el presidente de la misma no dice: «vayamos», sino: «id en paz»; actúa en nombre y como signo de Jesucristo, quien con su Espíritu reúne a la comunidad cristiana.

En esta visión eclesiológica se comprende que los ministerios ordenados expresan la gratuidad, que precede, unifica y trasciende a las mismas comunidades locales, aquello que tienen de común con el tiempo apostólico. Ninguna comunidad debe considerarse origen último de su ministerio: el obispo es dado por la Iglesia universal, mientras que presbíteros y diáconos son ordenados por el obispo. En esa perspectiva debe ser interpretada la disciplina canónica:

> «Se dicen llamados por Dios quienes son llamados por los legítimos ministros de la Iglesia»[32].

> Para alimentar al pueblo de Dios y acrecentarlo siempre, Cristo Señor instituyó en su Iglesia diversos ministerios ordenados al bien de todo el cuerpo. Los ministros que tienen un poder sagrado, sirven a sus hermanos...
>
> Vaticano II, LG 18.

• La Iglesia es apostólica porque vive la misma fe de los apóstoles; tiene que mantenerse fiel a la «tradición» viva, que viene a ser norma de verdad. Comunión ya recibida que se debe actualizar en cada cultura, la Iglesia tiene garantizada esa continuidad en la fe gracias a los ministerios ordenados que prestan su servicio a la fe apostólica

[31] PO 2. «Instrumentos vivos de Cristo, representan la persona del mismo Cristo» (PO 12).

[32] *Catecismo Romano*, P. II, c. 7, n. 3.

«escuchando con piedad, guardándola con exactitud y exponiéndola con fidelidad»[33].

Porque la fe apostólica es común y une a todas las Iglesias, el ministerio ordenado en una Iglesia local será, respecto a las demás Iglesias, testigo de la fe que vive su propia comunidad, mientras en ésta será también lazo de unión y signo de comunión con las demás comunidades cristianas.

• La Iglesia es apostólica en cuanto «enviada» para seguir anunciando el evangelio. Cada cristiano, con su carisma o don recibido, está proyectado en la comunidad eclesial, toda ella evangelizadora, y los distintos carismas progresan en orden a esa vocación misionera. Para ello es imprescindible la coordinación que realizan los ministerios ordenados.

Ya refiriéndonos a los obispos, grado más alto en los ministerios ordenados, son «sucesores de los apóstoles» para asegurar la apostolicidad de toda la Iglesia. Con su carisma especial, que es un don del Espíritu, aseguran la fidelidad de la comunidad cristiana, su continuidad con la tradición apostólica, y coordinan las actividades misioneras de la misma. Presbíteros y diáconos son colaboradores de los obispos en este servicio al pueblo de Dios.

– Algunas aplicaciones

 # Todos los ministerios son carismas

No todos los carismas son ministerios, pero los ministerios, incluidos los ordenados, son carismas. De ahí dos observaciones importantes:

• Resulta sin sentido y chocante oponer en la Iglesia *carisma y función*, contraponiendo Iglesia carismática e Iglesia funcional. Cuando esto ocurre, hay enfermedad comunitaria o interpretación torcida del carisma y del ministerio, anarquía o despotismo, una visión eclesiológica miope. Los carismas auténticos desearán y aceptarán con gratitud el servicio de los ministerios ordenados que garantizan la fidelidad a la tradición viva y hacen posible la buena marcha de la comunidad. A su vez, los ministerios ordenados deben ser ejercidos con espíritu evangélico –«carismáticamente», bien interpretado el término–, prestando su ayuda no como el que manda, sino en actitud de servicio humilde.

• En esta visión hay que *rechazar el binomio jerarquía-base*. La ordenación sacramental no hace a nadie más cristiano; sólo capacita para una función nueva. La dignidad mayor y única, común a todos los miembros del pueblo de Dios, proviene del bautismo; ahí reciben la condición de hijos y vienen a ser hermanos fundamentalmente iguales.

 # Conllevan un poder

Los ministerios ordenados *se confieren mediante un sacramento:* una celebración donde la comunidad cristiana confiesa su fe y actualiza su vida. Este sacramento concede un poder y la gracia necesaria para ejercerlo con el espíritu de Jesucristo.

• Concede «un poder», unas facultades peculiares –«potestas spiritualis» o «carácter sacramental», según la teología escolástica– para representar a Cristo en la construcción y edificación de su cuerpo que es la Iglesia. Los obispos, sucesores de los apóstoles, presiden la comunidad cristiana «como maestros de la doctrina, sacerdotes del culto sagrado y ministros de gobierno»[34]. Colaboradores de los obispos, los presbíteros reciben también la facultad de «predicar el evangelio, dirigir la comunidad y celebrar el culto divino»[35]. Los diáconos también reciben un poder «para actuar en el ministerio de la liturgia, de la palabra y de la caridad»[36].

En este sentido hay que mantener una verdad que defendió Trento contra los Reformadores: no todos los bautizados tienen esas facultades. Aunque también habrá que ampliar el horizonte de las funciones asignadas por ese concilio al ministerio del orden –ofrecer la eucaristía y perdonar pecados– siguiendo la doctrina del Vaticano II, y sin olvidar que la Iglesia se constituye en la misión[37].

[33] Vaticano II, DV 10.

[34] LG 20.

[35] LG 28.

[36] LG 29.

[37] Conc. de Trento (DS 1771); Vaticano II, PO 4-6.

• Como los demás sacramentos, el del orden *incluye la gracia*, esa fuerza del Espíritu que nos transforma y nos permite actuar en santidad y justicia. Puede resultar sintomático que se rechace un clericalismo a ultranza y al mismo tiempo se lamente que no haya auténtico liderazgo en las comunidades cristianas. No se soluciona la deformación del clericalismo negando unos poderes o facultades que son dones del Espíritu y que la comunidad eclesial necesita. Los ministerios ordenados deberían prestar a esa comunidad sus auténticos líderes, y para ello han de tener unos poderes o facultades. Las cosas no se arreglan acabando con ese poder, sino ejerciéndolo como un servicio a la comunidad. Como ayuda para seguir esta conducta evangélica, se ofrece la gracia en el sacramento del orden[38].

En una Iglesia evangelizadora

Los ministerios sólo tienen sentido en función de la comunidad; capacitan para tareas que la Iglesia debe realizar *en orden a la misión evangelizadora*. Por eso hay que destacar dos puntos.

• El criterio determinante para confiar los ministerios ordenados no es tanto el deseo del candidato cuanto la tarea que debe cumplir para responder a una necesidad comunitaria. Cuando se dice: «este joven tiene vocación», o «éste ha elegido hacerse sacerdote», ¿no ponemos el énfasis más en el deseo del candidato que en el servicio requerido por la comunidad? En los primeros siglos hubo algunos casos en que la necesidad ineludible de la comunidad forzó en cierto modo el consentimiento de alguno de sus miembros para recibir el ministerio jerárquico.

• Si los ministerios ordenados deben realizar tareas para bien de la comunidad, parece normal que ésta intervenga también de algún modo en la elección de sus ministros. No sólo porque cada comunidad tiene sus características y contexto propio, sino también porque, gracias al Espíritu, todo el pueblo cristiano tiene capacidad de discernir espiritualmente. En nuestros días se declara inválida la ordenación si se demuestra que no hubo consentimiento del candidato a la misma; pero en otros tiempos, la validez entraba en cuestión si se demostraba que la comunidad cristiana no había consentido en esa ordenación. Hoy se acentúa mucho la intervención de la Iglesia universal en la entrega de ministerios ordenados, y queda un poco en la sombra el lazo de los mismos con la Iglesia local. Habrá que inventar nuevos caminos para la participación del pueblo cristiano en la elección de sus ministros, pero es evidente que no podemos quedarnos con la frase-rúbrica pronunciada por el obispo ante familiares y amigos del ordenando:

> «Si alguien tiene algo que decir en contra del candidato, que lo diga».

[38] R. Blázquez, *Ministerio y poder en la Iglesia:* Communio (1984) 206-213.

> El sacerdote ha de ser un hombre de fe no sólo para sí mismo, sino en función de los demás. Los otros pueden apoyarse en él, pero él –sin despreciar la ayuda que pueda encontrar en los demás, sacerdotes o seglares– sólo puede apoyarse directamente en Dios. Todos los guías del pueblo de Dios han sido llamados a esta fe absoluta, sin evidencias ni apoyos.
>
> Y. Congar,
> *A mis hermanos,*
> 223-224.

Como signo de gratuidad

La intervención de la comunidad en la elección de sus ministros es normal y deseable. Queda en pie sin embargo que ninguna Iglesia local se da a sí misma el ministerio. La intervención de la Iglesia universal en la ordenación de ministros auténticos es necesaria para liberar a las Iglesias particulares del sectarismo. Pero esa intervención no se reduce al ámbito jurídico: entrega de unos poderes que previamente tiene un grupo de gobernantes. Debe ser interpretada más bien como signo de una intervención personal y gratuita de Dios, cuyo Espíritu, operante ya en la comunidad cristiana, se transmite por la imposición de manos.

d) Mirando al porvenir

En la evolución de la práctica y teología de los ministerios hay dos referencias fundamentales que deben ser conjugadas. Por una parte, los cambios de cultura y de situación que crean necesidades nuevas y exigen nuevas formas sacramentales. Por otro lado, los ministerios son carismas del Espíritu, y el reconocimiento de los mismos debe ser hecho por la Iglesia.

Conviene sin embargo hacer notar que, de modo especial en los sacramentos, la Iglesia va explicitando la verdad según van surgiendo nuevas demandas y nuevas prácticas alternativas. Prácticas que, sobre todo en momentos de cambios fuertes, cuestionan el ordenamiento eclesial en vigor, como sacudidas para que este ordenamiento no se adultere como fijación ideológica que impida una reforma continua y necesaria en la Iglesia evangelizadora.

Esta Iglesia avanza en dialéctica entre lo que debe morir y lo nuevo que quiere nacer, y es reveladora no sólo cuando habla, sino también cuando actúa. El porvenir de los ministerios debe quedar abierto a esa práctica eclesial y no se puede resolver sin más mediante decretos teóricos. Las discusiones sobre los ministerios ordenados que tuvieron lugar en el Sínodo de 1971 manifiestan cómo en este campo hay problemas que no tienen solución a corto plazo, y es necesaria una búsqueda trabajosa donde se articulen la tradición viva y las nuevas prácticas.

Mirando al porvenir, es inútil aventurar pronósticos y dar recetas. Lo más razonable será interpretar el presente, buscando algunas vetas por donde puede ir la renovación necesaria de los ministerios.

• *Presupuestos eclesiológicos*

Se impone el paso de una Iglesia clericalizada a una Iglesia toda ella comunidad del Espíritu y ministerial en el servicio del evangelio. Esta nueva faz de la comunidad cristiana debe concretarse:

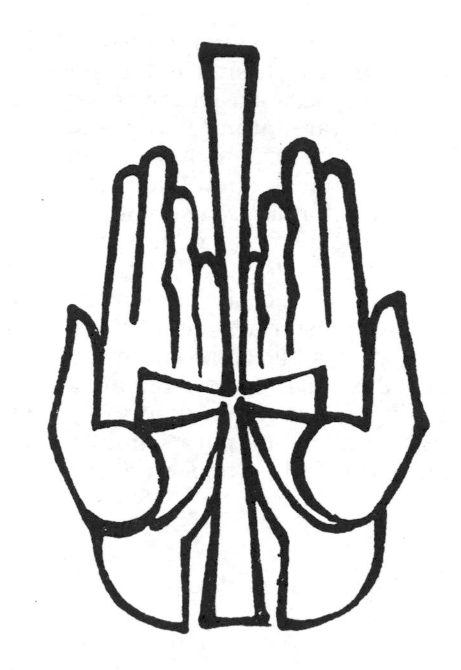

– *Comunidad del Espíritu*

– Haciendo lo posible para *que todos los bautizados se sientan responsables en la Iglesia*. La estructura bipolar sacerdocio-laicado tiene que dejar espacio a una «pluralidad de responsabilidades». Y no vale reducir la comunión y corresponsabilidad eclesial a la interioridad; urge corresponsabilidad de todos en los proyectos y actividades de la Iglesia local, mediante consejos pastorales y otras mediaciones, siguiendo la invitación del Vaticano II.

Esta corresponsabilidad no será posible sin la debida información dentro de la comunidad cristiana. No sólo información de lo que la jerarquía dice a los demás miembros del pueblo de Dios, sino también información de lo que dicen los fieles a la jerarquía que, para ejercer su ministerio docente, debe también escuchar la fe y juicio del pueblo cristiano.

– *Emprendiendo una vía sinodal*, un camino en diálogo, una pastoral de conjunto donde todos los carismas y ministerios aporten su peculiaridad y presten su servicio comunitario. La edificación de la comunidad ha de ser objetivo constante para el ejercicio de todos los ministerios. En esta perspectiva, deberíamos prestar mayor atención a las semejanzas que a las diferencias entre ministerios ordenados y no ordenados, haciendo ver la similitud de la ordenación con otras formas de autorización ministerial que hay en la Iglesia.

> Reconozcan y promuevan los presbíteros la dignidad de los laicos y la parte propia que a éstos corresponde en la misión de la Iglesia.
>
> Vaticano II, PO 9.

– Buscando cauces para *que la comunidad cristiana intervenga en la designación de sus ministros*. Esa intervención se buscará espontáneamente cuando la comunidad esté integrada por bautizados responsables y solidarios en la evangelización. Tenemos aquí un serio vacío, aun reconociendo que el ministerio ordenado es don del Espíritu que se concede mediante la imposición de las manos.

– *En un mundo cambiante*

Sólo podrán renovarse los ministerios ordenados si la Iglesia vive en función del reino, *en estado de misión*. La salud de la comunidad cristiana exige conciencia clara de tener delante un mundo al que debe ofrecer la buena noticia de Jesucristo. Cuando falta esta sensibilidad misionera y evangelizadora, la comunidad cristiana está enferma y su enfermedad repercute sin remedio en los ministerios ordenados, que sólo encuentran su verdadero lugar en una Iglesia servidora del evangelio en el mundo. De acuerdo con las distintas necesidades que vayan surgiendo en la misión, brotarán nuevos ministerios y se renovarán otros. En esas demandas nuevas encontrarán también su actualización los ministerios ordenados.

– *En las distintas culturas*

Hay que dar toda su importancia y *referirse continuamente a las Iglesias locales*, que deben tener su proyecto de misión conforme al contexto y situación sociales. La diversidad de situaciones y culturas recomendará distintos tipos de ministerios; también formas y estado de vida para los ministerios ordenados. Por ejemplo, una cultura sacral postula formas bien distintas a las significativas en una cultura secularizada.

• *Factores a tener en cuenta*

A modo de aproximaciones, sugiero algunos puntos a tener en cuenta, dejando abiertos problemas cuya solución vendrá dada por el discernimiento en la práctica pastoral.

– *Un cambio difícil*

Los ministerios ordenados sólo encontrarán su espacio y papel dentro de la Iglesia si abandonamos las nostalgias de un pasado clerical y evitamos las anarquías destructivas de la comunidad cristiana. Pero el cambio de una Iglesia clericalizada y de clases, a una Iglesia comunitaria y corresponsable donde también los ministerios ordenados tengan su puesto, resultará difícil.

Muchos bautizados confundirán «costumbre y tradición»; les costará dejar la inercia y pasividad a las que vienen acostumbrados en una práctica eclesial marcada por el clericalismo que les daba todo servido. Tampoco resultará fácil este cambio a muchos obispos y presbíteros, que deben establecer con sus comunidades un nuevo tipo de relación fraterna y de organización pastoral. Acostumbrados a tener que hacerlo todo y ser los únicos responsables, ¿cómo desempeñar ahora un papel de coordinación, sobre todo cuando falta una comunidad viva y un laicado promovido? Se comprende que, ante la inevitable dificultad, algunos sigan actuando en la mentalidad de una Iglesia clericalizada, impidiendo así una renovación necesaria.

– *Papel decisivo de la jerarquía*

Obispos y sacerdotes pueden prestar un gran servicio en el paso de una Iglesia deformada por el clericalismo, a una Iglesia toda ella responsable, donde los ministerios ordenados encuentren su verdadero puesto.

Hoy vemos cuestionado aquí y allá el ministerio de la presidencia, que frecuentemente se reduce a la celebración eucarística. Ese cuestionamiento y la escasez de vocaciones pueden influir para que algunos presbíteros se desanimen. Pero si el despertar del laicado ha contribuido a esta crisis, la formación seria del mismo permitirá recuperar la verdadera función de los ministerios ordenados. Por eso, lo mejor que podemos hacer hoy para superar la crisis es promover el laicado, todos los carismas y ministerios suscitados por el Espíritu en la Iglesia.

> Al regir y apacentar al pueblo de Dios, los presbíteros se sientan movidos por la caridad del buen Pastor a dar la vida por sus ovejas.
>
> Vaticano II, PO 13.

– *Adecuada selección de candidatos*

Ahora los candidatos al ministerio ordenado son casi siempre jóvenes que han sentido esa llamada interior; reciben una formación teológica y pastoral, y luego son destinados al servicio de una comunidad cristiana. Este proceso suscita una pregunta: en la selección de candidatos a los ministerios ordenados, ¿partimos primariamente de las necesidades que tiene la comunidad local, o sólo del voluntariado e itinerario de los candidatos?

Según lo que venimos diciendo, la selección de los candidatos debería proceder más bien así: analizar primero las necesidades de la comunidad cristiana, buscar las personas aptas para este servicio, y con este discernimiento elegir al candidato para la ordenación. Un proceso distinto del anterior: vocación-deseo, formación en el seminario, asignación del ministerio en una comunidad.

Sin duda ese cambio lleva una gran dosis de utopía, pero viene postulado por una visión más comunitaria de los ministerios ordenados. Sólo si se parte de las necesidades concretas de la comunidad cristiana, el ministro de la misma no llegará como extranjero y caído de las nubes. Sólo también en esa perspectiva será normal y válida la intervención de la comunidad cristiana en la selección de sus ministros.

– *Alternativas que se abren*

No tenemos un análisis objetivo y exhaustivo para detectar los problemas concretos con que realmente chocan hoy los ministerios ordenados, y más concretamente los presbíteros. En la Asamblea Conjunta de 1971, los obispos y sacerdotes españoles no se centraron expresamente en este punto, aunque algunas asambleas regionales han insistido después en la crisis del rol tradicional que vienen desempeñando los presbíteros y piden un pluralismo en las formas de vida y un mayor compromiso político-social. Otras asambleas de Iglesias europeas han acusado los factores de la crisis en la sobrecarga de tareas y en la disconformidad con una Iglesia que impone su disciplina despóticamente.

No entramos ahora en el análisis de estos factores que determinan la crisis ni damos un juicio sobre los diagnósticos parciales ya hechos. Pero en esta situación se abre una alternativa.

• Mantener la identidad entre ordenación y entrada en el clero con todas las condiciones y separaciones que hoy requiere la legislación canónica; en esta alternativa, parece que, al menos en los países europeos y en un futuro inmediato, los presbíteros van a ser cada vez más escasos; podrá ocurrir que haya comunidades cristianas que, sin ese ministerio de la presidencia, tampoco podrán celebrar la eucaristía.

• Abandonar el modelo único de presbítero celibatario, con seria formación teológica, sin profesión civil y dedicado exclusivamente a tareas de Iglesia, entre las que sobresalen los actos de culto.

Son alternativas a elegir desde una preocupación pastoral: ¿queremos dar prioridad al estado de vida de los presbíteros o a las necesidades de la comunidad cristiana que precisa de los ministerios ordenados?[39].

Tanto en la ordenación de casados como de mujeres intervienen muchos factores de tipo cultural y de mentalidad entre los mismos cristianos, que postulan detenido discernimiento. En todo caso, la renovación y cambios en los ministerios ordenados tendrán que venir no tanto por leyes generales, que con frecuencia resultan inoperantes, sino más bien por el diálogo humilde y creyente desde las distintas situaciones locales. En esta búsqueda creyente, los obispos tendrán que prestar su servicio de coordinación, y será imprescindible el carisma del obispo de Roma como signo de unidad y comunión entre todas las Iglesias.

• *Una conversión de todos*

Sólo en *una eclesiología de comunión* pueden ser bien interpretados y encontrar su justo sentido los ministerios. Ahí está la clave para superar la crisis actual. Pero esta superación no será posible sin una conversión cristiana de los laicos y de quienes han recibido el sacramento del orden. Apretadamente, aunque con su trabazón lógica, formulo algunos puntos sobre la visión eclesiológica del Vaticano II y el nuevo talante moral que postula:

– Gracias al Espíritu, vida y muerte de Jesús, con todos sus empeños, acciones y sufrimientos, expresan y realizan la entrega incondicional de sí mismo a la voluntad del Padre, a su proyecto de salvación, a la causa del reino. Por servir a los hermanos, «fue probado en el sufrimiento» (Heb 2,18) y «experimentó la obediencia» (Heb 5,8). Inmolándose a sí mismo, es el nuevo sacrificio y el nuevo modelo de sacerdocio (Heb 7,9; 9,26).

Todos los bautizados reciben el espíritu de Cristo, y ya tienen acceso a Dios. Ofreciéndose a sí mismos, orientando todos sus proyectos seculares según el proyecto evangélico de salvación, y tratando cada día de re-crear históricamente la conducta de Jesús, son el nuevo pueblo sacerdotal que ofrece un culto verdadero (1 Pe 2,9; Rom 12,1).

[39] K. Rahner, *Cambio estructural en la Iglesia*, Madrid 1974, 135; E. Schillebeeckx, *El ministerio*, 150-171.

En esta dignidad común a todos los bautizados, algunos miembros de la comunidad son elegidos y sacramentalmente cualificados para desempeñar una tarea en la sucesión apostólica: servir a la comunidad cristiana en su misión evangelizadora, en la maduración responsable de sus miembros y en su celebración cultual: «Para predicar el evangelio, apacentar a los fieles y celebrar el culto divino». Ahí encuentran sentido los ministerios ordenados.

La finalidad de estos ministerios no es individual, sino funcional. Aunque desde la Edad Media se habla de «potestad», la ordenación implica más bien un encargo y un cargo; una obligación para edificar la comunidad eclesial. Dentro de la misma, los ministerios ordenados son carismas peculiares. La comunidad de bautizados tiene que caminar en la existencia como testigo elocuente del evangelio, encarnando la palabra de Dios en la propia vida, y celebrando el culto «en espíritu y en verdad». Para garantizar el compromiso personal en la evangelización, la fidelidad a la palabra, la calidad cristiana del culto, la comunidad tiene un sacramento del orden. Quienes lo reciben, son «configurados a Cristo cabeza en persona»; *hacen visible la presencia del Señor en medio de su comunidad*.

El sacramento del orden no sólo imprime carácter, eso que la teología escolástica define como «potestad». También da la gracia que transforma la intimidad de los ordenados y les asegura el auxilio divino para que sean servidores de la comunidad cristiana: no buscando privilegios ni primeros puestos (Mc 9,34-37), ni ejerciendo su autoridad con autoritarismo (Mt 18,15-18). Una «gracia de estado» para que sean sucesores de los apóstoles no sólo ejerciendo las funciones apostólicas, sino el estilo apostólico recomendado insistentemente por Jesús. Sólo en este clima espiritual de servicio gratuito y apasionado encuentra su verdadera explicación el celibato que, si bien implica renuncias, está inspirado y motivado por el amor.

– El paso de una Iglesia clericalizada donde los ministerios ordenados tienen monopolio absoluto, a una «Iglesia de comunión», exige la *conversión cristiana de laicos y de clérigos*. Unos y otros tienen que actualizar su fe en la encarnación del Verbo y abandonar una visión dualista de lo profano y de lo sagrado.

Los laicos son discípulos de Cristo, sus testigos en el mundo. Inmersos en las realidades seculares, deben participar en los proyectos de los hombres y hacer que se promuevan conforme al proyecto de Dios. En ese compromiso viven su vocación sacerdotal cristiana que culmina en la celebración eucarística. Sólo en la medida en que los seglares se sientan comprometidos en la misión evangelizadora, se comprometan responsablemente a ser pueblo de Dios en el mundo y participen de modo activo en la celebración sacramental cristiana, los ministerios ordenados realizarán su verdadero cometido. En el fondo se pide una promoción del laicado.

La profundización cristiana también es imperativo para quienes han recibido la ordenación sacramental. No vale seguir con el monopolio de la palabra que, gracias al Espíritu, tiene su eco en todos los bautizados; con ellos hay que contar en la programación evangelizadora. Ni cabe autoridad impositiva que dispense a cualquier cristiano de discernir y decidir responsablemente. Tampoco es suficiente un servicio sacramental que no trate de asegurar la calidad cristiana de la celebración. Los ministerios ordenados también necesitan escuchar a los laicos para encontrar los caminos adecuados en la evangelización; deben hacer lo posible para que todos los bautizados actúen con sus propias convicciones; tienen que salvaguardar la verdad cristiana de la celebración sacramental en el dinamismo de la vida cotidiana.

– El Vaticano II acentuó la naturaleza de la Iglesia como «misterio de comunión», participación de la misma vida trinitaria. Por eso todos los bautizados tienen la misma dignidad: ser hijos de Dios. Y a *esa igualdad fundamental e intangible deben servir los ministerios ordenados*. En esta visión eclesiológica queda rebasada y relativizada, no negada, la visión jurídico-institucional de la Iglesia, organizada por el ejercicio de poderes.

Se ve la preocupación del concilio: que la Iglesia no sea prioritariamente una «sociedad perfecta» con su organización legal implacable, sino «misterio de comunión» en el mundo, como parte de la humanidad, y en visibilidad histórica. Pero parece como si esa visión eclesiológica no encontrase las estructuras jurídicas donde tomar cuerpo en el tejido eclesial. Esa traducción, sin duda necesaria, sólo encontrará cauce si todos los bautizados –laicos y clérigos– cambian de mentalidad y de conducta. Que los laicos vivan responsablemente su dignidad cristiana. Que los ministerios ordenados se consideren miembros de la comunidad y al servicio de la misma. Que todos renueven su vocación de seguir a Jesucristo. A eso llamamos *conversión evangélica*.

Lecturas

J. M. Castillo-M. Rincón, *Al servicio del pueblo de Dios*, Madrid 1974.

Conferencia Episcopal Alemana, *El ministerio sacerdotal*, Salamanca 1970.

J. Delorme, *El ministerio y los ministerios según el Nuevo Testamento*, Madrid 1970.

Concilium 80 (1972), dedicado al tema de los ministerios.

E. Schillebeeckx, *El ministerio eclesial. Responsables de la comunidad cristiana*, Madrid 1983.

A. Vanhoye, *Sacerdotes antiguos y sacerdote nuevo según el Nuevo Testamento*, Salamanca 1984.

I. Oñatibia, *Ministerios eclesiales: el Orden*, en *La celebración en la Iglesia*, 596-652.

J. I. González Faus, *Hombres de la comunidad. Apuntes sobre el ministerio eclesial*, Santander 1989.

Indice general

II
SACRAMENTOS DE CURACION

III
AL SERVICIO DE LA COMUNIDAD

TÍTULOS DE LA MISMA COLECCIÓN

Para leer
EL ANTIGUO TESTAMENTO
Etienne Charpentier

Para leer
EL NUEVO TESTAMENTO
Etienne Charpentier

Para leer
LA HISTORIA DE LA IGLESIA, 1.
De los orígenes al s. XV.
Jean Comby

Para leer
LA HISTORIA DE LA IGLESIA, 2.
Del s. XV al s. XX
Jean Comby

Para leer
UNA CRISTOLOGÍA ELEMENTAL.
Del aula a la comunidad de fe
A. Calvo - A. Ruiz

Para leer
UNA ECLESIOLOGÍA ELEMENTAL.
Del aula a la comunidad de fe
A. Calvo - A. Ruiz

Para vivir
EL MATRIMONIO
Jean Pierre Bagot

Para vivir
LA LITURGIA
Jean Lebon

Para comprender
LA ANTROPOLOGÍA, 1 - HISTORIA
Jesús Azcona

Para comprender
LA FILOSOFÍA
Simonne Nicolas

Para vivir
LA FE CON LOS JÓVENES
Henri Augé

Para decir
EL CREDO
Bezançon - Onfray - Ferlay

Para comprender
LA TEOLOGÍA DE LA LIBERACIÓN
Juan José Tamayo Acosta

Para comprender
LA PSICOLOGÍA
Jesús Beltrán

Para comprender
LA ANTROPOLOGÍA, 2 - CULTURA
Jesús Azcona

Para vivir
LA ORACIÓN CRISTIANA
Xabier Pikaza

Para comprender
LA SEXUALIDAD
F. López - A. Fuertes

Para comprender
EL CATECUMENADO
Casiano Floristán

Para conocer
LA ÉTICA CRISTIANA
Marciano Vidal

Para comprender
LAS RELIGIONES EN NUESTRO TIEMPO
Albert Samuel

Para conocer
EL ISLAM
Jacques Jomier

Para comprender
LOS SACRAMENTOS
Jesús Espeja

Para comprender
LA SOCIOLOGÍA
Juan González-Anleo

Para comprender
AMÉRICA LATINA, 1.
Realidad socio-política
Gregorio Iriarte

Para comprender
EL TRABAJO SOCIAL
T. Zamanillo - L. Gaitán

Para ver
EL CINE
Victor Bachy

Para comprender
LA EXPERIENCIA ESTÉTICA Y SU PODER FORMATIVO
Alfonso López Quintás

Para comprender
EL ECUMENISMO
Juan Bosch Navarro

Para comprender
LA TEOLOGÍA
Evangelista Vilanova

Para conocer
LA FILOSOFÍA DEL HOMBRE.
O el ser inacabado
José Lorite Mena

Para comprender
LA EVANGELIZACIÓN
Casiano Floristán

Para comprender
LA ESCATOLOGÍA CRISTIANA
Juan José Tamayo Acosta

Para conocer
LAS SECTAS
Juan Bosch Navarro

Para comprender
LOS MINISTERIOS DE LA IGLESIA
José María Castillo

Para vivir
EL DOMINGO
Xavier Basurko

Para leer
EL APOCALIPSIS
Jean-Pierre Prévost

Para comprender
LA CONDUCTA ALTRUISTA
Félix López Sánchez

Para comprender
LA PARROQUIA
Casiano Floristán

Para comprender
DOS MIL AÑOS DE EVANGELIZACIÓN
Jean Comby

Para comprender
LA FILOSOFÍA COMO REFLEXIÓN HOY
Manuel Maceiras

Para comprender
LAS NUEVAS FORMAS DE LA RELIGIÓN
José María Mardones

Para comprender
LA SOCIEDAD DEL HOMBRE MODERNO.
Del aula a la comunidad de fe
A. Calvo - A. Ruiz

Para vivir
EL EVANGELIO. LECTURA DE MARCOS
Xabier Pikaza

Para comprender
LA HISTORIA
José Sánchez Jiménez

Para comprender
LA ANIMACIÓN SOCIOCULTURAL
S. Froufe Quintás - M. González

Para comprender
EL CUERPO DE LA MUJER
Mercedes Navarro (dir.)

Para comprender
HOMBRE Y MUJER EN LAS RELIGIONES
Xabier Pikaza

Para comprender
LOS SALMOS
Hilari Raguer

Para comprender
LA SOLIDARIDAD
Marciano Vidal

Para comprender
CIENCIA, TECNOLOGÍA Y SOCIEDAD
A. Alonso - I. Ayestarán - N. Ursúa (dirs.)

Para comprender
LA EUCARISTÍA
Xabier Basurko

Para comprender
LAS ESTRUCTURAS SOCIALES
Teodoro Hernández de Frutos

Para vivir
EL AÑO LITÚRGICO
José Manuel Bernal

Para comprender
LA CRISIS DE DIOS HOY
Juan José Tamayo Acosta

Para comprender
LA TEORÍA SOCIOLÓGICA
J. Beriain - J. L. Iturrate

Para comprender
EL OCIO
Fernando Gil (coord.)

Para descubrir
EL CAMINO DEL PADRE
Xabier Pikaza

Para comprender
LA VIDA SEXUAL DEL ADOLESCENTE
F. López - Á. Oroz

Para comprender
CÓMO SURGIÓ LA IGLESIA
Juan Antonio Estrada Díaz

Para comprender
EL LIBRO DEL GÉNESIS
Andrés Ibáñez Arana

Para comprender
QUÉ ES LA CIUDAD
Teorías sociales.
Víctor Urrutia

Para celebrar
LA FIESTA DEL PAN, FIESTA DEL VINO
Xabier Pikaza

Para vivir
LA ÉTICA EN LA VIDA PÚBLICA
Francisco José Alarcos

Para vivir
EL SACRAMENTO DE LA PENITENCIA
Jesús Equiza y otros

En preparación:

Para creer
EN JESUCRISTO
Jesús Espeja

Para comprender
LAS TÉCNICAS DE INVESTIGACIÓN
Bernabé Sarabia (dir.)

Para comprender
EL PODER DE DIOS
Xabier Pikaza

Para comprender
EL HECHO RELIGIOSO
Pedro L. Rodríguez Panizo